언어치료사를 위한

언어학개론

제2판

언어치료사를 위한

언어학개론

제2판

이희란, 이경재, 오소정 지음

언어치료사를 위한 **언어학개론** 

발행일 | 2021년 10월 11일 1쇄 발행
저자 | 이희란, 이경재, 오소정
발행인 | 고영수
발행처 | 에이스 북
표지 디자인 | 에이스 북
본문 디자인 | 차인선

등록번호 | 제2016-000013호
주소 | 경기도 고양시 덕양구 화중로 130번길 36 신유프라자 402-1호
전자우편 | khan250@naver.com
홈페이지 | www.acebook16.com
전화 | (031)962-6497
팩스 | (031)963-6498
ISBN | 979-11-959669-9-8

들어가는 말

『언어치료사를 위한 언어학개론』을 펴낸 다음, 의외로 많은 학생과 언어치료사들이 이 책으로 공부하고 있다는 소식을 접하면서 감사한 마음도 들었지만 내용에 부족함은 없었는지 걱정도 되었다. 독자들 가운데에는 제2판이 나오게 된다면 참고하길 바라며 관심과 애정이 담긴 수정 제안을 보내주시는 분도 있었다. 이 자리를 빌어 감사를 드리고 싶다.

우리 저자들은 대학에서 각자 심리학, 언어학, 국어학을 전공하였고 이후 대학원에서 언어병리학을 전공했으며, 그 배경으로 교육 현장에서 언어학개론 교과목을 담당하고 있다는 공통점이 있다. 이는 우리 세 사람이 이 책을 공동집필하게 된 첫 번째 계기였다. 저자들은 강의를 진행하면서 교과서 선정에 어려움을 겪었는데, 무엇보다 인문학자들이 집필한 언어학개론 교과서들은 언어치료사가 되기 위해 공부하는 학생들을 위해서는 너무 깊이 있고 이해하기가 어려웠고, 번역서들은 영어 문법에 대한 설명이 책의 반을 차지하고 있었다. 게다가 한국어 문법은 언어치료사가 반드시 익혀야 하며, 한 학기 이상을 다루어야 하는 분야임에도 전공과목들에 밀려 오히려 비중 있게 다뤄지지 못하는 아쉬움이 있었다.

이 책에서는 언어병리학 전공자들에게 요구되는 언어학의 기본 개념, 한국어에 대한 기초 지식, 그리고 한국어의 분석과 평가에 필요한 한국어 문법의 요소에 이르기까지를 비교적 심도 있게 다루고자 노력하였다. 먼저, 음운론과 음성학, 통사론, 형태론, 의미론, 화용론에 걸친 언어의 각 구성 요소별 특징과 세부 요소들에 대해 자세히 개관하였다. 특히, 형태론과 통사론에서는 한국어에서 자세하게 다뤄져야 할 많은 문법 특징들을 포함하였다. 또한, 전반적인 언어발달 이론과 더불어 발달 과정과 이정표를 언어습득이라는 장에서 다루었다. 뇌와 언어에서는 최근까지 뇌 과학에서 정리된 언어 관련 학문적 요소들을 개관하고 소개하였다. 이와 더불어 문자와 문해라는 장을 추가하여 읽기와 쓰기에 관련한 언어학적 개념들을 정리할 수 있게 하였다. 이밖에도 언어치료사에게 요구되는 언어분석에 대한 소개와 더불어 의사소통장애와의 연결을 도울 수 있는 장을 제공하였다.

제2판에서는 학습할 내용에 대한 구체적인 학습목표와 더불어, 각 장을 마무리하면서 연습문제를 제시하였으므로 해당 장에서 익힌 언어학의 다양한 개념과 주제들을 정리하는 데 도움이 될 것이다.

이 책은 그 동안 대학에서 강의해 온 저자들의 강의 노트라고 해도 과언이 아닐 것이다. 따라서, 언어학과 한국어 문법 전문가들의 입장에서는 일부 학문적 불일치가 예상되는 경우도 있겠지만, 앞으로 언어치료사가 되기 위해 준비하는 학생들과, 임상 현장에서 대상자들에게 좀 더 질 높은 언어치료를 제공하려 노력하는 언어치료사들에게는 작게나마 도움이 되리라 생각된다.

마지막으로, 언어치료사를 위한 언어학개론이라는 서적 출판의 귀한 기회를 허락해주신 에이스북의 고영수 대표에게 무엇보다 감사의 마음을 전한다.

2021년 여름

저자 이희란, 이경재, 오소정

요약 차례

차례

CHAPTER

01

서론

1.1 언어와 언어학

언어는 사람들 간의 소통을 가능하게 하는 여러 상징체계의 집합이며, 언어를 말하는 사람들 간에 존재하는 언어체계에 관한 지식이다. 고릴라 같은 영장류와 달리 인간이 언어를 수단으로 소통하게 된 것은 직립보행으로 인해 성대를 비롯하여 말 산출에 중요한 역할을 하는 혀, 입술, 치아, 턱, 입천정 등의 조음기관(articulators)이 잘 발달할 수 있었기 때문이다. 소통에 초점을 두고 발달된 조음기관을 통하여 언어 부호(linguistic codes)를 음향학적으로 산출하는 것이 말(speech)이라면, 언어(language)는 우리가 생각하고 의도하는 바를 표현하기 위해 사용하는 말을 포함한 문자나 몸짓과 같은 상징체계에 대한 약속이기도 하다.

말과 언어는 모두 소통(communication)에 속한다고 할 수 있다. 여기서 소통은 사람 간의 의견이나 생각, 감정을 교환하는 것이다. 의도적이거나 그렇지 않은 경우에라도, 대부분의 소통 과정에서 의미는 언어라고 하는 부호를 통해 교환되는데, 여기에는 사람들 간에 약속된 상징체계들 즉, 말과 문자, 수화(sing language)가 사용된다.

그 자체로는 의미가 없는 말소리(speech sounds)에 불과한 음소는 언어를 구성하는 가장 기본 요소라고 할 수 있다. 음소가 서로 결합하면 비로소 의미의 기본 단위인 형태소가 된다. 형태소들은 결합해 단어가 되고, 단어는 구를 만들거나 문장을 구성한다. 문장이 연속적으로 결합하면 담화(discourse)라는 보다 상위의 언어 단위를 만들어낸다. 이처럼 인간의 언어는 하위 수준의 단위들이 일정 규칙에 따라 상위 수준의 새로운 단위로 결합하는 과정을 거친다. 이러한 과정을 반복함으로써 복잡한 다층 구조(multilayered structure)로써의 언어는 단순한 요소들의 집합체들을 계속해서 증축해 나가게 된다(Luden, 2016).

아이의 언어발달에 비추어 언어에 접근해보면, 어린 아이가 '컵'이라는 한 단어의 의미를 알고 표현하기 위해서는 다양한 언어 영역에 대한 지식이 발달하여야 한다. 즉, 환경음과는 분리된 말소리를 듣고 의미를 이해하여야 하며, 말하기에 필요한 각 조음기관의 협응(coordination)을 통하여 말소리를 산출할 수 있어야 한다. 말소리의 산출을 위해서는 음소나 음절과 관련된 음운론(phonology)에 대해 무언가를 아는 것이 필요하다. 나아가 단어의 의미와 정의, 단어의 분류 같은 의미론(semantics)에 대한 지식 체계를 만들어가야 한다. 또한 단어와 문장의 배열, 조합과 관련된 문법 규칙이라고 할 수 있는 통사론(syntax)에 관한 지식에 더해, 사람 간의 소통에 대한 규칙과 관련된 화용론(pragmatics)적 지식에 숙달되어야 한다. 즉, 언어는 통사론, 의미론, 음운론, 형태론, 화용론이라는 각 구성요소에 관한 지식의 통합인 것이다.

언어학(linguistic)은 인간이 사용하고 이해하는 언어 영역을 과학적으로 분석하고 연구하는 학문이다. 상징으로써의 언어 의미를 분석하며, 이러한 상징들이 이뤄내는 언어구조의 규칙을 설명해내고자 한다. 언어심리학에서 언어에 내재된 심리 과정과 구성을 밝히려 노력한다는 점과 구별된다. 언어를 산출하고 이해할 수 있게 하는 심리 기제의 연구가 언어심리학자들의 주요 관심사이기 때문이다. 최근에 의사소통과학과 장애(communication sciences and disorders)라는 학문 영역으로 분류되기도 하는 말 · 언어병리학(speech language pathology)은 의사소통장애에 초점을 두며, 이러한 장애의 원인과 평가, 중재 과정과 더불어 중재 프로그램의 개발을 다룬다.

1.2 말, 언어, 그리고 의사소통

말은 소통을 위한 가장 중요하고 의미 있는 수단이지만, 말 산출(speech production)을 위해서는 아주 정교한 신경근육들의 협응이 요구된다. 각 나라의 말소리에는 특정한 음운(phones) 또는 각기 다른 의미를 전달하는 소리의 최소단위인 음소(phonemes)가 있으며, 이러한 말소리의 조합 규칙은 각 언어의 특성이 된다.

언어는 사람들 간의 소통을 위한 약속 체계인 동시에 사회적으로 공유된 부호(code)의 집합이다. 개별 말소리들은 규칙성을 더해 언어가 된다. 지구상의 대부분의 언어들은 임의적 상징과 음운론, 형태론, 통사론, 의미론, 화용론이라는 언어의 구성요소에 근거한 규칙을 따른다. 이러한 상징들의 조합을 사용하여 개념을 나타내는 관습적인 체계가 바로 언어인 것이다. 물론, 기본 언어의 하위범주로, 비슷하지만 똑같지는 않은 규칙을 사용하는 방언(dialect)이 있기도 하다.

언어는 시대에 따라 진화하고, 발전하고, 변화한다. 또한 언어 외적인 이유(역사, 사회, 문화)들로 인해 번성하거나 쇠퇴하기도 하며, 지구상에서 영영 사라지기도 한다. 언어는 개인의 생각을 전달하는 고유한 매체인데, 대부분의 언어가 말소리로 전달될 수 있지만, 말이 언어의 본질적인 특징은 아니다. 언어는 말소리로 표현되는 소리 언어(spoken language), 문자에 의해 시각적으로 표현되는 문자 언어(written language), 그리고 수화(sign language)로 대표되는 몸짓 언어(gestured language)로 나눌 수 있다. 이러한 언어의 학습과 사용은 생물학적, 인지적, 심리사회적, 환경적 요인이 개입하여 결정된다.

의사소통은 말과 언어에 덧붙여 몸짓이나 대화자 간의 거리, 표정 등의 비언어적(nonlinguistic) 수단을 모두 포함하는 요소이다. 의사소통은 사람들 간의 정보와 생각, 요구 등을 교환하기 위해 말이나 문장, 몸짓 등을 사용하는 과정이며, 동시에 말하는 이와 듣는 이가 의도하는 메시지의 부호화, 전달하기, 부호풀기를 포함하는 능동적인 활동이라고 할 수 있다. 소통의 과정을 예로 들어보자. 말하는 이가 어떤 한 대상(예, '사과')에 대한 개념을 갖고 이를 듣는 이에게 전달하고자 한다면, 듣는 이가 이해할 수 있는 언어의 단어 '사과'로 부호화(encoding)할 수 있어야 한다. 반면, 듣는 이는 '사과'라는 단어를 듣고 부호를 다시 사과의 의미 개념으로 부호풀기(해석, decoding)를 해야 하는 것이다. 이처럼 소통 능력(communicative competence)은 말하는 이가 소통에 성공하는 정도를 의미하며, 이러한 능력은 말하는 이가 전달하고자 하는 메시지가 대화 상황에 얼마나 적절한지, 그리고 듣는 이에게 얼마나 효과적으로 전달되었는가의 정도로 측정할 수 있다.

말하는 이와 듣는 이가 의사소통을 할 때는 말과 언어 이외의 다양한 요소들이 필요하다. 어제 강의를 마치고 헤어진 뒤 오늘 아침 강의실에서 만난 같은 학과 친구 A는 충혈된 눈에 기침을 연신 해대며 낮고 쉰 목소리로 "시험이 얼마 안 남았는데~"라며 걱정스럽게 나를 쳐다본다. A가 나에게 전달하고자 하는 의미는 무엇인가? 나는 A가 표현한 문장 이외의 비언어적 요소들을 통해 무엇을 이해했는가? 이러한 비언어적 요소 가운데 부차언어적부호(paralinguistic codes)는 초분절적 장치(supra-segmental devices)라고도 한다. 문장을 구성하는 구(phrase) 또는 단어의 분절에 작용하여 그 의미와 형태를 변화시키는 것으로써, 말하는 이의 태도나 정서를 신호하기 위해 말소리 위에 덧씌워지는 것이다. 이를 위해서는 말소리에 억양(intonation)과 강세(stress), 강조(emphasis)를 사용할 수 있으며, 말의 빠르기(speed)나 전달속도(rate of delivery)를 통해 표현할 수도 있다. 때로 쉼(pause)이나 머뭇거림(hesitation)도 말하는 이에게 중요한 부차언어적 부호로 기능한다. 이와 달리, 머리와 몸의 움직임 등은 대화 내용의 전달과 이해에 기여하는 중요한 비언어적 단서(nonlinguistic cues)이다. 물론, 대화를 할 때 말하는 이와 듣는 이가 위치하는 신체적 거리와 가까움의 정도 역시 성공적인 대화에 영향을 미치는 비언어적 단서라고 할 수 있다.

사람들 사이의 소통에서는 말하는 이와 듣는 이가 필요한 수준의 언어 지식과 규칙을 적용해 주고 받으며 서로 협응하는 것이 대화에 기여하는 바가 가장 크겠지만, 이러한 협응에는 이들이 사용하는 언어의 구성요소 이외에도 정서와 의도를 전달하기 위한 언어 외적 요인들이 작용한다. 이러한 언어 외적 요인들은 소통의 전달 상태와 성공 여부를 알리는 수단이 되기도 하며 특히, 언어 외적 요소들이 얼마나 효과적으로 사용되는가는 사용자와 사용자 사이의 관계에 따르기도 하며, 언어와 언어 외적 단서 모두 대화자들이 속한 문화에 따라 달라진다.

상위언어 기술(metalinguistic skills)은 언어가 상황이나 맥락에 적절하게 사용되는지에 대해 판단하거나, 언어에 대해 이야기하고, 이를 분석하는 능력과 관련된다. 즉, 언어에 대해 언어를 수단으로 생각하거나, 판단하는 능력이며 언어를 그 내용과는 별도의 실체로 보는 것을 말한다. 따라서, 문자라는 수단을 통해 생각을 전달하기 위해서는 말소리와 단어, 구, 문장의 단위에 대한 인식이 필요하므로 읽기와 쓰기를 위해서는 상위언어적 기술이 필요하다.

1.3 언어의 기능과 속성

언어는 우리가 일상생활을 하는 데 필수 불가결한 요소이다. 언어가 없다면 어떻게 강의를 듣고, 책을 읽으며, 음식을 주문하고, 회의에서 의견을 교환할 수 있겠는가? 이처럼 언어란 언어행위에 참여하는 사람들이 그들의 생각과 의도를 드러내는 사회적 교환의 방식이다. 특히, 언어는 '지금 여기(here and now)'에서 벗어나 다른 장소나 시간에서 발생하는 어떤 행위나 사건에 대해서도 다룰 수 있게 해준다. 즉, 언어는 우리의 일상 모든 상황에서 정보를 처리할 수 있도록 도우며 회상의 방식에 영향을 미침으로써 학습과 기억에 도움이 된다. 이와 더불어 언어는 문제해결에 도움이 된다.

언어는 무엇보다 사회적 도구로서 기능한다. 언어의 목적은 언어 부호를 사람들 사이에 전달하는 것이다, 따라서 대화자 간의 소통이 없이 이루어지는 언어가 있다면 이미 언어의 존재 이유는 없어진다. 소통의 과정에서 언어는 환경으로부터 영향을 받고, 다시 환경에 영향을 미치기도 한다. 그러므로, 언어는 대화자들이 속한 그 사회에 기반을 둔 집단적 사고방식을 반영하기도 한다.

언어 기호는 의미를 전달하는 상징이다. 언어는 의미와 그 의미를 나타내고자 사용된 상징 사이의 관계에서 비롯된다. 하지만, 언어 기호와 그것이 나타내고자 하는 대상 간에는 유사성이나 일치하는 바가 없으므로, 자의적(arbitrary)이다. 그러나 여러 상징들이 배열되는 방식은 자의적이지 않으며, 여기에는 언어 사용자들이 정한 규칙이 존재한다. 공유하는 규칙체계를 가진 언어공동체 내의 사용자들이라면 서로의 언어를 이해하고 메시지를 창조해 낼 수 있다.

언어 사용자가 지닌 규칙체계에 대한 내재적 지식을 언어능력(linguistic competence)이라고 한다. 이러한 언어능력을 통해 언어 사용자는 명세화된 언어 규칙이라고 할 수 있는 직관적 문법(intuitive grammar)을 사용해 소통할 수 있다. 어떤 언어 사용자도 이러한 언어 규칙에 대해 상세히 이야기 할 수는 없지만, 실제 언어 수행(linguistic performance)을 통해 규칙을 지키는 지 여부를 확인할 수 있게 된다. 언어 수행은 실제로 사용되는 언어지식인 것이다.

- 언어능력(competence)
  - 말하는 사람이 갖는 언어에 대한 지식
  - 자신이 쓰는 언어의 음의 구조, 단어, 문법 규칙에 대한 지식
  - 언어 사용자가 지닌 규칙체계에 대한 내재적 지식
- 언어수행(performance)
  - 어떤 것을 실제로 말하는 것 또는 언어 행위 그 자체를 의미

언어는 생산성(productivity)을 지닌 매우 창조적인 도구이다. 인간은 한정된 수의 단어와 단어 범주들에 규칙을 적용해 무한한 수의 문장을 창조할 수 있다. 실제로 한 언어사용자가 자신의 언어권 내의 모든 가능한 단어 조합을 다 배우는 것이 아니며, 단어와 단어조합은 시간의 흐름을 통해 무한대로 창조되거나 또한 소멸되므로, 단어 조합을 지배하는 규칙을 배워야만 한다. 언어가 창조성을 갖는 데는 몇 가지 이유를 들 수 있다. 먼저, 단어는 하나 이상의 대상을 가리킬 수 있다. 또한, 이 지시(referential) 대상들은 하나 이상의 이름으로 불려질 수 있으며, 동시에 단어는 다양한

방식으로 조합될 수 있다.

1.4 언어의 구성요소

언어는 통사론, 형태론, 음운론, 의미론, 화용론의 5가지 기본 영역으로 이뤄지는데, 흔히 언어의 구성요소(components of language)라고 표현하기도 한다. 각 영역은 독립적이라기보다는 서로 밀접한 연관을 가지며, 언어습득 과정에서는 이 다섯 영역이 상호작용 하며 병행하여 발달이 이뤄진다. 각 영역들은 형식(통사론, 형태론, 음운론)과 내용(의미론), 사용(화용론)으로 다시 구분할 수 있다. 이렇게 세 부분으로 나눈 데는 연구와 분석을 위한 목적도 있겠지만, 무엇보다 언어와 의사소통에서의 어려움이 있는 사용자의 경우, 결함을 쉽게 그리고 용이하게 평가하고 분석한 후 중재하기 위한 이유가 포함된다.

먼저, 언어의 형식(form)에 해당하는 통사론을 먼저 살펴보기로 하자. 통사론(syntax)은 단어가 문장으로 배열되는 규칙체계인 문법규칙(grammatical rule)을 다룬다. 단어는 위계적인 방식으로 구와 절로 묶이면서 문장을 만들게 되는데, 통사론은 그 구체적인 방식을 연구한다. 예를 들어, 문장은 주어와 서술어로 구성되지만 주절과 종속절로 이뤄지기도 하며 다양한 단어의 구성 성분들을 포함하면서 첨가되거나 삭제된다. 하지만, 개별 명사와 동사가 남아있는 한 문장은 산출된다. 그러므로 통사규칙의 제한 안에서 각 언어권의 사용 체계가 허용하는 한 문장 표현의 정교화는 얼마든지 가능하다. 어린 아이들이 이러한 규칙 체계를 어떻게 배우는 지는 언어학자와 심리학자들의 주요 관심 주제인데, 아이들은 규칙 체계의 어떤 도표를 기억하는 것이 아니라, 이러한 틀을 만들어낼 수 있는 규칙을 배운다. 문법(grammar)은 단어의 순서, 문장의 분류, 문장 요소들의 기능과 위치에 따른 분류이기 때문이다. 특별히 우리말은 어순이 자유롭다. 이는 문장을 말할 때 문법적 의미보다는 담화-화용적(discourse-pragmatic) 의미가 강하다는 것을 의미한다. 자유 어순(free word order)의 언어에서는 똑같은 문장이 몇 가지의 다른 어순 문장으로 표현이 가능하다. 어순 규칙이 있는 많은 언어들은 주어-서술어-목적어(SVO), 주어-목적어-서술어(SOV), 또는 서술어-주어-목적어(VSO) 구조를 따른다.

형태론(morphology)에서는 형태소와 형태소가 결합하여 단어를 이루는 규칙을 다룬다. 문법 단위(grammatical unit) 중 가장 작은 단위인 음소들의 조합을 형태소(morphemes)라고 한다. 형태소는 일정한 뜻을 가진 말의 최소 단위이다. 더 이상 쪼갤 수 없는 최소한의 의미 단위이기도 하다. 예를 들어, '나는 큰 빵을 먹었다'라는 문장은 9개의 형태소를 포함한다.

음운론(phonology)은 한 언어에서 음소들이 결합하는 소리체계를 다룬다. 음소(phoneme)는 각기 다른 의미를 전달하는 소리의 최소 단위이다. 이음(allophones)은 음소의 약간의 다른 발음 형태인데, 음운 환경에서 주변 소리의 영향을 받을 때 변화하는 소리를 말한다.

내용(content)의 언어영역에는 의미론(semantic)이 있다. 단어와 단어 조합의 의미, 그리고 내용을 지배하는 규칙 체계를 다룬다. 대상이나 사건의 관계에 대한 우리의 지각과 언어 형태가 서로 어떤 관계를 맺는지에 대해 관심이 있다. 특히, 대상이나 행위, 사건과 관련된 의미 범주(categories)를 다룬다. 한 개인이 특정 사건에 대해 자서전적이거나 경험적으로 가지고 있는 이해와 기억, 개인적인 해석뿐 아니라 문화적인 해석까지도 반영하며 몇 가지 특정 사건들에서 형성되는 일반화된 개념이라고 할 수 있는 세상사 지식(world knowledge)이나 단어 지식(word knowledge)도 의미론에서 다루게 된다. 무엇보다 의미 자질(semantic features)과 단어의미(word meaning)는 의미론의 핵심이며, 단어의 분류와 단어정의하기 등도 다루게 된다.

언어 사용(use)과 관련된 화용론(pragmatic) 영역에서는 언어구조의 형식보다는 언어가 소통을 위해 사용되는 방식에 더 관심이 있다. 즉, 언어는 목표가 아니라 사회적 기능과 의사소통 기능을 획득하기 위한 수단이므로 맥락 정보를 해석하는 능력이나 마음이론(Theory of Mind, ToM)와 직접적인 관련이 있다. 의도나 의사소통 기능이라고 할 수 있는 화행(speech acts)과 소통에서의 협동원리(cooperation principle)는 화용론의 핵심이다. 듣는 이와 말하는 이는 성공적인 소통을 위해 공통배경(common ground)을 만들고 상호 신념(mutual beliefs) 아래 협동해야 하는데, 화용론에서 언어학과 언어심리학 연구자들의 공통 관심 영역이 되기도 한다.

1.5 한국어의 특징

언어는 우리의 일상생활에서 중심적인 역할을 한다. 잠깐이라도 언어를 사용하지 않고, 단어나 문장을 읽고 쓰거나 이해하지 않으면서 시간을 보낼 수 있을까? 대부분의 사람들에게 언어능력은 옷 입기를 배우기도 전에 별 노력 없이 획득하는 기본적인 능력 가운데 하나이다. 하지만 언어는 그리 단순하지 않으며, 각 구성요소에 따른 체계를 갖추고 있다. 한국어 역시 언어가 갖는 이러한 보편적인 특성을 갖추고 있으며, 한국어만이 갖는 다양한 특징들이 있다.

한국어의 말소리는 19개의 자음과 10개의 모음으로 이뤄진다. 자음은 조음위치와 조음방법, 발성유형에 따라 구분할 수 있으며, 자음은 음절 구조에서 초성과 종성에 위치한다. 하지만 이들 자음 가운데 7개만이 종성에 올 수 있는데, 이를 '7종성 규칙'이라고 한다. 한국어에서 단모음은 10개이나 실제로 실현되는 단모음은 7개 정도이고, 입술 모양과 혀의 전후 위치 그리고, 혀의 높이에 의해 구분할 수 있다.

언어의 유형론(typology)으로 볼 때 한국어는 조사나 어미와 같은 문법형태소들이 결합되어 문법관계를 표시하거나 단어를 형성하는 첨가어(또는 교착어)로 분류된다. 예를 들어, '할머니께서는 이야기를 퍽 즐겁게 하셨다'와 같은 문장은 아래와 같이 12개의 형태소로 구성되어 있으며, 이 가운데에는 '는, 를'과 같은 조사 뿐 아니라, '게, 시, 었, 다' 등을 포함한 문법형태소도 포함되어 있다.

예) 할머니-께서-는 이야기-를 퍽 즐겁-게 하-시-었-다

위의 예에서 '할머니'와 '이야기'라는 단어는 문법형태소 '는'과 '를'이 결합되어 비로소 문장에서 주어와 목적어로서의 역할을 하게 된다. 문장의 구성성분이 되기 위한 장치로써 문법형태소가 격 표지(case maker) 역할을 하는 것이다. 또한 한국어에서는 문법적인 기능을 하는 형태소가 단어에 결합됨으로써 문장의 종류가 바뀌기도

한다. 예를 들어, 의문문을 만들기 위해서는 '사람이다'를 '사람이니?'처럼 종결어미를 사용해 활용해야 하며, 이러한 특징은 구와 절의 구성에서도 모두 적용된다. 첨가어로서의 이러한 특징에서 볼 수 있듯이, 한국어에서는 성이나 수의 일치(agreement)와 같은 굴절어의 특징은 없다. 주어와 술어의 일치가 실현되는 예를 일부 존칭 표현에서 관찰할 수 있지만, 굴절어의 고유 특성이라기보다는 문화적 특성이 반영된 사용역(registers) 표현으로 보는 견해가 우세하다.

문장을 구성하는 구성성분들의 상대적인 순서를 어순(word order)이라고 한다. 한국어는 '주어–목적어–서술어'의 기본 어순, 즉, SOV 유형의 언어에 속한다. 서술어가 문장의 마지막에 온다는 제약이 있지만, 나머지 성분의 순서는 상대적으로 자유로운 어순을 특징으로 한다. 하지만 수식을 받는 말이 수식하는 말의 뒤에 오는 순서는 고정되어 있다. 예를 들어, 체언을 수식하는 관형어는 항상 체언의 앞에서만 수식을 허용하며, 서술어를 수식하는 부사어는 항상 서술어 앞에 위치한다.

한국어에서는 주어가 두 개 이상 나타나기도 한다. 주제와 대조를 나타내는 보조사인 '은/는'은 문장에서 대부분의 구성성분과 결합하여 주제를 표현하도록 돕는다. 즉, 한국어는 문법형태소를 이용해 주어와 주제를 모두 실현할 수 있는 언어인 것이다. 흥미롭게도 한국어는 주어나 목적어, 심지어 술어의 생략이 가능한, '공주어(null subjects language)'로 분류할 수 있는 언어이다. 예를 들어, 바깥 날씨에 대해 '비다!'라고 말하거나, 창가에 앉은 새를 보며 '새다'라고 말할 때의 영어 표현을 생각해보면 한국어에서 주요 논항(arguments)(예: 주어 또는 목적어)을 생략하는 특징을 잘 살펴볼 수 있다. 우리말의 이러한 생략 규칙들은 이탈리아어나 스페인처럼 동사가 갖는 다양한 활용에 의한 대명사 생략의 규칙이 아니라, 담화–화용적(discourse–pragmatic)으로 허용된다. 한국어는 문법형태소인 조사나 어미가 체언과 용언 뒤에 위치해 문장의 구성성분을 결정하지만, 실제 사용에서는 이러한 조사를 흔히 생략할 수 있으며, 말하기뿐 아니라 일부 쓰기 언어에서도 생략된 표현이 오히려 자연스러운 경우가 많다.

한국어는 또한 높임법이 극도로 발달한 언어이다. 한국어의 정교한 높임법은 문장의 특정 성분은 물론 말하는 이와 듣는 이 간의 관계에 따라서도 달라지는 매우 다양한 체계로 표현된다. 한국어의 높임법은 선어말어미, 종결어미, 특정 어휘에 더해 조사나 접미사와 같은 다양한 방식을 통해 실현된다.

학습목표

1. 말, 언어, 의사소통의 의미와 차이를 이해한다.
2. 언어의 기능을 이해한다.
3. 언어 능력과 언어 수행의 차이를 이해한다.
4. 언어의 구성요소 별 정의를 이해한다.
5. 한국어의 특징을 이해한다.

학습문제

1. 언어 능력과 언어 수행의 차이를 설명하라.
2. 말, 언어, 의사소통의 차이를 설명하고, 인간이 언어적으로 소통하는 방법에 관해 토의하라.
3. ‘문법’과 ‘단어지식’을 정의하라.
4. 한국어의 특징을 요약하라.
5. 한국어에서 높임법이 실현되는 규칙을 설명하라.

CHAPTER

02

음성학

음성학(phonetics)이란 말소리에 대한 학문으로 크게 말소리가 어떻게 산출되는지를 연구하는 조음음성학, 말소리의 음향학적 특성과 관련된 음향음성학, 말소리를 어떻게 인지하는지와 관련된 청취음성학 등으로 이루어진다. 말소리와 관련된 영역으로는 음성학과 더불어 음운론(phonology)이 있는데, 음성학이 객관적 혹은 물리적 실체로서의 말소리를 대상으로 하는 반면, 음운론은 이러한 말소리의 심리적 체계를 대상으로 한다. 본 장에서는 한국어 말소리와 관련된 음성학을 설명하고자 한다.

2.1 소리(말소리) 정의

음성학의 연구대상인 말소리는 일반적인 의미에서의 소리와는 다르다. 예를 들어 소리굽쇠를 손가락으로 튕기면, 소리굽쇠가 진동을 하고, 이러한 진동으로 인해 주위 공기압력의 변화가 나타난다. 이러한 공기압력의 변화가 사람의 귀에 전달되면 사람은 소리를 듣게 된다. 반면 말소리란 인간이 자신의 조음기관을 통해서 산출하는, 언어적인 의미가 있는 소리이다.

앞에서 설명한 소리굽쇠의 소리는 단순히 소리일 뿐 말소리가 아닌데, 우선 이는 사람이 산출한 소리가 아니며 언어적인 의미도 없기 때문이다. 혹은 슬픈 이야기를 들었을 때 혀를 차면서 '쯧쯧'할 수 있다. 이 경우 사람이 '혀'라는 조음기관을 이용해서 소리를 산출하기는 하였으나 한국어에서는 이와 같은 소리가 언어적인 의미가 없기에 혀 차는 소리는 한국어 말소리가 아니다.

음성학의 연구대상이 되는 말소리를 '음성(phone)'이라고도 하는데, 이는 일반적으로 언어병리학의 한 영역인 음성장애에서 일컫는 발성(phonation) 혹은 음성(voice), 앞서 이야기한 음운론의 연구대상인 '음운(phoneme)'과는 다르다. 발성이란 말소리 산출에 사용되는 성대의 진동을 의미하며, 이러한 성대의 진동이 에너지의 필터링 과정인 공명을 통하여 말소리로 산출된다. 음운은 의미를 구별하는 최소의 소리 단위로, 개별 말소리가 한 언어에서 어떤 방식으로 구조화되어 있고 어떻게 사용되는지 연구하는 음운론의 연구 단위이다.

음성과 음운의 차이는 다음의 예로 설명할 수 있다. 일반적으로 한국어의 파열음은 단어의 초성에서 산출될 경우, 성대의 진동이 동반되지 않는 무성음이다. 하지만 이러한 무성음인 파열음이 성대의 진동이 있는 모음과 같은 유성음 사이에서 산출되는 경우에는 성대의 진동이 동반되는 유성음으로 나타난다. 즉 '바보'라는 단어의 경우 대부분의 한국사람은 '바'의 'ㅂ'과 '보'의 'ㅂ'이 같은 소리라고, 환언하자면 같은 음운이라고 판단할 것이다. 하지만 좀 더 구체적으로 살펴보면 '바'의 'ㅂ'은 성대의 진동이 없는 무성파열음인 반면, '보'의 'ㅂ'은 유성파열음으로 음성학적으로는 다른 소리이다. 이에 음운과 음성은 달리 표시하기도 하는데 음운을 나타낼 때에는 사선(예: /p/)을 이용하며 음성을 나타낼 때에는 꺾쇠괄호(예: [p])를 사용한다.

이러한 음성과 음운의 구분은 언어병리학에서 다음과 같은 중요성을 지닌다. 예를 들어 말소리의 적절한 산출에 어려움을 보이는 말소리장애를 평가하기 위해서는 대상자의 말소리를 듣고 이를 문자로 적는 과정인 전사가 필수적이다. 이 경우 전사는 몇 가지 층위로 나뉘는데, 우선 대상자가 한 말을 맞춤법에 따라 적을 수 있다. 예를 들어 대상자가 '밥 먹어'라고 말하였으면 이를 맞춤법에 따라 '밥 먹어'라고 적는 것이다. 반면 맞춤법에 따라 적는 것이 아니라 대상자가 말한대로, 소리나는대로 적을 수 있다. 예를 들어 '밤 머거'라고 전사하는 것이다. 또한 대상자가 산출한 소리를 매우 구체적인 수준까지, 즉 음성적인 특성까지 기록할 수도 있다. 예를 들어 '머거'의 'ㄱ'은 유성음 사이에서 산출된 유성파열음이기에 [k]가 아니라 [g]로 전사하며, 어두 초성 위치인 '밤'의 /ㅂ/는 무성음이기에 무성파열음인 [p]로 전사하는 것이다. 만약 대상자가 유성파열음 혹은 무성파열음의 산출에서 유무성의 오류를 보인 경우, 이러한 음성적인 특성까지 구별하여 매우 자세하게 전사할 수 있을 것이다. 이러한 매우 구체적인 음성학적인 특성을 한글로 전사하기에는 어려움이 따를 수 있으며 말소리를 나타내는 국제적인 규약인 국제음성기호(International Phonetic Alphabet)의 구별기호를 사용하여 나타낼 수 있을 것이다. 국제음성기호에 대해서는 이후에 좀 더 자세히 살펴볼 것이다.

2.2 말소리 산출과정

말소리 산출과정은 말소리의 에너지원이 되는 공기의 흐름, 즉 기류를 조달하는 과정인 발동과정, 성대에서 이러한 기류를 조절하는 발성과정, 그리고 마지막으로 조음기관에서 기류를 변형하여 말소리를 만들어내는 조음과정 등으로 이루어진다(〈표 1〉 참조).

일반적으로 기류가 조달되는 장소는 허파이며, 대부분의 한국어 말소리는 들숨이 아니라 날숨을 이용하여 산출된다. 반면 허파가 아니라 성문, 연구개 등에서 기류가 조달될 수 있으며, 내쉬는 날숨이 아니라 들이마시는 들숨을 이용해서 말소리가 산출될 수도 있다. 앞서 이야기한 혀 차는 소리의 경우, 흡착음이라고도 하는데 한국어에서는 말소리가 아니지만 다른 나라의 언어에서는 말소리가 된다. 이러한 흡착음은 혀끝이 이빨 뒤에 밀착되었다가 떨어지면서 나는 소리이다. 특히 혀가 떨어지는 순간, 공기는 구강으로 들어오게 된다. 이에 흡착음의 경우, 허파가 아니라 구강, 즉 연구개에서 기류의 흐름이 시작되며, 기류의 흐름은 날숨이 아니라 들숨이 된다.

허파에서 시작된 날숨은 성대를 지나면서 그 기류의 흐름이 조절된다. 〈그림 1〉은 성대의 대표적인 구조물을 나타내고 있는데, 성대의 열린 공간을 의미하는 성문이 열린 상태에서 기류가 흘러가면서 말소리를 산출하게 되면 성대의 진동이 동반되지 않는 무성음이 산출된다. 반면 닫힌 상태의 성대에서 기류가 흘러나가려고 한다면, 그 기류의 압력이 일정 정도 이상이 되면 성대가 열리게 되고, 기류 흐름의 공기역학적 특성과 성대의 탄성 등으로 인하여 성대의 개폐가 반복되는, 즉 성대가 진동되는 상태가 될 수 있다. 이처럼 성대의 진동이 반복되는 상태에서 말소리를 산출하면 유성음이 산출된다.

한국어에서 대표적인 유성음은 모음이며, 대표적인 무성음은 전술하였듯이 어두 초성의 위치에서 산출되는 파열음, 마찰음, 파찰음 등이 있다. 이와 같은 무성/유성의 구별은 영어의 개별 말소리를 구분하는데 매우 중요한 역할을 담당하지만 한국어에서는 다른 양상이 더 중요하다. 예를 들어 영어에서 /p/와 /b/는 같은 조음위치와 방법으로 산출되지만 /p/는 무성음이고 /b/는 유성음이라는 차이가 있다. 한국어 자음의 발성양상은 연음, 경음, 경음 등으로 구분되는데 이에 대해서는 이후 자세히 설명할 것이다.

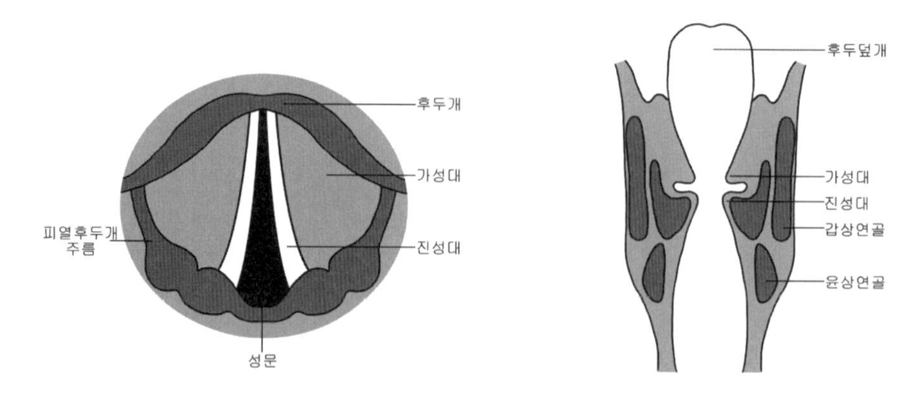

〈그림 1〉 성대 구조

마지막으로 조음과정은 성대를 통과한 기류가 조음기관을 통과하면서 그 흐름에 변형이 생기는 과정이다. 〈그림 2〉는 말소리 산출에 주로 사용되는 조음기관을 나타내고 있는데, 이러한 조음기관은 움직일 수 있는 기관인 입술, 혀, 연구개 등과 움직일 수 없는 기관인 경구개, 치아, 치조(치경, 잇몸) 등으로 나눌 수 있다. 예를 들어서 자음 /ㅂ/를 산출하기 위해서는 입술을 모아 닫아서 우선 기류의 흐름을 멈추어야 하며, 이후 입술을 열어 공기가 터지듯이 흘러나가게 한다. 이 경우, 기류 흐름의 시작은 폐이며, 어두초성에서 산출되는 무성음이기에 성대는 진동을 하지 않는다. 반면 모음 /ㅣ/를 산출하기 위해서는 혀끝이 치조 쪽으로 상승하기는 하지만 기류의 흐름은 지속이 된다. 이 경우 역시 기류 흐름의 시작은 폐이며, 성대의 진동이 동반되기에 유성음이다.

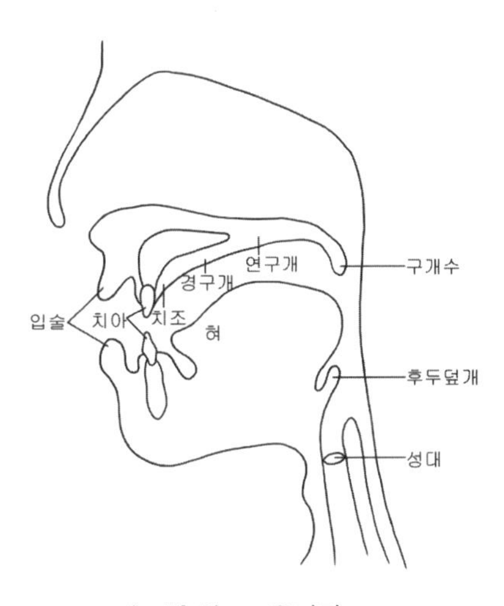

〈그림 2〉 조음기관

〈표 1〉 한국어 말소리 산출 과정

	설명	위치	구분
발동	기류 조달 과정	허파	날숨소리
발성	기류 조절 과정	성대	무성음/유성음 연음/경음/격음
조음	기류 변형 과정	조음기관	위치(양순음, 치조음 등), 방법(파열음, 마찰음 등)

비록 위와 같은 과정이 정상적인 말소리 산출과정이기는 하지만 언어병리학 임상에서는 비정상적인 말소리 산출과정이 나타날 수 있다. 예를 들어 날숨에서 말소리를 산출하는 것이 아니라 들숨에서 말소리를 산출하는 것이 관찰되기도 하며, 성대의 손상 등으로 인하여 성대에서 발성을 할 수 없는 경우 식도에서의 발성을 유도하기도 한다. 또한 신경학적인 문제 등으로 인하여 폐, 성대, 조음기관 등의 움직임이 제한되어 발동, 발성, 조음 과정에서 어려움을 겪을 수도 있으며, 뚜렷한 신경학적인 문제 없이도 오조음을 하기도 한다. 예를 들어 /ㅂ/를 산출하기 위해서는 기류가 정지되어야 하는데 구개파열이 있는 경우에는 입술을 모아 닫는다고 하더라도 기류의 흐름이 정지될 수 없다. 이처럼 다양한 병리적인 현상을 이해하기 위해서는 정상적인 조음 산출과정을 이해하고 어떠한 방식으로 정상적인 과정에 어려움을 겪게 되는지 이해하여야 할 것이다.

2.3 말소리의 분류 및 특성

말소리는 크게 자음과 모음으로 분류된다. 조음의 측면에서 살펴보자면 자음은 기류가 흐르는 통로인 성도(vocal tract)에서의 방해가 크게 나타나는 소리이며, 모음은 자음과는 달리 성도의 방해가 적은 소리이다. 앞서 설명하였듯이 자음인 /ㅂ/는 입술에서 성도가 완전히 막혔다가 터지면서 조음되지만 모음인 /ㅣ/는 비록 혀끝이 상승하기는 하지만 성도의 방해가 자음보다는 적은 편이다. 또한 모음은 자음보다 음향학적 에너지가 더 큰 편이며 한국어에서 모음은 음절의 핵을 구성한다. 즉 한국어에서 모음이 없는 음절은 생성될 수 없다. 반면 한국어에서 자음은 초성과 종성과 같이 음절의 부수적인 부분을 구성한다. 하나의 음가를 지니는 단모음은 한 가지의 조음동작으로 산출되지만 자음은 모음보다 조음동작이 더 복잡하다.

자음은 크게 성도에서 기류의 방해가 나타나는 위치인 조음위치, 기류의 방해가 나타나는 양상인 조음방법, 그리고 발성유형에 따라 분류된다.

한국어 자음은 조음위치에 따라 양순음, 치조음, 치조경구개음(혹은 경구개음), 연구개음, 성문음 등으로 분류된다. 예를 들어 /ㅂ, ㅃ, ㅍ, ㅁ/ 등과 같이 두 입술 사이에서의 방해가 나타나는 소리는 양순음, 혀끝이 치조에 닿거나 혹은 가까이 상승되어서 나타나는 소리인 /ㄷ, ㄸ, ㅌ, ㅅ, ㅆ, ㄴ, ㄹ/ 등은 치조음, 혓몸이 입천장, 특히 연구개와 접촉하여 성도를 완전히 방해해서 나타나는 소리인 /ㄱ, ㄲ, ㅋ, ㅇ/ 등은 연구개음이다. /ㅈ, ㅉ, ㅊ/의 조음위치는 연구자에 따라 다르게 제시되기는 하지만 김수진과 신지영(2020)은 치조와 경구개 사이부분인 치조경구개에서 조음된다고 하였다. 또한 성문 사이의 좁은 틈으로 새어나오는 소리인 /ㅎ/는 성문음이다.

하지만 이와 같은 조음위치는 일반적인 분류이며, 실제 말소리 산출에서는 변화가 나타날 수 있다. 예를 들어 '가기'의 경우, 첫 음절의 /ㄱ/와 둘째 음절 /ㄱ/의 조음위치는 조금 다르다. /가/의 경우에는 연구개에서 산출되지만 /기/의 경우에는 후행하는 모음의 조음위치에 영향을 받아 연구개보다는 좀 더 앞 쪽에서 산출된다. 마찰음인 /ㅎ/와 /ㅅ/ 역시 후행하는 모음에 따라 산출되는 위치가 달라진다.

한국어 자음은 조음방법에 따라 파열음, 마찰음, 파찰음, 유음, 비음 등으로 구분된다. 우선 파열음(정지음, 폐쇄음)은 성도가 완전히 막혀서 기류가 일시 정지된 후, 터지듯이 기류가 다시 흘러나오는 소리이다. 한국어에서는 /ㅂ, ㅃ, ㅍ, ㄷ, ㄸ, ㅌ, ㄱ, ㄲ, ㅋ/ 등이 파열음이다.

마찰음은 성도의 아주 좁은 틈으로 공기가 새어나가면서 마찰소음이 발생하는 소리로 한국어에서는 /ㅅ, ㅆ, ㅎ/ 등이 마찰음이다.

파찰음은 처음에는 파열음과 같이 성도에서의 막힘이 나타나지만 이후에는 파열음과는 달리 성도가 개방된 후 좁은 틈으로 기류가 흘러나가면서 마찰성분이 동반되는 소리이다. /ㅈ, ㅉ, ㅊ/ 등이 한국어의 파찰음이다.

유음은 마찰음과 유사하게 성도의 틈으로 기류가 흘러가기는 하지만 마찰음과는 다르게 그 틈이 상대적으로 커서 마찰음과 같은 마찰성분이 동반되지 않는다. 한국어에서는 종성에 위치한 /ㄹ/가 유음에 해당한다. 특히 '을'과 같이 종성에 위치한 /ㄹ/를 산출하는 경우, 혀끝은 치조에 닿지만 혀의 옆쪽으로 기류가 흘러나가면서 조음을 하기에 이를 설측 접근음이라고도 한다.

지금까지 설명한 파열음, 마찰음, 파찰음, 유음 등은 모두 구강에서 기류가 흘러가고 성도의 방해 역시 구강에서 나타나기에 구강음이라고도 한다. 반면 /ㅁ, ㄴ, ㅇ/과 같은 소리를 산출하기 위해서는 기류가 구강에서 방해를 받으며 비강에서 흐르게 된다. 이와 같은 말소리를 비음이라고 하는데, 구강에서의 방해위치에 따라 각각 양순비음, 치조비음, 연구개비음이다.

한국어 자음은 긴장성과 기식성, 두 가지 발성양상에 따라 연음(평음), 격음, 경음 등으로 분류된다. 전술하였듯이 영어에서는 발성유형에 따라 무성음과 유성음, 두 가지로 분류되지만 한국어에서는 이와 같은 무성/유성의 구분이 말소리를 구분하는 데 중요한 역할을 담당하지 않는다.

격음은 긴장된 성대의 좁은 틈으로 기류가 흘러나가면서 나는 잡음과 같은 소리인 기식(aspiration)을 동반한 소리로, /ㅍ, ㅌ, ㅋ/ 등이 한국어 격음이다. 경음 역시 격음과 마찬가지로 성대의 긴장이 동반되지만 경음은 격음과 달리 기식이 동반되지 않는다. /ㅃ, ㄸ, ㄲ/ 등이 경음이다. 마지막으로 연음은 성대의 긴장과 기식이 모두 나타나지 않으며 /ㅂ, ㄷ, ㄱ/ 등이 이에 해당한다. 〈표 2〉는 한국어 자음을 조음위치, 조음방법, 발성유형에 따라 정리하였다.

〈표 2〉 한국어 자음 분류

<table>
<tr><th></th><th></th><th>양순음</th><th>치조음</th><th>치조경구개음</th><th>연구개음</th><th>성문음</th></tr>
<tr><td rowspan="3">파열음</td><td>연음</td><td>ㅂ</td><td>ㄷ</td><td></td><td>ㄱ</td><td></td></tr>
<tr><td>경음</td><td>ㅃ</td><td>ㄸ</td><td></td><td>ㄲ</td><td></td></tr>
<tr><td>격음</td><td>ㅍ</td><td>ㅌ</td><td></td><td>ㅋ</td><td></td></tr>
<tr><td rowspan="2">마찰음</td><td>연음</td><td></td><td>ㅅ</td><td></td><td></td><td rowspan="2">ㅎ</td></tr>
<tr><td>경음</td><td></td><td>ㅆ</td><td></td><td></td></tr>
<tr><td rowspan="3">파찰음</td><td>연음</td><td></td><td></td><td>ㅈ</td><td></td><td></td></tr>
<tr><td>경음</td><td></td><td></td><td>ㅉ</td><td></td><td></td></tr>
<tr><td>격음</td><td></td><td></td><td>ㅊ</td><td></td><td></td></tr>
<tr><td colspan="2">비음</td><td>ㅁ</td><td>ㄴ</td><td></td><td>ㅇ</td><td></td></tr>
<tr><td colspan="2">유음</td><td></td><td>ㄹ</td><td></td><td></td><td></td></tr>
</table>

자음이 조음위치, 조음방법, 발성유형에 따라 구분된다면 모음은 혀의 고저, 혀의 전후, 입술 모양 등에 따라 구분된다.

한국어의 모음은 학자에 따라 다르게 분류되나 표준어 발음법에 따르면 모두 10개의 단모음으로 구성된다(〈표 3〉 참조). 단모음이란 하나의 조음동작 혹은 소리(음가)를 갖는 모음이며, 복모음은 두 개 이상의 조음동작 혹은 음가를 갖는 소리이다.

하지만 표준어 발음법에 따른 10개의 단모음이 일반적으로 모두 사용되지는 않는 편이다. 예를 들어 김수진과 신지영(2020)은 7개 정도의 단모음이 한국어에서 주로 사용된다고 하였다(〈표 4〉 참조). 즉 전설모음 중 /ㅔ/와 /ㅐ/는 그 구분이 모호해졌으며 전설원순모음인 /ㅟ, ㅚ/는 이중모음으로 변화하였다.

〈표 3〉 표준어 발음법에 따른 한국어 단모음

	전설모음		후설모음	
	평순모음	원순모음	평순모음	원순모음
고모음	ㅣ	ㅟ	ㅡ	ㅜ
중모음	ㅔ	ㅚ	ㅓ	ㅗ
저모음	ㅐ		ㅏ	

〈표 4〉 한국어 7모음 체계

	전설모음	후설모음	
	평순모음	평순모음	원순모음
고모음	ㅣ	ㅡ	ㅜ
중모음	ㅔ/ㅐ	ㅓ	ㅗ
저모음		ㅏ	

일반적으로 사용되는 7모음을 대상으로 한국어 모음을 설명하면 다음과 같다. 우선 혀의 높낮이에 따라서 고모음, 중모음, 저모음으로 구분될 수 있는데 높은 위치에서 조음되는 고모음으로는 /ㅣ, ㅡ, ㅜ/ 등이 있다. 중모음으로는 /ㅔ, ㅓ, ㅗ/ 등이,

저모음으로는 /ㅏ/가 있다.

혀의 전후 위치에 따라서는 전설모음인 /ㅣ, ㅔ/와 후설모음인 /ㅡ, ㅓ, ㅏ, ㅜ, ㅗ/ 등으로 분류가 된다.

마지막으로 입술의 돌출 여부에 따라서 원순모음인 /ㅜ, ㅗ/와 입술이 돌출하지 않은 평순모음 /ㅣ, ㅔ, ㅡ, ㅓ, ㅏ/으로 분류된다.

대상자의 말소리를 듣고 이를 분석하는 능력은 언어치료사에게는 필수적이다. 예를 들어 언어치료사는 대상자가 산출하는 말소리를 듣고 산출된 말소리가 '정상적'인지 아니면 '오조음'인지 판단할 수 있어야 할 것이다. 또한 단순히 오조음으로만 판단을 하는 것이 아니라 그러한 오조음의 특성 또한 설명할 수 있어야 한다. 이를 위해 대상자의 발음을 통일된 규약을 이용하여 전사하고, 이를 바탕으로 대상자의 특성을 다른 전문가와 논의를 할 수 있을 것이다. 이와 같은 전사 및 논의 과정에서 한글을 사용할 수도 있으나 한글로 표현할 수 없는 오조음의 경우에는 말소리를 기술하는데 사용되는 국제적인 규약인 국제음성기호를 사용할 수 있다.

2.4 국제음성기호

한글은 하나의 글자가 하나의 말소리를 나타내는 표음문자이기에 이를 사용하여 말소리를 전사할 수 있다. 특히 한글은 영어와는 달리 하나의 글자가 나타내는 소리의 변이가 적기에 이와 같은 전사에 더 적절히 사용될 수 있다. 예를 들어 영어 'apple'과 'father'에서 'a'는 서로 다른 소리로 나타나지만 한국어 모음 /ㅏ/는 그 소리의 변이가 적은 편이다. 특히 한글의 각 글자는 한국어의 '음운'을 나타내기에 한국어를 음운적 층위에서 전사하는데 한글을 사용할 수 있다.

반면 국제음성기호는 세계 여러 나라의 말소리를 나타내기 위해 국제 음성 학회(International Phonetic Association)에서 제정한 규약으로 이를 이용하여 다양한 말소리를 전사할 수 있다. 국제음성기호는 라틴어 글자에 기반을 두며, 글자와 구별기호로 이루어진다. 각 글자는 하나의 소리를 나타내며, 구별기호는 이러한 글자로 표시되지 않는 미세한 특성을 나타낸다.

〈표 5~7〉은 IPA의 자음, 모음, 구별기호 표이다(자세한 내용은 http://www.internationalphoneticassociation.org/content/ipa-chart 참조). 표에서 글자가 없는 경우는 산출될 수 없는 소리를, 짙은 음영인 경우에는 산출될 수는 있으나 자주 관찰되지 않는 소리를 나타낸다. 자음의 경우, 하나의 칸에는 두 개의 기호(소리)가 나타날 수 있는데 왼쪽의 소리는 성대의 발성이 동반되지 않는 무성음을, 오른쪽의 소리는 유성음을 나타낸다. 모음의 경우에도 한 위치에서 두 개의 소리가 나타날 수 있는데 왼쪽의 소리는 평순모음을, 오른쪽의 소리는 원순모음을 나타낸다.

〈표 5〉 IPA 자음

	Bilabial	Labiodental	Dental	Alveolar	Postalveolar	Retroflex	Palatal	Velar	Uvular	Pharyngeal	Glottal
Plosive	p b			t d		ʈ ɖ	c ɟ	k g	q ɢ		ʔ
Nasal	m	ɱ		n		ɳ	ɲ	ŋ	ɴ		
Trill	ʙ			r					ʀ		
Tap or Flap		?		ɾ		ɽ					
Fricative	ɸ β	f v	θ ð	s z	ʃ ʒ	ʂ ʐ	ç ʝ	x ɣ	χ ʁ	ħ ʕ	h ɦ
Lateral fricative				ɬ ɮ							
Approximant		ʋ		ɹ		ɻ	j	ɰ			
Lateral approximant				l		ɭ	ʎ	ʟ			

〈표 6〉 IPA 모음

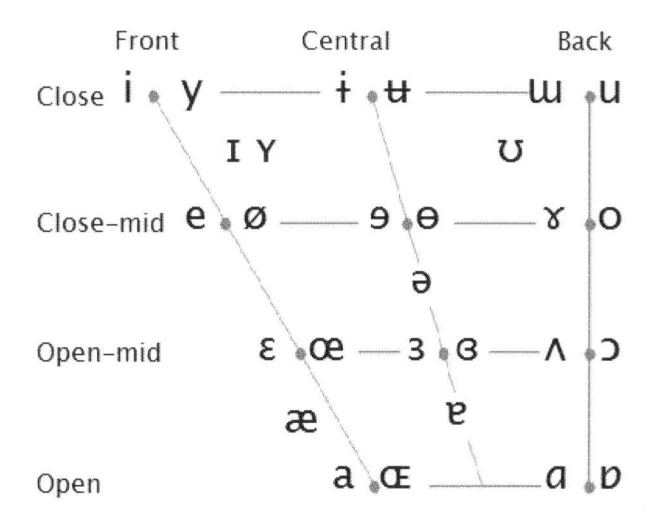

〈표 7〉 IPA 구별기호

◌̥	Voiceless	n̥ d̥	◌̤	Breathy voiced	b̤ a̤	◌̪	Dental	t̪ d̪
◌̬	Voiced	s̬ t̬	◌̰	Creaky voiced	b̰ a̰	◌̺	Apical	t̺ d̺
h	Aspirated	t^h d^h	◌̼	Linguolabial	t̼ d̼	◌̻	Laminal	t̻ d̻
◌̹	More rounded	ɔ̹	w	Labalized	t^w d^w	◌̃	Nasalized	ẽ
◌̜	Less rounded	ɔ̜	j	Palatalized	t^j d^j	n	Nasal release	d^n
◌̟	Advanced	u̟	ɣ	Velarized	$t^ɣ$ $d^ɣ$	l	Lateral release	d^l
◌̠	Retracted	e̠	ʕ	Pharyngealized	$t^ʕ$ $d^ʕ$	◌̚	No audible release	d̚
◌̈	Centralized	ë	◌̴	Velarized or pharyngealized	ɫ			
◌̽	Mid-centralized	e̽	◌̝	Raised	e̝ (ɹ̝ = voiced alveolar fricative)			
◌̩	Syllabic	n̩	◌̞	Lowered	e̞ (β̞ = voiced bilabial approximant)			
◌̯	Non-syllabic	e̯	◌̘	Advanced Tongue Root	e̘			
˞	Rhoticity	ə˞ a˞	◌̙	Retracted Tongue Root	e̙			

한국어 말소리를 IPA로 나타내는 방법도 연구자에 따라 다를 수 있는데, 〈표 8~9〉는 김수진과 신지영(2020)이 제시한 방식이다.

〈표 8〉 한국어 자음 IPA

		양순음	치조음	치조경구개음	연구개음	성문음
파열음	연음	p	t		k	
	경음	p*	t*		k*	
	격음	p^h	t^h		k^h	
마찰음	연음		s			h
	경음		s*			
파찰음	연음			tɕ		
	경음			tɕ*		
	격음			tɕ^h		
비음		m	n		ŋ	
유음			l			

〈표 9〉 한국어 모음 IPA

	전설모음	후설모음	
	평순모음	평순모음	원순모음
고모음	i	ɯ	u
중모음	ɛ	ʌ	o
저모음		ɑ	

2.5 말소리의 음향음성학적 분석

말소리를 기술하기 위해서는 앞서 제시한 국제음성기호 등을 사용할 수 있지만 말소리가 가진 음향학적인 특성을 분석하기 위해서는 다양한 기기 등을 사용하여 시각적으로 말소리를 나타내기도 한다. 이와 같은 말소리의 음향음성학적인 특성은 말과학에서 심도 깊게 다뤄지기도 하지만 본 장에서는 말소리의 음향음성학적인 특성을 나타내는 기초적인 지표와 시각적인 분석방법을 소개하고자 한다.

말소리, 혹은 보다 광범위한 의미인 소리의 특성을 음향학적으로 기술하는 데에는 크게 주파수, 진폭, 위상 등이 사용된다. 전술하였듯이 소리는 공기의 압력 변화이기에 이러한 압력이 시간에 따라 어떻게 변화하는지 시각적으로 표현할 수 있다. 〈그림 3〉의 상단 그림과 같이 일정한 압력의 변화가 지속적으로 나타나는 경우, 이는 수학 시간에 배웠던 삼각함수인 싸인 그래프와 유사한 형태를 보인다. 시간이 흘러가면서 압력의 증가와 감소가 일정한 패턴을 보이는 경우, 이러한 소리를 주기파, 그렇지 않은 소리를 비주기파라고 한다. 비주기파의 파형은 그림 〈그림 3〉의 하단과 같다.

동일한 패턴이 반복되는 시간을 주기(period)라고 하며, 이러한 주기가 1초에 몇 번이나 반복되는지, 그 횟수를 '주파수(frequency)'라고 한다. 주파수의 단위는 일반적으로 '헤르쯔(Hz)'를 사용한다. 예를 들어 1초에 한 번 동일한 형태가 반복되는 경우, 그 소리의 주기는 1초이며, 주파수는 1Hz이다. 반면 1초에 100번 동일한 형태가 반복되는 경우, 그 소리의 주기는 0.01초이며 주파수는 100Hz이다. 〈그림 4〉는 50Hz와 100Hz의 소리이다. 일반적으로 주파수가 높을수록 높은 음의 소리로 인지된다.

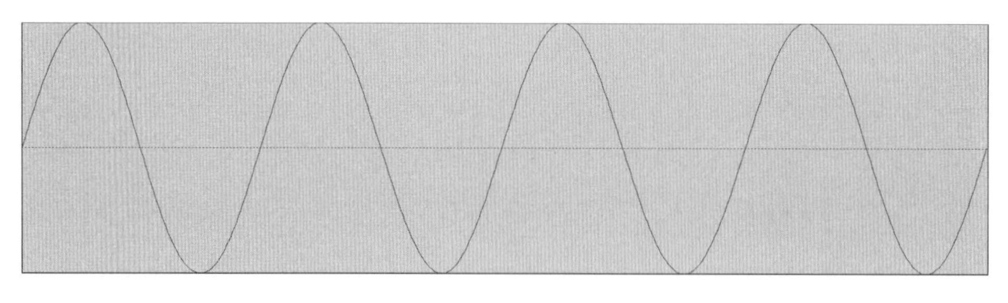

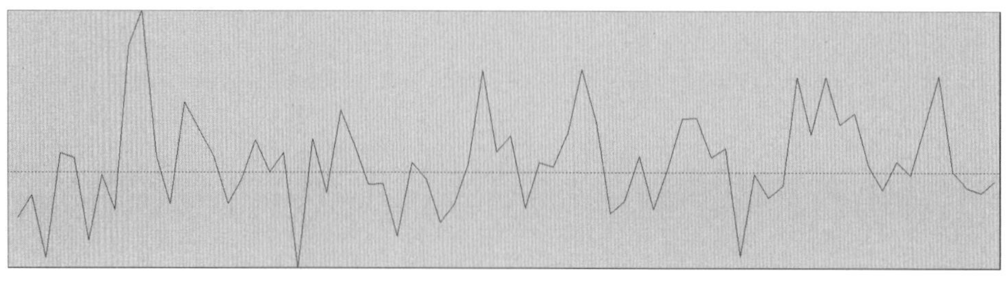

〈그림 3〉 주기파와 비주기파의 파형

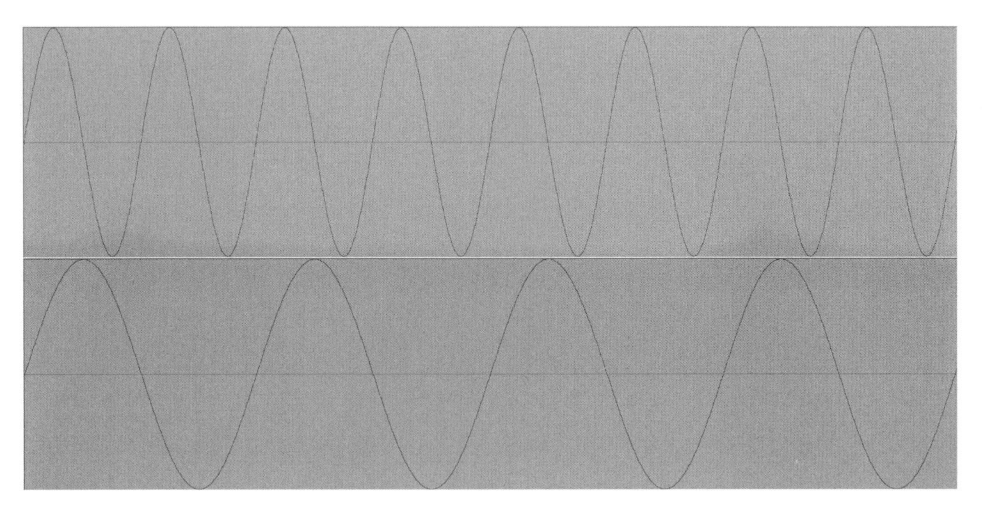

〈그림 4〉 50Hz와 100Hz의 주기파

주파수가 소리의 높낮이와 관련이 있다면 진폭은 소리의 크기와 관련이 있다. 압력의 변화 크기는 그림에서는 진폭으로 나타나는데 진폭이 큰 소리가 큰 강도의, 큰 소리로 인지된다. 〈그림 5〉는 주파수는 같고 강도가 다른 주기파를 나타낸다.

일반적으로 소리의 강도는 기준이 되는 소리의 강도와 비교한 상대적인 강도로 나타내는데, 주로 '데시벨(dB)'이 사용된다. 데시벨은 상대적인 강도를 나타내기에 이를 해석하는 데에는 주의가 따른다. 즉 0dB은 아무런 소리가 없다는 것이 아니라 기준이 되는 소리의 강도와 같은 정도의 강도를 가지고 있다는 뜻이다.

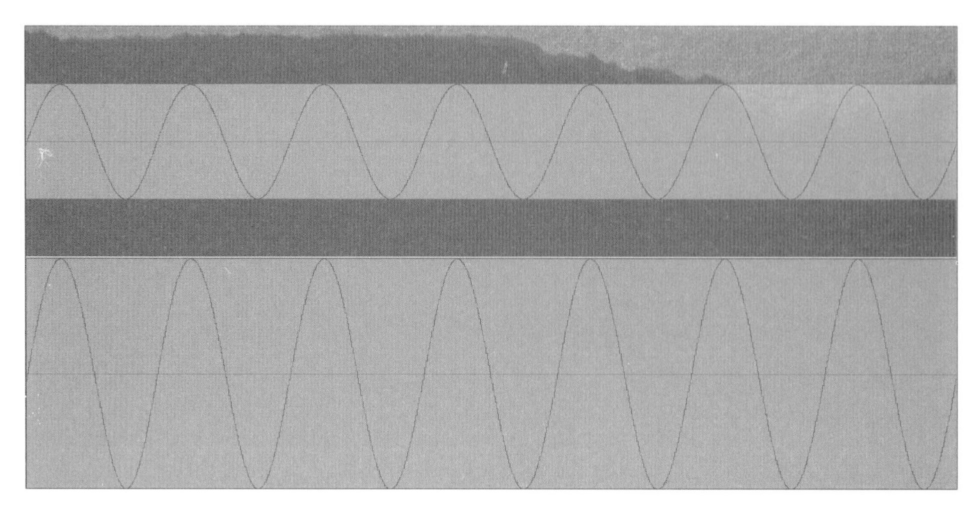

〈**그림 5**〉 주파수는 같고 강도는 다른 주기파

마지막으로 위상은 소리의 상대적인 시작점을 의미한다. 즉 〈그림 6〉은 같은 주파수와 진폭을 갖는 두 소리이지만 시작점이 다른, 즉 위상차를 보이는 소리를 나타낸다.

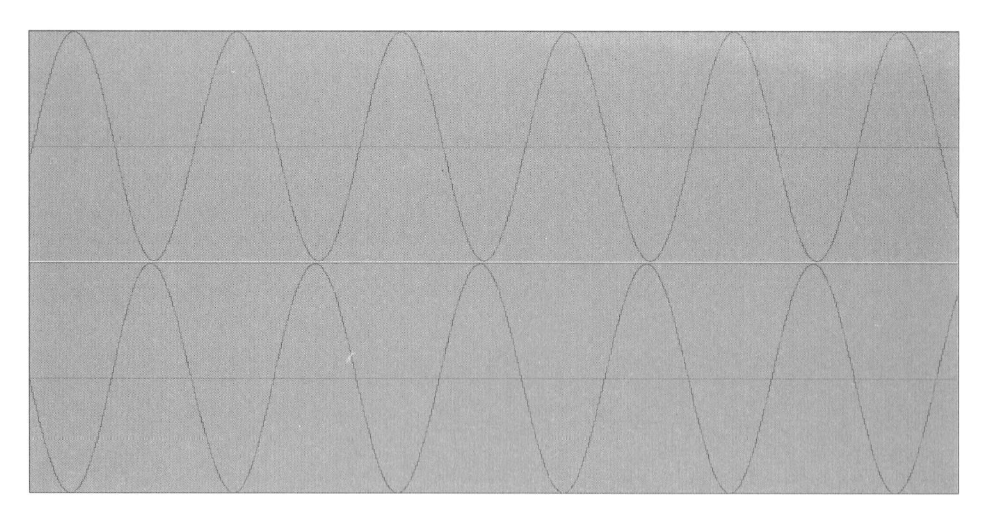

〈**그림 6**〉 위상차를 보이는 두 주기파

하나의 주파수로만 이루어진 소리를 단순음이라고 하며 두 가지 이상의 주파수를 갖는 소리를 복합음이라고 한다. 사람의 음성은 일반적으로 단순음이 아니라 여러 가지의 주파수로 이루어진 복합음으로 다음과 같은 주파수 특성을 보인다. 우선 복합음을 이루고 있는 여러 주파수 중 가장 낮은 주파수를 기본주파수(fundamental frequency)라고 한다. 사람의 음성은 기본주파수와 기본주파수의 정수배의 주파수인 배음(harmonics)으로 구성된다. 예를 들어 100Hz의 기본주파수를 보이는 사람의 음성은 기본주파수 100Hz와 이의 정수배인 200Hz, 300Hz, 400Hz 등으로 이루어진 주파수 패턴을 보이며 기본주파수가 200Hz인 사람은 기본주파수 200Hz와 이의 배음은 400Hz, 600Hz, 800Hz 등으로 이루어진 주파수 패턴을 보인다. 특히 성대에서의 발성은 기본주파수가 가장 강한 강도를 지니며 배음은 주파수가 높아질수록 그 강도가 약해진다.

하지만 이러한 사람의 음성은 조음 시 성도를 통과하면서 성도의 모양에 따라 강조되는 주파수 대역이 다를 수가 있는데, 이와 같은 말소리의 음향학적 특성을 시각적으로 나타내는 도구가 스펙트럼과 스펙트로그램이다.

스펙트럼이란 특정한 시간에 나타나는 소리의 여러 주파수의 강도를 시각적으로 보여주는 도구이다(〈그림 7〉 참조). 일반적으로 스펙트럼의 x축은 주파수를, y축은 강도를 나타낸다. 스펙트럼의 장점은 여러 주파수의 강도를 한 번에 비교할 수 있다는 것이다. 하지만 소리는 시간에 따라 그 변화를 보일 수 있으나 그러한 변화를 스펙트럼은 나타내지 못한다는 단점이 있다.

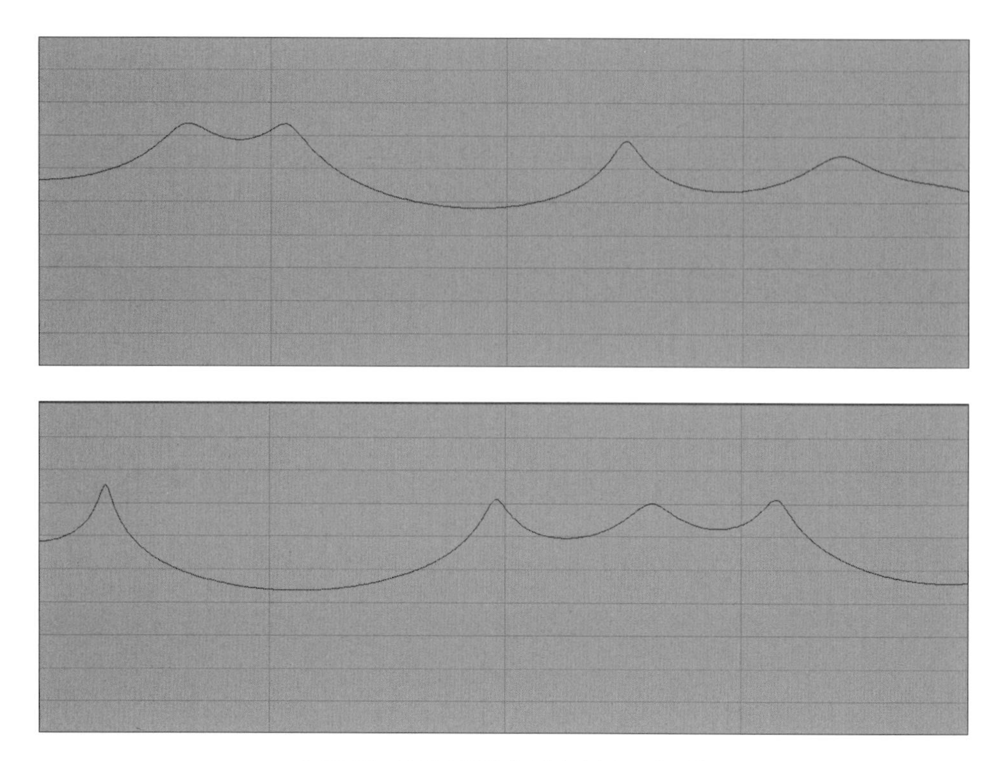

〈그림 7〉 성인남성의 /아/와 /이/ 스펙트럼

스펙트로그램은 시간에 따른 소리의 변화를 시각적으로 나타낼 수 있는 도구이다(〈그림 8〉 참조). 스펙트로그램에서 x축은 시간을, y축은 주파수를 나타내며 강도는 색의 농도로 나타난다. 즉 농도가 짙은 부분은 강도가 큰 부분을 나타낸다. 말소리는 이러한 시각적 도구를 사용하여 분석될 수 있다.

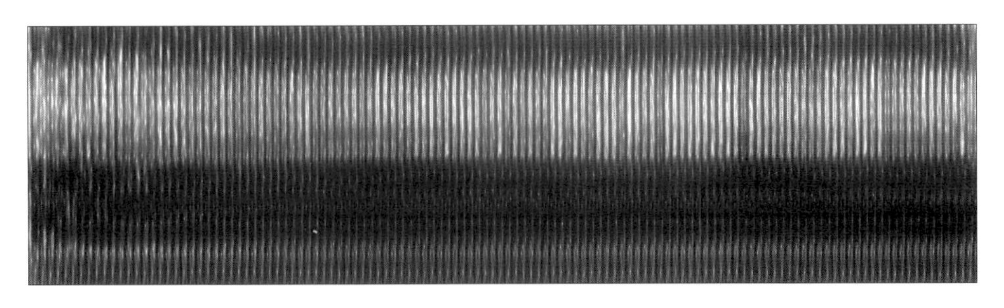

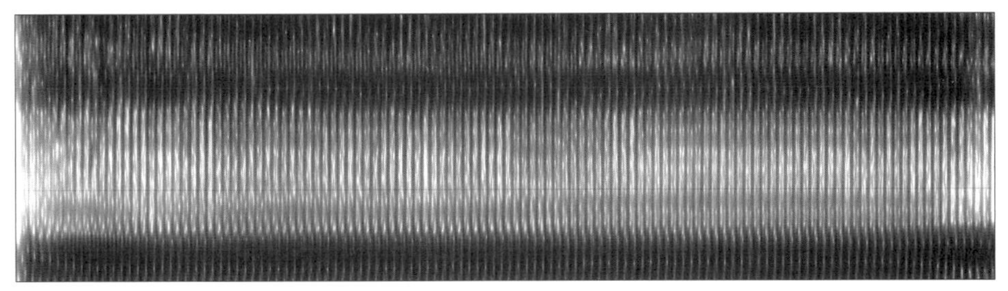

〈그림 8〉 성인남성의 /아/와 /이/ 스펙트로그램

〈그림 9〉는 성인남성이 '파쇄'라는 단어를 발화할 때 측정한 스펙트로그램이다. 이와 같은 스펙트로그램을 통하여 말소리의 특성을 살펴볼 수 있다. 예를 들어 단어 어두초성에서 관찰되는 터지는 듯한 소리와 기식성분, 모음에서의 포르만트 주파수, 마찰음의 마찰성분 등을 그림에서 관찰할 수 있다. 이와 같은 소리의 음향학적 분석은 무료 컴퓨터 프로그램을 사용해서도 가능하며 이와 관련된 내용은 이후 언어분석과 관련된 장에서 설명될 것이다.

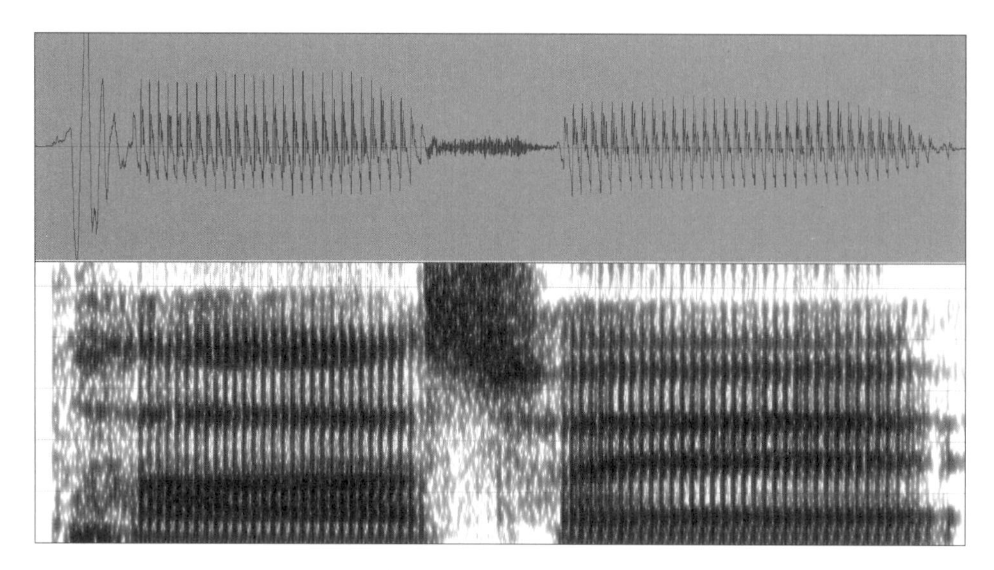

〈그림 9〉 /파쇄/의 스펙트로그램

학습목표

1. 음성(phone)과 말소리를 이해한다.
2. 정상적인 말소리 산출과정을 이해한다.
3. 국제음성기호를 이용하여 전사할 수 있다.
4. 말소리의 음향음성학적 특성을 나타내는 도구를 이해한다.

학습문제

1. /ㅏ/, /ㄱ/, /ㄴ/ 소리의 발동, 발성, 조음과정을 설명하라.
2. 자음의 분류 체계에 대해서 설명하라.
3. 모음의 분류 체계에 대해서 설명하라.
4. "점심을 먹었습니다."를 한글과 IPA를 사용하여 간략 전사하라.
5. 스펙트럼과 스펙트로그램의 장·단점을 비교하라.

CHAPTER

03

음운론

음운론(phonology)은 음성학과 마찬가지로 말소리와 관련된 학문이지만 음성학과 음운론은 조금 차이가 있다. 음성학이 구체적인 말소리의 특성과 관련된 학문이라면 음운론은 말소리의 체계와 추상적인 개념으로의 말소리인 음운(phoneme)을 연구한다. 이와 관련하여 언어병리학의 한 분야인 말소리장애는 과거에는 음운장애(phonological disorder)와 조음장애(articulation disorder)를 구분하기도 하였다. 음운장애는 적절한 말소리 습득, 즉 음운체계 습득에 어려움이 있어서 정조음을 하지 못하는 것이고 조음장애는 음운을 습득하기는 하였으나 습득된 음운을 말소리로 산출하는데 어려움이 있는 장애이다. 최근에는 음운장애와 조음장애를 표면적, 그리고 현실적으로 구분하는데 어려움이 있기에 통칭 말소리장애(speech sound disorder)라는 용어가 사용된다. 본 장애서는 한국어 관련 음운론을 살펴보기로 한다.

3.1 음운의 정의

음운론의 연구대상은 음운이다. 음운이란 추상적인 특징을 가지고 있는 말소리이며, 의미를 구별하는 최소의 소리 단위이다. 어떠한 두 가지의 소리가 한 언어에서 같은 음운인지 아니면 다른 음운인지 확인하는 가장 일반적인 방법은 그 두 소리가 언어의 뜻을 구별할 수 있는지 살펴보는 것이다.

음운체계는 언어마다 달리 나타나기에 한국어와 영어를 대상으로 하나의 예를 살펴보면 다음과 같다. 우선 영어단어인 'see'와 'she'는 각각 '바다'와 '그녀'를 나타내는 서로 다른 단어이며 이를 IPA로 전사하면 /si/와 /ʃi/다. 두 단어를 좀 더 자세히 살펴보면 두 단어 모두 무성마찰음(/s, ʃ/)과 전설고모음(/i/)으로 이루어진다. 비록 두 단어의 초성이 마찰음이라는 조음방법, 무성음이라는 발성유형은 같지만 조음위치는 다르다. /s/는 치조마찰음이고 /ʃ/는 경구개마찰음으로 이와 같은 조음위치의 차이로 인하여 영어에서 이 두 단어는 서로 다른 뜻을 나타낸다. 이에 영어에서 /s/와 /ʃ/는 서로 다른 음운이 된다.

반면 한국어에서는 치조마찰음과 경구개마찰음이 단어의 뜻을 구별하지는 못한다. 예를 들어 '사과'의 경우 단어의 첫 자음, 즉 어두초성자음은 치조마찰음이다. 만약 이를 '샤과'와 유사하게 경구개마찰음으로 발음한다 하더라도, 이는 정확하게 발음을 하지 않은 오조음이기는 하지만 이러한 말소리가 새로운 뜻을 나타내지는 않는다. 또한 한국어에서 치조마찰음인 /ㅅ/는 /ㅣ/ 모음과 결합하면 치조마찰음의 조음위치가 조금 뒤로 이동하는 현상인 구개음화를 보이게 된다. 즉 '시계'의 /ㅅ/는 '사과'의 /ㅅ/보다 조금 후방에서 조음된다. 이를 IPA를 사용하여 전사하면 [ɕi]가 된다. 이 때 '시계'를 발음할 때 구개음화를 적용하지 않고 치조마찰음으로 발음한다 하더라도 조금 어색하게만 들릴 뿐, 한국어에서 다른 뜻을 가진 단어로 인지되지는 않는다. 이처럼 한국어 단어에서는 치조마찰음 자리에 경구개마찰음이, 혹은 그 반대로 사용된다고 해서 다른 단어가 되는 경우가 발견되지 않는다. 이에 영어에서는 치조마찰음과 경구개마찰음이 서로 다른 음운이 되지만 한국어에서는 치조마찰음과 경구개마찰음이 서로 다른 음운이 되지 않는다.

이처럼 한 언어에서 어떠한 소리가 음운인지 아닌지 판단하는 가장 간단한 방법 중 하나는 가장 작은 단위의 소리 차이로 인하여 다른 뜻을 가지게 되는 단어, 즉 최소대립쌍을 찾아보는 것이다. 예를 들어 모두 다 고유어이지는 않지만 한국어에서 '빽', '팩', '팬'은 모두 다 서로 다른 뜻을 가진다. '빽'은 세 가지 음운 /ㅃ, ㅐ, ㄱ/가 각기 초성, 중성, 종성을 이루고 있으며 '팩'은 /ㅍ, ㅐ, ㄱ/가 각기 초성, 중성, 종성을 이루고 있다. '빽'과 '팩'은 각 단어를 구성하고 있는 세 소리 중 단 하나의 소리, 초성만 다르며, '빽'과 '팬'은 세 소리 중 두 소리, 즉 초성과 종성이 다른 단어이다. 이에 '빽/팬'이 아닌 '빽/팩'이 최소대립쌍을 이루게 되며, 이를 통하여 /ㅃ, ㅍ/가 서로 다른 음운이라는 것을 알 수 있다. 또한 '팩/팬' 역시 세 소리 중 종성 하나만 다르기에 이 쌍 역시 최소대립쌍을 이루게 되며 이를 통하여 /ㄱ, ㄴ/가 한국어에서 서로 다른 음운이 된다는 점을 알 수 있다.

하지만 음운이란 추상적인 단위이기에 음운이 실제 말소리로 산출될 때에는 다른 특성을 지닌 매우 구체적인 소리로 나타날 수 있으며 이를 변이음 혹은 이음(allophone)이라고 한다. 전술하였듯이 한국어에서 /ㅅ/는 일반적으로 치조에서 조음되지만 /ㅣ/ 모음 앞에서는 조음위치가 구개쪽으로 후방화된다. 하지만 전술하였듯이 한국어를 모국어로 사용하는 화자는 이러한 두 가지 소리를 같은 말소리, 즉 하나의 음운인 /ㅅ/로 판단한다. 즉 한국어 음운인 /ㅅ/는 두 가지의 변이음, [s]와 [ɕ]가 있다.

이전 장에서 설명하였듯이 음운을 나타낼 때에는 / /를 사용하고 구체적인 말소리인 음성을 나타낼 때에는 [ ]를 사용하기에 일반적으로 변이음을 나타낼 때에는 [ ] 기호를 사용한다.

한 음운의 변이음의 수는 음운마다 다르다. 예를 들어 한국어 파열음의 경우 세 가지 정도의 변이음이 있다. 우선 앞서 설명한 무성음과 유성음이 파열음의 변이음이다. 또한 개방(혹은 파열)을 하지 않는 불파음 또한 변이음으로 존재한다. 파열음은 기류의 흐름이 일정 시간 동안 정지되었다가 이후 터지듯이 조음기관이 개방되면서 다시 기류가 흘러나가는, 즉 파열이 주요 특징이다. 이러한 파열이 파열음 어두 초성에서는 필수적이다. 하지만 이러한 파열이 어말종성에서는 나타나지 않는다. 예를 들어 '국'을 조음하기 위해서는 우선 어두초성 파열음을 조음하기 위해 앞서 설명한 기류의 정지와 파열이 나타나야 하지만 종성을 조음하기 위해서는 기류의 정지만이 필요할 뿐, '구크'처럼 터지듯이 조음기관을 개방하지는 않는다.

한 음운의 변이음이 가지는 주요한 특징 중 하나는 상보적 분포(complementary distribution)을 보인다는 것이다. 상보적 분포란 나타나는 위치가 서로 겹치지 않는다, 즉 배타적이라는 뜻이다. 예를 들어 한국어에서 /ㅅ/의 변이음인 /ɕ/는 /ㅣ/ 모음 앞에서만 나타나며 그 외의 다른 모음 앞에서는 치조마찰음으로 나타난다. 파열음의 경우에도 어두초성에서는 파열이 나타나지만 어말종성의 위치에서는 불파음만이 나타난다.

정확한 조음을 하기 위해서는 이러한 상황에 따른 변이음도 적절히 산출할 수 있어야 한다. 음운과 변이음의 특징은 〈표 1〉에 정리되어 있다.

〈표 1〉 음운과 변이음의 특징

음운	변이음
– 의미를 구별하는 최소 소리단위 – 최소대립쌍을 통하여 구분 – / /를 이용하여 표시	– 같은 음소에 속하지만 음성학적으로 다른 소리 – 상보적 분포를 따름 – [ ]를 이용하여 표시

3.2 한국어 음운체계와 변별자질

이전 장에서 설명하였듯이 한국어 자음은 19개, 표준어 발음법에 따른 난보음은 10개이다. 한국어 자음은 다섯 곳의 조음위치(양순음, 치조음, 치조경구개음, 연구개음, 성문음)와 다섯 가지의 조음방법(파열음, 마찰음, 파찰음, 유음, 비음), 세 가지의 발성유형(연음, 격음, 경음)으로 구분이 된다. 또한 한국어 단모음은 세 가지의 혀의 고저(고모음, 중모음, 저모음), 두 가지의 혀의 전후(전설모음, 후설모음), 두 가지의 입술 모양(평순모음, 원순모음)으로 구분된다(한국어 자음 체계와 모음 체계에 대한 자세한 설명은 2장 참고).

한국어에는 단모음 이외에도 이중모음이 있는데 한국어 이중모음은 활음과 단모음의 결합으로 이루어진다. 활음은 반모음 혹은 반자음이라고도 하며, 모음과는 달리 그 조음동작이 일정하게 유지되지 않고 변화가 나타나는 음으로 한국어에서는 크게 세 가지 종류의 활음 /j, w, ɰ/가 있다.

이 세 개의 활음이 각 모음과 결합하여 이중모음이 되나 그 결합이 매우 자유로운 것은 아니다. 예를 들어 /j/는 전설고모음인 /ㅣ/와 결합하지 않으며, /ɰ/는 오로지 전설고모음인 /ㅣ/와 결합할 뿐이다. 일반적으로 사용되는 한국어 7모음 체계와 관련된 이중모음은 〈표 2〉에 제시되어 있다. '*'는 결합된 이중모음이 없다는 표시이다.

〈표 2〉 한국어 이중모음체계

단모음 \ 활음	i	ɛ	ɯ	ʌ	ɑ	u	o
j	*	ㅖ/ㅒ	*	ㅕ	ㅑ	ㅠ	ㅛ
w	ㅟ	ㅞ/ㅙ	*	ㅝ	ㅘ	*	*
ɰ	ㅢ	*	*	*	*	*	*

이러한 음운을 구별하는데 사용되는 것이 바로 변별자질(distinctive feature)이다. 변별자질이란 음운을 구별 혹은 변별하는 특성으로 하나의 변별자질에는 단지 두 가지 값, +와 −만이 있다. 특정 변별자질의 특성을 갖는 경우에는 +, 그러한 특성이 없는 경우에는 −로 표시한다. 예를 들어 /ㅂ/는 자음이기에 [자음성]이라는 변별자질에서 +라는 값을 갖는다. 이를 기호로 나타내면 [+자음성]이 된다. /ㅏ/는 모음이기에 [자음성]이라는 변별자질과 관련된 특성을 보이지 않기에 −를 가지게 된다([−자음성]). /j/는 자음도, 모음도 아닌 반모음이기에 [자음성]에서 '+−' 값 혹은 기타 다른 값을 갖는 것이 아니라 단순히 자음이 아니기에 −를 갖는 것으로 분석한다.

한 언어의 음운체계는 서로 다른 음운이 모든 변별자질에서 동일한 값을 가지고 있지 않는 것으로, 즉 최소한 하나 이상의 변별자질에서는 변별될 수 있도록 여러 개의 변별자질로 이루어진 세트를 이용하여 설명할 수 있다. 특히 한 언어의 음운체계를 설명하는데 사용되는 변별자질의 수는 적을수록 간단하게 설명될 수 있기에 한 언어의 음운체계와 관련된 변별자질 세트는 다른 언어와는 다를 수 있다. 이와 관련하여 김수진과 신지영(2020)은 자음과 모음에 공통적으로 사용되는 변별자질 3개, 자음의 조음방법과 관련된 변별자질 3개, 조음위치와 관련된 변별자질 2개, 발성유형과 관련된 변별자질 2개, 모음의 혀 고저와 관련된 변별자질 2개, 전후 위치와 관련된 변별자질 1개, 입술 모양 관련 변별자질 1개 등 총 14개의 변별자질로 한국어 자음과 모음의 음운체계를 설명하고 있다(〈표 3〉 참조).

〈표 3〉 한국어 자음, 모음과 관련된 변별자질과 주요 특징

<table>
<tr><td rowspan="3">자음, 모음 공통 변별자질</td><td>공명성[son]: 성도에 울림이 있는 모음, 활음과 비음, 유음은 +</td></tr>
<tr><td>자음성[cons]: 자음은 +</td></tr>
<tr><td>성절성[syl]: 혼자 음절을 이루는 모음은 +</td></tr>
<tr><td rowspan="3">자음의 조음방법과 관련된 변별자질</td><td>지속성[cons]: 마찰음은 +</td></tr>
<tr><td>지연개방성[del rel]: 파찰음은 +</td></tr>
<tr><td>설측성[lat]: 유음은 +</td></tr>
<tr><td rowspan="2">자음의 조음위치와 관련된 변별자질</td><td>설정성[cor]: 치조음, 경구개음은 +</td></tr>
<tr><td>전방성[ant]: 양순음, 치조음은 +</td></tr>
<tr><td rowspan="2">자음의 발성유형과 관련된 변별자질</td><td>긴장성[tense]: 경음, 격음은 +</td></tr>
<tr><td>기식성[asp]: 격음과 /ㅎ/는 +</td></tr>
<tr><td rowspan="2">모음의 혀의 고저와 관련된 변별자질</td><td>고설성[high]: 고모음은 +</td></tr>
<tr><td>저설성[low]: 저모음은 +</td></tr>
<tr><td>모음의 혀의 전후위치와 관련된 변별자질</td><td>후설성[back]: 후설모음은 +</td></tr>
<tr><td>모음의 입술 모양과 관련된 변별자질</td><td>원순성[round]: 원순모음은 +</td></tr>
</table>

우선 자음과 모음에 공통적으로 사용될 수 있는 세 가지 변별자질이 있는데, 이는 공명성, 자음성, 성절성이다.

공명성(sonorant, 약자 [son])의 경우 인두, 구강, 비강 등에서 공기가 자유롭게 흐르면 [+son]값을 갖으며 이러한 특성을 보이는 말소리를 공명음이라고 한다. 그렇지 않은 [−son]의 특성을 보이는 소리는 장애음이라고 한다. 한국어에서 공명음은 모음, 반모음, 비음, 유음이며, 장애음은 파열음, 마찰음, 파찰음이다.

자음성(consonant, 약자 [cons])의 경우, 모든 자음은 [+cons]로 분류되며 모음과 반모음은 [−cons]로 분석된다.

성절성(syllabic, 약자 [syl])은 음절의 핵을 이룰 수 있는지와 관련 있다. 한국어에서 모음은 음절의 핵을 이룰 수 있기에 [+syl]로 분석이 되며 자음과 반모음은 음절의 핵을 이룰 수 없기에 [−syl]로 분석된다.

다음으로는 자음의 조음방법과 관련된 세 가지의 변별자질로 지속성, 지연개방성, 설측성이다.

지속성(continuant, 약자 [cont])은 소리의 지속여부와 관련있다. 한국어에서 마찰음은 [+cont]로 분석이 되며 그 외 다른 자음은 [−cont]로 분석된다. 또한 모음의 경우에도 소리가 지속되므로 [+cont]로 분석될 수 있다.

지연 개방성(delayed release, 약자 [del rel])은 파열음과 파찰음을 구분할 수 있는 변별자질이다. 구강을 순간적으로 개방하는 파열음은 [−del rel]로 분석이 되며 그렇지 않은 파찰음은 [+del rel]로 분석한다.

설측성(lateral, 약자 [lat])은 구강 측면(혹은 혀의 측면)으로 기류가 흐르는지와 관련된 변별자질이다. 한국어에서 유음은 [+lat]로 분석되며 기타 다른 음운은 [−lat]로 분석된다.

자음의 조음위치와 관련된 변별자질은 설정성과 전방성, 두 가지이다.

설정성(coronal, 약자 [cor])은 혀의 앞부분 상승 여부와 관련 있다. 혀의 앞부분이 상승하여 조음되는 치조음, 치조경구개음, 유음 등은 [+cor]로 분석되며 그렇지 않은 양순음, 연구개음, 성문음 등은 [−cor]로 분석된다.

전방성(anterior, 약자[ant])의 경우, 구강의 앞 쪽에서 산출되는 양순음과 치조음은 [+ant]로, 그 외에는 [−ant]로 분석된다.

자음의 발성유형과 관련된 변별자질은 긴장성과 기식성이다.

긴장성의 경우 후두의 긴장이 동반된 말소리로 일반적으로 격음과 경음은 [+tense]로, 연음은 [−tense]로 분석된다.

기식이 동반되는 소리인 격음은 기식성(aspiration, 약자 [asp])에서 [+asp]로 분석되며 경음과 연음은 [−asp]로 분석된다. 특히 성문마찰음도 기식성이 있기에 [+asp]로 분석된다.

이와 같은 총 10개의 변별자질로 한국어 자음은 〈표 4〉와 같이 분류된다.

〈표 4〉 한국어 자음의 변별자질 체계

구분	ㅂ	ㅃ	ㅍ	ㄷ	ㄸ	ㅌ	ㄱ	ㄲ	ㅋ	ㅅ	ㅆ	ㅈ	ㅉ	ㅊ	ㅁ	ㄴ	ㅇ	ㄹ	ㅎ
공명성	−	−	−	−	−	−	−	−	−	−	−	−	−	−	+	+	+	+	−
자음성	+	+	+	+	+	+	+	+	+	+	+	+	+	+	+	+	+	+	+
성절성	−	−	−	−	−	−	−	−	−	−	−	−	−	−	−	−	−	−	−
지속성	−	−	−	−	−	−	−	−	−	+	+	−	−	−	−	−	−	−	+
지연개방성	−	−	−	−	−	−	−	−	−			+	+	+	−	−	−		
설측성				−	−	−				−	−	−	−	−		−		+	
설정성	−	−	−	+	+	+	−	−	−	+	+	+	+	+	−	+	−	+	−
전방성	+	+	+	+	+	+	−	−	−	+	+	−	−	−	+	+	−	+	−
긴장성	−	+	+	−	+	+	−	+	+	−	+	−	+	+	−	−	−	−	−
기식성	−	−	+	−	−	+	−	−	+	−	−	−	−	+	−	−	−	−	+

모음과 관련된 변별자질로는 우선 혀의 높낮이와 관련된 두 가지 변별자질, 고설성과 저설성이 있다(〈표 5〉 참조).

혀를 중립의 위치보다 올려서 발음하는 고모음인 경우에는 고설성에서 [+high]로 분석되며 그렇지 않은 경우에는 [−high]로 분석된다.

반면 혀를 중립의 위치보다 내려서 발음하는 저모음인 경우에는 저설성에서

[+low]로 분석되고 그렇지 않은 경우에는 [−low]로 분석된다. 이와 관련하여 중모음인 경우에는 중설성이라는 변별자질을 따로 설정하지 않고 고모음도 아니고 저모음도 아니기에 [−high]와 [−low]의 값을 갖는 것으로 분석된다. 즉 고설성과 저설성, 두 가지의 위치 관련 변별자질로 고모음, 중모음, 저모음 등 세 가지 위치의 모음을 구분할 수 있다.

다음으로는 혀의 전후위치와 관련된 후설성이 있는데 후설을 연구개쪽을 당겨서 산출하는 후설모음은 [+back] 값을 갖는 것으로, 그 이외의 모음은 [−back]으로 분석한다.

마지막으로 입술모양과 관련된 원순성이 있다. 입술을 둥글게 하여 발음하는 원순모음은 [+round]로, 그렇지 않은 평순모음은 [−round]로 분석한다. 이와 같은 네 개의 변별자질을 이용하여 한국어 모음은 각기 서로 다른 모음으로 구분될 수 있다.

〈표 5〉 한국어 활음과 모음의 변별자질 체계

구분	ㅣ	ㅔ	ㅡ	ㅓ	ㅜ	ㅗ	ㅏ	j	w	ɰ
공명성	+	+	+	+	+	+	+	+	+	+
자음성	−	−	−	−	−	−	−	−	−	−
성절성	+	+	+	+	+	+	+	−	−	−
고설성	+	−	+	−	+	−	−	+	+	+
저설성	−	−	−	−	−	−	+	−	−	−
후설성	−	−	+	+	+	+	+	−	+	+
원순성	−	−	−	−	+	+	−	−	+	−

변별자질을 이용한 음운의 분류를 통하여 우리는 여러 음운이 어떠한 특성을 공통적으로 지니고 있으며, 어떠한 점에서 서로 다른지 확인할 수 있다. 이와 관련하여 자연집단(natural class)이란 몇 가지 특성 혹은 변별자질을 공유하고 있는 음운의 집단으로 하나의 자연집단에 속하는 여러 음운은 서로 유사한 특성을 보일 수 있다. 특히 이러한 변별자질 분석과 자연집단은 말소리 변동 규칙을 설명하고, 대상자가 말

소리 오류를 보이는 경우, 이를 평가하고 치료하는데 유용하게 사용될 수 있다. 예를 들어 하나의 음운이 아니라 여러 음운에서 오류를 보이는 경우, 이러한 오조음 음운 사이에 어떠한 공통적인 특성이 있는지 변별자질을 이용하여 자연집단으로 분석할 수 있으며, 자연집단에 속하는 하나의 음운을 대상으로 치료를 실시하여 자연집단에 속하지 않는 다른 오조음 음운에서도 정조음이 관찰되는, 즉 전이(transfer)를 치료목표로 할 수 있다.

3.3 음운이론

특정 언어마다 어떠한 음운배열이 적절한 음절 혹은 단어를 구성하는지는 다를 수 있으며, 이러한 적절한 음운배열순서와 관련된 것이 바로 음운배열규칙이다. 예를 들어 글자가 아닌 소리로 판단할 때 한국어에서 [항] 혹은 [haŋ]은 적절한 음절이 되지만 [ŋah]는 적절한 음절이 되지 못한다. 이는 한국어에서 마찰음은 종성이 될 수 없으며 연구개비음은 종성에서만 가능할 뿐 초성에서 나타날 수 없기 때문이다.

이와 관련하여 음절의 구조를 간단히 설명하면 다음과 같다. 음절이란 음운의 연속체로서 한국어에서는 일반적으로 필수요소인 핵이 되는 모음과 필수요소가 아닌 주변음인 초성, 종성 등으로 이루어진다. 음절의 핵(nucleus)이 될 수 있는 음운은 언어마다 다르지만 한국어에서는 모음만이 가능하다. 이러한 핵과 음절 말 자음(coda)인 종성이 결합하여 운모 혹은 라임(rhyme)을 구성한다.

한국어에서 종성에 올 수 있는 자음의 수는 단 한 개이며, /ㄱ, ㄴ, ㄷ, ㄹ, ㅁ, ㅂ, ㅇ/ 등 총 일곱 개의 자음이 종성에 가능하다. 예를 들어 "닭"의 경우 종성의 위치에 비록 두 개의 글자가 있지만 실제 발음에서는 [닥]으로, 종성에 하나의 자음만 산출된다. 이 때 종성이 있는 음절을 폐음절(closed syllable)이라고 하며 종성이 없는 음절을 개음절(open syllable)이라고 한다.

한국어에서 음절 초성에 올 수 있는 자음은 연구개비음인 /ㅇ/을 제외한 18개이며 종성과 마찬가지로 한 개의 자음만이 초성위치에 올 수 있다. 연구자에 따라 다르지만 이중모음과 같이 반모음이 있는 경우, 한국어에서는 반모음을 핵으로 분석하지 않고 주변음으로 분류한다.

이러한 음절의 핵, 초성, 종성의 구성요소의 수와 특성은 언어마다 다르게 나타난다. 예를 들어 영어에서는 모음 뿐 아니라 유음과 비음과 같은 음절성 자음 역시 음절핵이 될 수 있으며 초성과 종성에 두 개 이상의 자음이 올 수 있다. 예를 들어 'street'라는 단어는 초성에 세 개의 자음이 있으며 'little'은 두 개의 음절로 구성되어 있는데 두 번째 음절의 핵은 유음인 /l/이다.

음절구조를 분석하는데 초성 우선의 원리와 음절 재구조화라는 개념이 유용하다. 음절 핵 앞에 위치한 자음은 이전 음절의 종성이 아니라 초성으로 먼저 분석하며 이에 음절의 구조가 변경될 수 있다. 아래 그림은 /물/, /물이/, /값이/의 음절구조를 나타낸다. δ는 음절을 나타내는 기호이다. /물/의 경우 모음인 /ㅜ/가 음절핵을 이루며 /ㅁ/는 초성을, /ㄹ/는 종성이 된다. 반면 /물이/의 경우 /ㄹ/는 초성 우선 원리에 따라 첫 번째 음절의 종성이 아니라 두 번째 음절의 초성이 되며, 이로 인해 음절이 재구조화되었다. /값이/에서 /ㅅ/는 초성 우선의 원리에 따라 두 번째 음절의 초성이 된다. 다만 한국어에서 초성에는 하나의 자음만이 올 수 있기에 /ㅅ/만 초성이 되며 /ㅂ/는 초성이 아니라 앞 음절의 종성으로 분석된다.

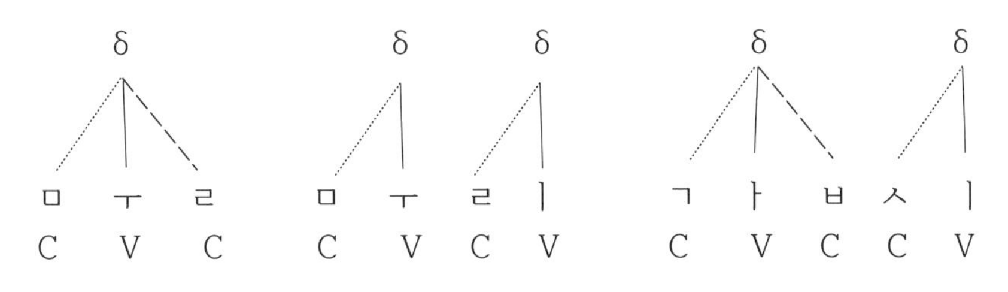

〈그림 1〉 /물, 물이, 값이/의 음절구조

음절구조를 위와 같이 핵과 종성이 결합한 운모와 초성으로 분석할 수 있지만 한국어 음절구조와 관련해서는 다른 의견도 있다. 예를 들어 음절이 초성, 핵, 종성의 세 가지 가지로 분석된다는 의견과 초성과 핵이 핵음절을 구성하고 이러한 핵음절이 종성과 결합하여 음절을 구성한다는 의견이 있다.

우리 머릿속에 존재하는 단어 혹은 문장이 실제 소리로 어떻게 나타나게 되는지 설명하고자 하는 것이 음운이론인데, 대표적인 음운이론 몇 가지를 간단히 설명하면 다음과 같다.

생성음운론(generative phonology)은 촘스키(Chomsky)가 제시한 생성문법과 관련 있다. 촘스키는 문법을 통사부, 음운부, 의미부, 이렇게 세 하위 성분으로 나누었다. 통사부는 심층구조와 표면구조로 이루어지는데, 표면구조가 음운부로 입력이 된다. 이에 통사부의 표면구조가 음운부에서는 기저형이 되며, 이러한 기저형이 여러 음운 규칙을 거쳐서 실제로 발화되는 표면형으로 나타나게 된다(〈그림 2〉 참조).

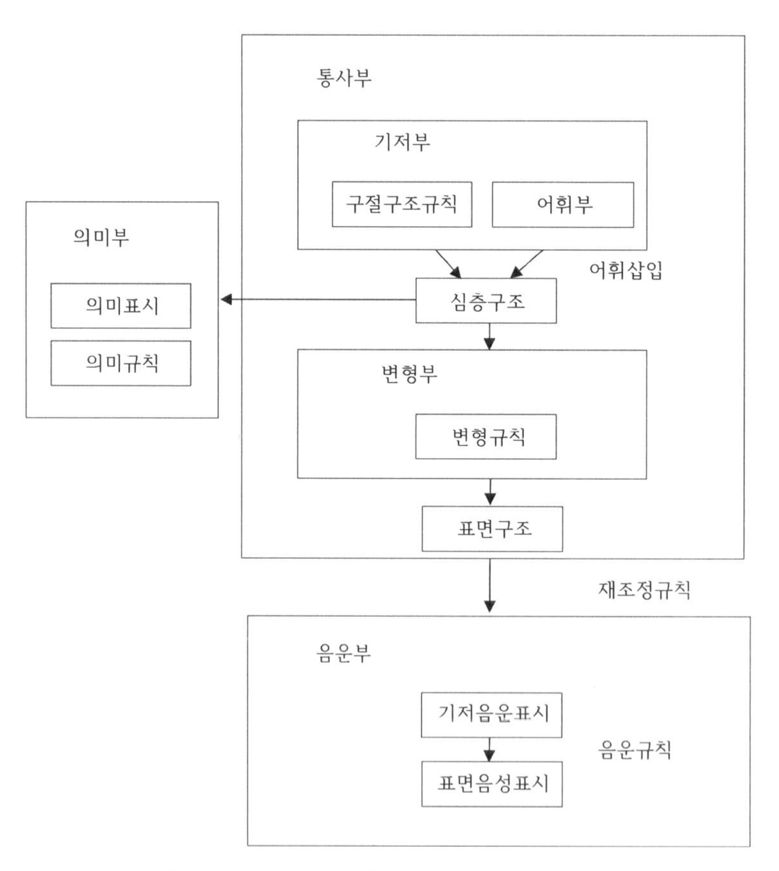

〈그림 2〉 표준문법의 모델(강옥미, 2011, p. 198에서 인용)

이러한 음운규칙은 간결한, 그리고 일반적인 공식 혹은 산문체로 표현되는데 대표적인 음운규칙의 공식형태는 다음과 같다.

A → B/X______Y

위 규칙은 A라는 입력형이 X와 Y라는 상황에서 B로 산출된다고 해석된다. 예를 들어서 /꽃/이 [꼳]으로 발음되는 것을 다음과 같이 나타낼 수 있을 것이다.

ㅊ → ㄷ/______#

위 규칙은 파찰음 /ㅊ/가 어말종성으로 위치한 경우 파열음인 [ㄷ]으로 산출된다는 규칙이다. 규칙은 특정음운 뿐 아니라 변별자질의 조합을 이용하여 나타낼 수도 있다.

어떠한 형태를 기저형으로 선택하는지에 대해서는 여러 의견이 있으나 한국어에서는 일반적으로 표준어문법에 따른 문자 형태가 많이 사용된다. 예를 들어 전술한 바와 같이 '꽃'이라는 단어의 기저형은 /꽃/으로 설정한다.

생성음운론이 규칙을 이용하여 기저형이 어떻게 표면형으로 나타나는지 설명하는 데 반하여 자연음운론(natural phonology)은 음운과정(phonological process)으로 이를 설명한다. 음운과정이란 모든 언어에서 보편적으로 나타나는 현상이거나 아동이 자신의 능력의 제한으로 인하여 산출할 수 없는 음운이나 음운 연속체를 자신이 할 수 있는 형태로 대치하는 것을 의미한다.

특히 이러한 자연음운론을 이용하여 아동의 말소리 발달을 설명하면 다음과 같다. 아동은 성인과 유사한 기저형을 가지고 있지만 조음 기관의 움직임 등과 같은 여러 영역에서의 제약으로 인하여 성인과 같이 발음할 수 없다. 이에 아동은 자신이 할 수 있는 편한 발성과정과 기타 다른 음운과정을 사용하여 자신이 할 수 없는 발화를 자신이 할 수 있는, 즉 제한된 음운과 음절구조로 산출한다. 예를 들어 치조마찰음을 산출하지 못하는 아동은 /사탕/을 [다탕]이라고 발화할 수 있다. 이 경우, 아동은 마찰음을 산출할 수 없기에 마찰음을 자신이 산출할 수 있는 파열음으로 대치하는 '파열음화'라는 음운과정을 사용한다는 것이다. 하지만 이러한 산출로는 적절한 의사소통을 할 수 없기에 점차로 아동은 자신이 가지고 있었던 이러한 음운과정들을 사용하지 않게 되어 성인이 사용하는 말 산출을 하게 된다. 이와 같은 음운과정을 이용하여 말소리장애를 가지고 있는 아동을 평가하고 치료하기도 한다.

생성음운론이 단선적인(linear)인 기저형을 가정하는데 반하여 비선형음운론(nonlinear phonology)는 단어, 음절, 분절음, 변별자질 등과 같은 여러 단계로 이루어진 위계가 있는 계층을 지니고 있는 기저형을 설정하고 있다. 특히 비선형음운론은 기저형을 분절음과 초분절적인 요인 등으로 계층을 나누어 설명하기에 초분절적인 특성 등을 잘 설명한다고 한다. 예를 들어 초분절적인 층위 혹은 운율층(prosodic tier)은 단어로부터 분절층까지 〈그림 3〉과 같이 설명된다.

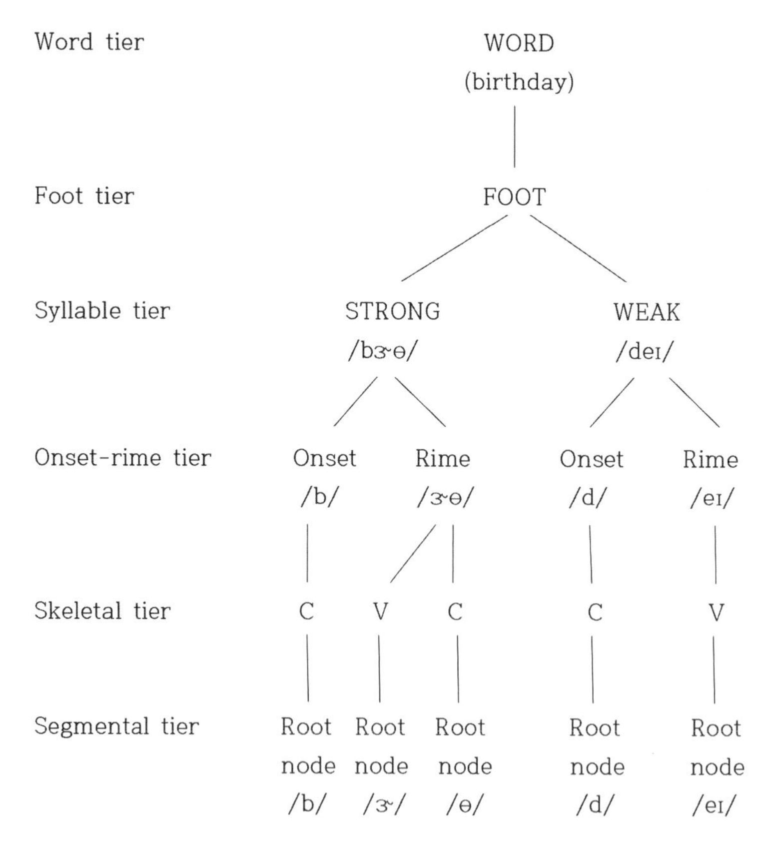

〈그림 3〉 단어 'birthday'의 초분절적 층위(Bernthal et al.(2013), pp. 64에서 인용)

문장의 일부인 단어는 운각층(foot tier)로 구성이 되며, 운각층은 강(strong)음절과 약(weak)음절로 이루어진 음절층(syllable tier)으로 나뉜다. 음절층은 초성과 라임, 둘로 이루어지는 초성-각운층(onset-rime tier)으로 이루어지며, 초성과 각운 역시 각기 골격층(skeletal tier)로 나뉜다. 마지막으로 골격층은 각 분절음에 해당하는 분절층(segmental tier)로 구성된다. 분절층 역시 위계에 따라 구성된 변별자질로 구성되어 있다. 일부 변별자질은 마디(node)로 불리는데, 마디는 다른 변별자질을 지배하며, 피지배 변별자질과 상위 계층을 연결하는 기능을 담당한다. 영어에서는 개별 분절음을 초분절 층위와 연결하는 분절자질근 마디(root node), 분절음의 발성특성과 관련된 성대마디(laryngeal node), 조음위치와 관련된 조음점마디(place node), 세 마디가 있다고 한다.

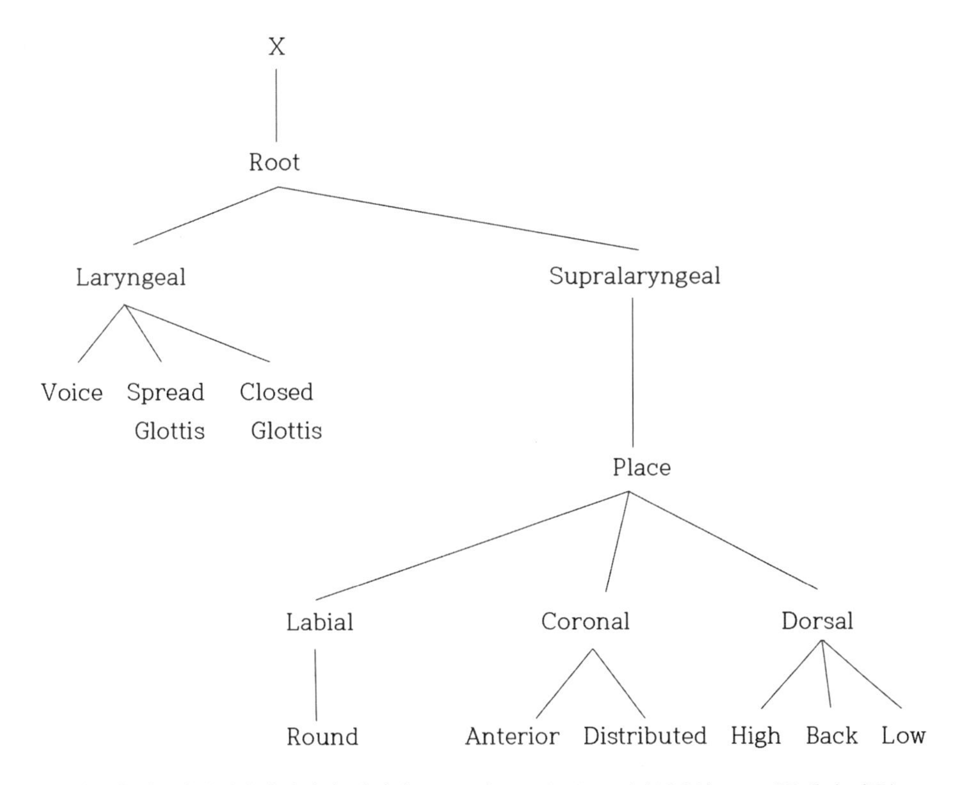

〈그림 4〉 지질기하학에서의 위계나무 구조(Bernthal et al.(2013), pp. 65에서 인용)

최적성이론(optimality theory)은 크게 무한한 수의 후보를 만들어내는 생성부(generator)와 생성부에서 만들어진 후보를 평가하는 평가부(evaluator)로 구성되어 있다. 평가부에서는 여러 제약들과 이러한 제약들의 위계(hierarchy)에 따라서 후보를 평가하여 위계가 높은 제약을 가장 많이 지키는 후보를 최적출력형으로 선택하게 된다. 제약은 크게 산출될 수 있는 형태를 제한하는 유표성 제약(markedness constraints)과 유지되어야 할 특성과 관련된 충실성제약(faithfulness constraints)으로 이루어진다.

3.4 음운현상

음운현상은 기저형의 소리가 표면형으로 산출되면서 나타나는 변화를 의미하며 음운규칙, 음운변동 등으로 불리기도 한다. 예를 들어 /신라/라는 단어는 기저형과 같은 형태인 [신라]로 산출되지 않으며 비음의 유음화라는 음운현상을 통해 [실라]로 산출된다.

음운현상은 다양한 기준으로 분류될 수 있는데, 우선 변화 전후의 분절음을 기준으로 대치, 탈락, 축약, 첨가로 분류할 수 있다.

대치란 다른 음운으로 변화하는 것으로 앞의 [실라]는 치조비음이 유음으로 대치된 것이다. 대치는 주변의 소리와 유사해졌는지 아니면 달라졌는지에 따라서 동화와 이화로 분류할 수 있다. 특히 앞 소리와 유사해지는 현상을 순행동화, 뒷 소리와 유사해지는 현상을 역행동화라고 한다. 더불어 소리의 강도와 공명도가 더 강해지는 현상은 강화, 약해지는 현상은 약화라고 한다.

탈락이란 /영향/을 [영양]이라고 산출하는 것처럼 특정 음운을 산출하지 않는 것이며 축약은 두 소리의 특징이 합쳐져서 새로운 소리로 나타나는 것이다. 예를 들어 /놓고/의 경우 /ㅎ/와 /ㄱ/가 축약되어 [노코]라고 산출된다. 첨가는 /바닷가/와 같이 보통 합성어에서 나타난다.

한국어의 음운현상은 또한 음운론적인 환경으로 나타나는 것과 형태론적인 환경으로 인해 나타나는 것으로 구분될 수 있다. 예를 들어 한국어 종성으로는 평폐쇄음만 올 수 있다는 음운제약이 있기에 /잎/은 [입]으로 산출된다. 형태론적인 환경에 따른 음운현상의 예는 다음과 같다. 비음과 장애음의 연속인 /신고/는 "도둑을 경찰에 신고하였다."와 "신발을 신고 학교에 갔다."에서 서로 다르게 산출된다. 전자는 [신고]로 산출되지만 후자는 [신꼬]로 산출된다. [신꼬]의 경우 용언의 어간 뒤에서 경음화가 나타난 것이다. 이와 같은 경음화는 /먹을 것/과 같이 관형형 어미 다음에서도 나타난다. 이러한 어휘 형태소와 문법 형태소 사이에 나타나는 음운현상으로는 '끝이 없다'의 '끝이'가 [끄치]로 산출되는 구개음화가 있다.

더불어 음운현상이 적용될 수 있는 상황에서는 항상 적용되는 필수규칙, 선택적으로 적용될 수 있는 수의적 규칙 등으로 구분될 수 있다. 대표적인 수의적 규칙으로는 /ㅎ/ 탈락, 조음위치 동화인 양순음화와 연구개음화이다. 예를 들어 /영향/을 [영향]이라고 산출하거나 탈락을 적용하여 [영양]이라고 산출할 수도 있으며, /신문/과 /감기/를 각각 [심문], [강기]로 산출할 수도 있다.

한국어의 주요 음운현상은 〈표 6〉과 같다.

대치인 음운현상은 평폐쇄음화, 경음화, 비음화, 유음화, 구개음화, 조음위치 동화 등이 있다.

한국어 종성은 평폐쇄음으로 산출되어야 하기에 폐쇄음이 아닌 장애음이 종성위치에서 같은 조음 위치의 평폐쇄음으로 산출되는 것을 평폐쇄음화라고 한다. 예를 들어 /못/의 경우, 종성인 치초마찰음이 같은 위치의 파열음인 치조파열음으로 대치되어 [몯]으로 산출된다. 또한 /잎, 밖/과 같은 격음과 경음 종성 역시 [입, 박] 과 같이 평음으로 산출된다.

한국어 음운구에서는 장애음과 평장애음의 연쇄가 허락되지 않기에 후행하는 평장애음이 경음으로 산출이 된다. 예를 들어 /국자/의 경우 후행하는 장애음 연음인 /ㅈ/가 경음이 되어 [국짜]로 발음이 된다. 또한 전술한 '신발을 신고'와 같이 종결 어간과 어미 사이에서, /갈등/과 같이 /ㄹ/로 끝나는 한자어에서 경음화가 나타난다.

한국어의 억양구 내에서는 장애음과 공명음의 연쇄가 허락되지 않기에 선행하는 장애음이 후행하는 공명음의 영향으로 공명음으로 산출된다. 예를 들어 /국물/의 경

〈표 6〉 한국어 음운현상

음운현상		예	조건
대치	평폐쇄음화	/못/ → [몯] /잎/ → [입]	종성 위치의 장애음
	경음화	/국자/ → [국짜] /신고/ → [신꼬] /갈등/ → [갈뜽]	장애음과 평 장애음의 연쇄 종결 어간과 어미 사이 한자어
	비음화	/국물/ → [궁물] /금리/ → [금니]	장애음과 공명음의 연쇄 초성의 유음
	유음화	/달님/ → [달림]	유음과 치조비음의 연쇄
	구개음화	/끝이/ → [끄치]	치조파열음이 종성인 어휘 형태소와 /I/ 어휘 형태소의 연쇄
	조음위치 동화	/신문/ → [심문]	역행동화
탈락	자음군 단순화	/넋/ → [넉]	자음군 종성
	ㅎ 탈락	/영향/ → [영양] /좋은/ → [조은]	공명음 사이 용언의 활용
	j 탈락	/헤어져/ → [헤어저]	파찰음과 /j/계열 이중모음의 연쇄
	동일 조음 위치 탈락	/국가/ → [구까]	조음위치가 같은 두 장애음의 연쇄
첨가	ㄷ 첨가	/윗옷/ → [위돋]	합성어
	ㄴ 첨가	/솜이불/ → [솜니불]	합성어
축약	격음화	/놓고/→ [노코]	ㅎ와 장애음의 연쇄

우, 장애음이며 종성인 /ㄱ/는 비음 /ㅁ/ 앞에 있기에 [궁물]이라고 발음된다.

억양구 내에서 유음과 치조비음의 연쇄가 허락되지 않기에 유음 /ㄹ/와 치조비음 /ㄴ/가 연속으로 오는 경우 후행하는 치조비음이 유음으로 산출된다. 예를 들어 /달님/은 [달림]으로 산출된다.

또한 전술한 바와 같이 종성이 치조파열음인 어휘형태소가 /ㅣ/로 시작하는 문법 형태소와 이어지는 경우, 구개음화가 나타난다. 예를 들어 /끝이/는 [끄치]로 산출된다.

탈락인 음운현상으로는 자음군 단순화, /ㅎ, j/ 탈락 등이 있다.

한국어 종성에는 하나의 음운만이 올 수 있기에 자음군 중에 하나의 자음이 탈락된다. 예를 들어 /넋/은 [넉]으로 산출된다.

공명음 사이에 위치하는 /ㅎ/는 탈락될 수 있다. 예를 들어 /영향/은 [영향] 혹은 [영양]으로 산출될 수 있다. 체언의 경우에는 수의적인 현상이지만 용언의 활용에서 /ㅎ/의 탈락은 필수적이다. 예를 들어 /좋은/은 [조은]으로 산출된다.

활음 /j/ 탈락은 /헤어져/와 같이 파찰음에 /j/ 계열 이중모음이 후행하는 경우, [헤어저]와 같이 활음이 탈락하여 단모음으로 산출되는 현상을 설명한다.

동일 조음 위치 장애음 탈락은 /국가/와 같이 연속하는 두 장애음의 조음위치가 같은 경우, 선행하는 장애음이 탈락하여 [구까]와 같이 발음되는 것을 말한다. 특히 이 경우에는 종성이 탈락하기 전 장애음의 경음화가 먼저 적용이 되어서 [국까]가 된 후 동일 조음 위치 장애음 탈락 규칙이 적용된 것으로 해석할 수 있다. 즉 여러 개의 음운현상이 적용될 경우에는 그 적용의 순서가 중요할 수 있다.

다음으로 격음화는 성문마찰음 /ㅎ/의 전후에 평장애음이 오게 되면 두 자음이 합쳐져서 격음으로 산출되는 것이다. /사각형/이 [사가켱]으로 산출되는 현상이 바로 격음화이다.

합성어의 경우 /ㄷ/ 혹은 /ㄴ/가 첨가된다. '위'라는 형태소와 '옷'이라는 형태소가 합성어를 이루게 되면 [위돋]으로 산출되며, '솜'과 '이불'이 합성어를 이루게 되면 [솜니불]로 산출된다.

마지막으로 /ㅎ/ 전후에 장애음이 오는 경우, 축약이 나타난다. 예를 들어 /놓고/는 [노코]로 산출된다.

3.5 초분절적 요소

지금까지 설명한 것은 분절할(segmental) 수 있는 음운과 관련된 요소라면 이외에도 초분절적(suprasegmental) 요소가 있다. 하나 이상의 분절음에 얹히는 초분절적인 요소로는 대표적으로 길이, 높이, 세기 등이 있다. 예를 들어 사람의 얼굴에 있는 눈(eye)은 짧게 발음되지만 겨울에 하늘에서 내리는 눈(snow)은 길게 발음된다고 한다. 비록 표준어 발음법에 따르면 이러한 길이의 차이가 의미를 분화하는데 사용된다고는 하지만 일반적으로 현대 한국어에서 길이는 의미를 분화하는데 거의 사용되지 않는다.

높이가 단어의 뜻을 구별하는 대표적인 언어로는 중국어가 있다. 한국어에서는 높낮이가 개별 단어의 뜻을 구별하기 보다는 "너는 가."와 "너는 가?"와 같이 문장의 의미를 구별하는데 사용이 된다. 이러한 문장에 얹히는 높낮이의 변화를 억양이라고 한다.

크기 역시 영어에서는 강세로 단어의 의미를 구별하는데 매우 중요하게 사용될 수 있으나 한국어에서는 그렇지 않다.

비록 이와 같은 초분절적인 요소가 한국어 단어의 의미를 분화하는데 기여하는 바는 적지만 발화의 자연스러움, 명료도 등에 영향을 끼칠 수 있다.

학습목표

1. 음운의 정의를 이해한다.
2. 한국어 자음체계와 모음체계를 이해한다.
3. 변별자질을 이해한다.
4. 주요 음운이론을 이해한다.
5. 한국어 음운현상을 이해한다.

학습문제

1. 한국어의 음운과 변이음에 대해서 설명하라.
2. 한국어 자음과 모음을 변별자질을 이용해서 구분하라.
3. /ㄷ, ㅌ, ㅅ, ㅆ, ㅇ, ㄴ/을 변별자질을 이용해서 몇 가지 그룹으로 나누어 보자.
4. 여러분의 학교 이름과 자신의 이름의 산출에서 적용되는 음운현상을 설명하라.

CHAPTER

04 형태론

우리는 앞서 언어학을 크게 언어의 내용, 형식, 기능을 다루는 하위 영역으로 나눌 수 있음을 배운바 있다. 언어의 형식을 다루는 하위 학문으로는 음운론, 형태론, 통사론(구문론)이 있는데, 형태론은 음운론보다는 크고 통사론보다는 작은 언어학적 단위를 다룬다고 할 수 있다.

형태론은 형태에 대한 학문이라고 할 수 있는데, 여기서 '형태'라는 말은 형태소(morpheme)에 대한 학문이라는 말이다. 형태론의 사전적 정의는 '형태소에서 단어까지를 다루는 문법학 분야'이다. 즉, 형태소와 단어에 대한 문법이면서 형태소가 단어를 이루는 과정에 대한 규칙을 포함하는 학문이라고 할 수 있겠다.

이 장에서는 형태소의 정의와 종류, 단어의 정의와 다양한 기준에 의한 분류법, 파생과 굴절, 합성, 활용 등 형태소로 단어를 만드는 여러 가지 방법에 대하여 살펴볼 것이다.

4.1 형태소의 정의

그렇다면 형태소란 무엇일까? 형태소는 뜻을 가진 최소의 언어학적 단위라고 할 수 있다. 즉, 언어학적 단위를 최대한 작게 나누되 의미는 가질 수 있도록 나누면 형태소가 된다. 만약 '토끼가 뛴다'라는 문장이 있을 경우 여기서 형태소는 무엇이며, 몇 개가 포함되어 있을지 생각해 보자.

ㄱ. ㅌ, ㅗ, ㄲ, ㅣ, ㄱ, ㅏ, ㄸ, ㅟ, ㄴ, ...
ㄴ. 토, 끼, 가, 뛴, 다
ㄷ. 토끼, 가, 뛰, ㄴ, 다
ㄹ. 토끼, 가, 뛴다
ㅁ. 토끼가, 뛴다

위의 ㄱ은 '토끼가 뛴다'라는 문장을 최대한 쪼개어 본 것이다. 이때 'ㅌ', 'ㅗ', 'ㄲ', 'ㅣ', 'ㄱ' 등은 각각 개별적으로 의미를 가진다고 보기는 어렵다. 그러나 이들이 다른 단위로 대체된다면 문장이 다른 뜻이 되어버릴 수는 있으므로, ㄱ의 단위들은 자체로 뜻을 지니지는 않지만 뜻을 구별해주는 말소리, 즉 음소임을 알 수 있다. ㄴ의 경우에는 예시 문장을 음절 단위로 적은 것이다. 한글은 음소문자이지만 음절 단위로 모아 적기 때문에 음절 구분이 용이하다. 그러나 음절 '토'와 '끼'는 각각 어떤 뜻을 지니지는 못한다. ㄷ의 경우에는 6개의 모든 단위가 기본적으로 의미를 가지고 있다. 구체적으로 살펴보면 '토끼'나 '뛰-'는 실질적, 어휘적 의미를 가지는 반면, '-가'는 행위의 주체를, '-ㄴ-'은 현재 시제를, '-다'는 문장의 종결을 나타내는 등 문법적 의미를 가진다. ㄹ이나 ㅁ의 경우에는 의미를 유지하면서 더 쪼개보려고 하면 '토끼가'는 '토끼+가'로 더 나눌 수 있고, '뛴다'는 '뛰+ㄴ+다'로 더 나눌 수 있다. 그러므로, 위의 예시 문장들 중에서 형태소 단위로 구분한 것을 찾아본다면 최대한 작은 단위로 쪼개되 뜻이 있는 단위들을 나열한 ㄷ이라고 할 수 있다. ㄹ은 낱말 단위 분절이고, ㅁ은 띄어쓰기 표기와 일치하는 어절 단위로 나눈 것들이라고 할 수 있다.

형태소는 종종 단어와 혼동되기도 하는데, 앞의 '토끼'에서처럼 하나의 단어가 하나의 형태소로 이루어질 수도 있기 때문이다. 하지만 두 개 이상의 형태소가 결합하여 한 단어를 이루는 경우도 있다. 특히 형용사나 동사 등의 용언은 대체로 두 개 이상의 형태소로 이루어진다고 할 수 있다. 결론적으로 단어는 최소 하나 또는 그 이상의 형태소의 결합으로 만들어진다고 할 수 있다.

4.2 형태소의 분류

위에서 ㄷ의 경우가 형태소 단위 구분이라고는 했지만 여기서 형태소 '토끼', '뛰-'와 '-가', '-ㄴ-', '-다'가 모두 같은 성격을 갖는 것은 아니다. 먼저 '토끼'는 그 자체로 혼자 독립적으로 사용될 수 있다. 그러나 조사인 '-가'는 앞에 오는 말이 행위의 주체라는 것을 표시해주나 앞에 오는 말이 없이 홀로 쓰일 수는 없다. 어간인 '뛰-'와 어미인 '-ㄴ-', '-다'도 뒤에나 앞에 오는 말없이 독립적으로 쓰일 수 없는 형태소들이다. 이렇듯 형태소는 몇 가지 기준에 따라 나누어볼 수 있는데, 독립성을 기준으로 나누어보면 '토끼'와 같이 홀로 쓰일 수 있는 형태소는 자립형태소, 조사나 어미, 어간처럼 홀로 쓰일 수는 없고 앞뒤에 오는 말과 함께만 쓰일 수 있는 형태소를 의존형태소라고 한다. 보통 그 자체로 한 단어를 이루면서 체언인 경우 자립형태소이고, 조사나 어미, 동사나 형용사 등 용언의 어간에 해당하는 형태소이면 의존형태소인 경우가 많다.

형태소는 어떤 종류의 의미를 가지는지에 따라 분류해 볼 수도 있다. 위의 예시문에서 '토끼', '뛰-'처럼 문장의 의미를 결정하는 실질적 의미를 지니는 형태소는 어휘형태소나 실질형태소라고 하고, '-가'나 '-다'처럼 문법적 의미만 지니는 형태소는 형식형태소 혹은 문법형태소라고 한다. 독립적으로 쓰일 수 있는 자립형태소들과 용언의 어간의 경우 실질적 의미를 지니므로 어휘형태소로 분류되고, 조사나 어미의 경우에는 문법적 의미만 지니므로 형식형태소로 분류된다.

어떤 형태소들은 그 의미는 동일하지만 다른 형태를 지니기도 한다. 예를 들어 위 예문에서 주격조사 '-가'는 받침(종성)이 있는 말 뒤에 오는 경우 '선생님이 오다'에서처럼 '이'로 형태가 바뀐다. 이때 '-이'와 '-가'는 앞의 말이 행위의 주체임을 나타낸다는 점에서 같은 형태소이나 서로 다른 형태를 지닌다. 특히 '-이'와 '-가'처럼 한 형태소이지만 음운론적 환경에 따라 모양을 달리하는 형태소들을 이형태, 특히 음운론적 이형태라고 한다. 음운론적 이형태인 '-이'와 '-가'는 '-이'가 오는 자리에 '-가'는 올 수 없고, '-가'가 오는 자리에 '-이'는 올 수 없다. 이렇게 상호배타적으로 사용되므로 음운론적 이형태는 상보적 분포를 보인다고 할 수 있다.

4.3 단어

앞서 우리는 형태소가 의미를 가진 최소의 언어학적 단위라고 정의한 바 있다. 단어는 형태소와 일치하거나 더 큰 언어학적 단위로 의미를 가지고 있으며, '분리하여 자립적으로 쓰일 수 있는 말이나 이에 준하는 말, 또는 그 말의 뒤에 붙어서 문법적 기능을 나타내는 말'로 정의할 수 있다.

가령 위의 예시문장에서 '토끼'의 경우는 하나의 형태소이면서 분리되어 자립적으로 쓰일 수 있으므로 하나의 단어라고도 할 수 있다. 이 경우 하나의 형태소가 하나의 단어를 이룬 경우이다. '-가'와 같은 조사도 자립할 수 있는 말의 뒤에 붙어서 쉽게 분리되므로 표준 국어 문법에서는 형태소이면서 동시에 하나의 단어로 볼 수 있다. 그러나 '뛰-'나 '-ㄴ', '-다'의 경우에는 형태소이기는 하지만 자립적으로 사용할 수 없고, 그렇다고 자립할 수 있는 말에 붙어 쉽게 분리되지도 않으므로 단어라고는 할 수 없다. 이 경우 '뛴다'라는 동사 전체를 하나의 단어로 본다. 즉, 용언의 어간과 어미는 형태소이긴 하나 독립적으로 쓸 수 없고 쉽게 분리되지 않으므로 낱말로 볼 수 없다.

형태소와 단어의 관계를 정리하면 한 형태소가 동시에 하나의 단어일 수 있지만 두 개 이상의 형태소가 모여 한 단어를 이룰 수도 있다. 그러므로 문장을 분석하여 형태소와 단어수를 세어보면 늘 형태소수가 단어수보다 많거나 같다. 이번 장 서두의 '토끼가 뛴다' 예문의 경우도 포함하고 있는 낱말 수는 'ㄷ'과 같이 3개임에 비해 형태소 수는 'ㄴ'처럼 5개로 형태소 수가 더 많다. 동사나 형용사 같은 용언이나 서술격 조사의 경우 필히 두 개 이상의 형태소로 이루어지게 되므로 서술어나 용언이 파생된 부사어, 관형어 등은 형태소 분석 시 보다 주의깊게 보고 면밀히 분석해야한다.

4.4 단어의 분류

형태소와 마찬가지로 단어도 몇 가지 기준으로 분류할 수 있다. 먼저 단어를 유래에 따라 나누어 볼 수 있다. '하늘', '바다'처럼 순수한 우리말로 이루어졌으면 고유어, '학교(學校)', '사고(思考)'처럼 한자어에서 유래했으면 한자어, '햄버거', '아이스크림', '데뷔'처럼 외국에서 들어온 말인데 우리말처럼 쓰이는 단어는 외래어라고 한다.

구성에 따라 단어는 단일어와 복합어로 나뉘는데, 하나의 형태소로 이루어진 단어를 단일어라고 하고 둘 이상의 형태소로 구성된 단어를 복합어라고 한다. 복합어는 다시 실질형태소끼리의 결합이냐 실질형태소와 접사의 결합이냐에 따라 각각 합성어와 파생어로 나뉜다. 가령 '새엄마'는 '새'와 '엄마' 모두 실질형태소이므로 합성어인데 반해, '덧버선'은 '버선'이라는 실질형태소에 '덧-'이라는 접사가 붙은 형태이므로 파생어라고 할 수 있다. 합성어의 다른 예로는 '집안(집 + 안)', '돌다리(돌 + 다리)', '물안개(물 + 안개)' 등을 들 수 있고, 파생어의 예로는 '부채질(부채 + 질)', '덮개(덮 + 개)' 등을 들 수 있다.

문법적 기능에 따라서 나누어보면 단어는 체언, 수식언, 용언, 관계언, 독립언의 다섯가지 유형으로 분류된다. 이를 다시 의미에 따라 다시 9가지 품사로 세분화할 수 있는데, 현재 우리나라의 학교 문법에서는 단어의 품사를 명사, 대명사, 수사, 조사, 동사, 형용사, 관형사, 부사, 감탄사의 아홉 가지로 분류한다. 이러한 가변성, 문법적 기능, 의미에 다른 단어분류를 〈그림 1〉에 정리하여 제시하였다.

기준	품사								
가변성	불변어							가변어	
기능	체언			수식언		독립언	관계언	용언	
의미	명사	대명사	수사	관형사	부사	감탄사	조사 (서술격 조사)	동사	형용사

〈그림 1〉 단어(품사)의 분류

형태 변화의 여부도 단어 분류의 기준이 될 수 있는데 모양이 변할 수 있으면 가변어이고, 변하지 않으면 불변어이다. 용언은 모양이 변하므로 가변어이고, 나머지는 모양이 변하지 않는 불변어이다.

4.4.1 체언

체언은 문장에서 주로 주어, 목적어 등의 기능을 하는 말로 명사, 대명사, 수사가 이에 포함된다. 체언의 뒤에는 관계언인 조사가 결합하여 다양한 문장 성분의 역할을 할 수 있게 돕는다.

명사는 사물의 이름을 나타내는 품사로 특정한 사람이나 물건에 쓰이는 이름을 고유명사라고 하고, 사물에 두루 쓰이는 이름이면 보통명사라 한다. 사람 이름이나, 상표이름, 나라 이름 등은 고유명사라고 할 수 있다. 명사를 자립적으로 쓰이는 자립명사와 반드시 앞에 꾸미는 말이 있어야 하는 의존명사로 나누기도 한다. 의존명사는 '것', '수', '뿐', '척'이나 '개', '명' 등 단위를 나타내는 명사 등으로 자립명사보다는 형식적인 의미를 가지며, '~할 수 있다'에서처럼 앞에 반드시 다른 말이 와야 한다는 점에서 불완전명사라고도 한다.

대명사는 사람이나 사물의 이름을 대신 지칭하는 말로, 주로 앞에 한번 나왔던 명사를 다시 언급하거나 대화 상황에서 화자나 청자가 모두 알고 있는 이름을 대신할 때 사용된다. 대명사는 사람을 가리키는 인칭대명사와 그 외 다른 것을 가리키는 지시대명사로 나뉜다. 사람을 나타내는 인칭대명사는 다시 '나', '저', '우리'처럼 화자를 지칭하는 1인칭 대명사와 '너', '당신', '너희' 등 청자를 지칭하는 2인칭 대명사, 그리고 '그', '그녀'처럼 화자도 청자도 아닌 제3의 인물을 지칭하는 3인칭 대명사로 나눌 수 있다. 사람 이외 사물이나 장소 등을 가리키는 지시대명사는 화자와 청자와의 거리에 따라 '이(것)', '그(것)', '저(것)' 등으로 구분되어 사용된다. 지시대명사는 체언에 속하므로 뒤에 조사가 올 수 있는데, 이와는 달리 '이 책상, 저 사람, 그 책,...'에서처럼 명사 앞에 오면서 뒤의 명사를 수식하는 것은 지시형용사이다. 지시형용사와 지시대명사는 모양이 같아 혼동하기 쉬우므로 주의해야 한다. 이 밖에도 의문의 뜻을 나타내는 대명사를 의문대명사라고 하는데 여기에는 '누구', '무엇', '어디' 등이 포함된다.

수사는 사물의 수량이나 순서를 나타내는데, 하나, 둘 같은 양을 나타내는 수사는 양수사라고 하고 첫째, 둘째 등의 순서를 나타내는 수사를 서수사라고 한다. 특히 우리나라의 양수사는 고유어인 '하나, 둘, 셋,..'과 한자어인 '일, 이, 삼,...'의 두 가지가 있어 한국어를 배우는 외국인들이나 말을 배우는 아이들이 혼동하는 경우가 많다. 수사는 수관형사와 혼동하기 쉬운데, '한 개', '두 자루', '세 포기'와 같이 단위를 나타내는 의존 명사 앞에서 의존 명사를 꾸미는 역할을 하는 경우에는 수사가 아니라 수관형사이다. 예를 들어 비슷한 의미라도 '사람 둘이 있다'에서 '둘'은 뒤에 조사가 붙는 체언, 즉 수사인 반면 '사람 두 명이 있다'에서 '두'는 사람을 세는 단위 의존 명사 '명' 앞에서 이를 수식하는 수관형사이다.

4.4.2 수식언

수식언은 뒤에 오는 말을 수식하거나 한정하기 위하여 첨가하는 관형사와 부사를 통틀어 이르는 말이다. 관형사는 체언 앞에 놓여서, 그 체언의 내용을 자세히 꾸며 주는 품사로 조사도 붙지 않고 어미 활용도 하지 않는다. 종류로는 '순 살코기'의 '순'과 같은 성상관형사, '저 어린이'의 '저'와 같은 지시관형사, '한 사람'의 '한'과 같은 수관형사 등이 있다. 관형사는 체언을 꾸며준다는 점에서 형용사의 관형사형과 성격이 비슷한데, 형용사는 '예쁜 그림'처럼 기본형인 '예쁘다'에서 어미 활용을 함으로써 체언을 수식하는데 비해 관형사는 '새 신발'의 '새'처럼 모양이 변화하지 않는다는 점에서 형용사와 다르다. 한국어에서는 체언 앞에 관형사가 여러 개 올 수 있다. '이 새 책', '이 여러 사람'과 같이 관형사가 두 개 이상 결합되는 경우, 지시관형사가 수

관형사나 성상관형사 앞에 먼저 나왔고, '여러 새 책'에서는 수관형사가 성상관형사보다 앞에 왔음을 알 수 있다. 따라서 관형사가 여러 개 사용되는 경우에는 '지시관형사–수관형사–성상관형사' 순으로 결합한다고 할 수 있겠다.

부사는 용언, 관형사, 다른 부사나 문장 앞에 와서 뜻을 분명하게 하는 품사로 그 예로 '매우', '가장', '과연', '그리고' 등을 들 수 있다. 관형사와 마찬가지로 부사도 활용하지 못하며, 성분부사와 문장부사로 나뉜다. 성분부사는 문장의 한 성분을 꾸며 주는 부사로 성상부사, 지시부사, 부정부사가 이에 포함된다. 성상부사는 사람이나 사물의 모양, 상태, 성질을 한정하여 꾸미는 부사로, 그 예로는 '잘', '매우', '바로' 등이 있다. 지시부사는 처소나 시간을 가리켜 한정하거나 앞의 이야기에 나온 사실을 가리키는 부사로 '이리', '그리', '내일', '오늘' 과 같은 예를 들 수 있다. 부정부사는 '안'과 '못'처럼 용언 앞에 와서 뒤에 나온 용언을 부정하는 의미로 사용된다. 이와 같이 성분부사가 문장의 한 성분만 수식함에 비해 문장부사는 문장 전체를 꾸미는 부사로, 화자의 태도를 나타내는 양태 부사와 단어와 단어, 문장과 문장을 이어 주는 접속 부사로 나눈다. '과연', '설마', '제발', '정말', '결코', '모름지기' 등이 양태부사의 주요 예이며, '그리고', '그러나', '그러므로', '즉', '곧', '및', '혹은', '또는' 등은 흔히 쓰이는 접속부사의 예이다.

부사는 문장성분으로서의 부사어와는 다르므로 주의하여야 한다. 예를 들어 '예쁘게' 등의 동사나 형용사 활용형이 문장에서 부사어로 자주 사용되지만 품사로는 여전히 동사나 형용사이지 부사가 아니다. 또, 품사로서의 부사는 '매우', '아주'에서 보듯이 활용하지 않아 '예쁘게', '예쁜'과 같이 모양이 변화하지 않는다.

4.4.3 용언

용언이란 문장에서 서술어의 기능을 할 수 있는 품사라는 뜻으로 형용사, 동사가 여기에 포함된다. 체언과 수식언, 관계언의 대부분은 모양이 변하지 않고, 활용을 하지 않는 불변어인데 비해 용언은 앞서 '예쁘게', '예쁜'의 경우처럼 활용을 통해 모양이 변하는 가변어이다.

동사는 사물의 움직임이나 작용을 나타내는 품사다. 동사의 종류는 의미에 따라 동작동사와 상태동사로 구분하기도 하고, 목적어를 필요로 하는지 여부에 따라 타동사와 자동사로 구분하기도 하며, 어미활용의 규칙성에 따라 규칙동사와 불규칙동사로 나뉘기도 한다.

동사의 가장 큰 특징은 형용사나 서술격 조사처럼 활용을 한다는 점이다. 활용은 어간에 하나 이상의 다양한 어미가 붙어 변하는 것을 말한다. 동사는 활용을 통해 종결이나 연결, 전성 같은 문법적인 변화나 의미상 높임, 시제 등을 나타낼 수 있다.

동사 어간에 붙는 어미는 크게 어말어미와 선어말어미로 구분할 수 있다. 어말어미는 말 그대로 낱말 끝에 오는 어미로, 용언이 활용될 때 어간에 반드시 결합되어야 하는 어미이다. 어말어미는 역할에 따라 문장을 끝내는 종결어미, 낱말의 품사를 바꾸는 전성어미, 다음 문장에 연결해 주는 연결어미의 세 가지로 분류할 수 있다. 예를 들어 '먹다'의 경우 '먹-'이라는 어간에 어말어미를 결합하여 '먹어', '먹습니다', '먹니?'(이상 종결어미 결합), '먹어서', '먹으면'(이상 연결어미 결합), '먹기가 편하다', '먹던 것', '나도 먹게 줘'(이상 전성어미 결합)와 같이 활용할 수 있다.

선어말어미는 그 이름처럼 어말어미보다 앞에 오는 어미로 어간과 어말어미 사이에 위치한다. 하지만 위의 '먹다'를 활용한 예들을 보면, 어간에 선어말어미 없이 어말어미만 결합되어 있어서 선어말어미가 용언 활용 시 필수적으로 결합되는 어미는 아니라는 것을 알 수 있다. 선어말어미는 주로 높임이나 시제, 서법 등을 나타낸다. 높임 선어말어미는 '-시-'로 '가시다'에서처럼 문장의 주어를 높여준다. 시제 선어말어미에는 과거를 나타내는 '-었/았/ㅆ', 현재를 나타내는 '-는/ㄴ', 미래를 나타내는 '-겠' 등이 있다. 서법을 나타내는 선어말어미로는 '가더라'에서처럼 회상을 나타내는 '-더-'를 예로 들 수 있다. 위의 '먹다'를 선어말어미를 포함하여 활용한 예로는 '먹었니?', '먹겠습니다', '먹는다', '먹더라' 등을 들 수 있다. 선어말어미는 하나만 사용되는 것이 아니라 '보시었겠다'처럼 여러 개가 결합되어 쓰일 수도 있다. 이상 동사의 활용을 '보다'의 예로 정리해보면 다음 〈표 1〉과 같다. 선어말어미의 경우 생략하거나 두 개 이상 함께 사용하는 것이 가능하며, 어말어미 별로 결합할 수 있는 선어말어미가 제한적일 수 있다는 것을 고려하여 참고하도록 한다.

〈표 1〉 '보다'의 활용 예

어간	(선어말어미)	어말어미
보-	(-시-)(높임) (-았-)(시제-과거) (-ㄴ-)(시제-현재) (-겠-)(시제-미래) (-겠-)(서법-추측) (-더-)(서법-회상) :	-어요, -다, …(종결- 평서형) -니, -(으)ㄹ까, …(종결-의문형) -자(종결-청유형) -라(종결-명령형) -는데, -지만, -고, …(연결-대등) -아서, -면, -니까, …(연결-종속) -는, -던, -(으)ㄴ, -(으)ㄹ(전성-관형사형) -기, -(으)ㅁ(전성-명사형) -게, -도록, -아서(전성-부사형) :

이렇듯 동사는 어간에 최소 어말어미 1개는 필수적으로 결합되어 사용되므로 최소 2개의 형태소가 포함된다고 할 수 있으며, 선어말어미까지 포함되어 있는 경우에는 하나의 동사 안에 형태소가 3개 이상 있는 경우도 있을 수 있다.

형용사는 사물의 성질이나 상태를 나타내는 품사로, 활용할 수 있어 동사와 함께 용언에 속한다. 문장에서 서술어로 자주 쓰인다는 점도 동사와 비슷하기 때문에 동사와 혼동하기 쉽다. 동사는 '무엇이 어찌하다'와 같이 의미상 움직임을 나타내는 반면, 형용사는 '무엇이 어떠하다'는 상태나 성질을 나타낸다. 그러나 사실 의미 차이로는 구분이 명확치 않기 때문에 다른 기준이 필요한데, 현재형 활용이 가능한지와 명령형, 청유형 문장이 가능한가 여부가 그 구별 기준이 되기도 한다. 동사는 '밥을 먹는다' '자는 침대'와 같이 현재시제 선어말어미 '-는-'이나 현재를 나타내는 관형사형 전성어미 '-는'과 결합할 수 있지만 형용사는 '좋는다'(X), '예쁘는 인형'(X)에서 보듯이 현재형 활용이 어렵다. 또, 동사는 '먹자', '쉬어라'처럼 청유형이나 명령형 종결어미와 결합이 가능한 반면 '아름답자'(X), '훌륭해라'(X)에서 보듯이 형용사는 청유형이나 명령형 어미와 결합할 수 없다. 다만 학교문법에서 형용사로 분류하는 '있다', '없다'의 경우 '여기 있자', '있는 사람', '없는 것'과 같이 동사처럼 청유형이나 관형사형 전성어미 '-는'과의 결합이 가능하기도 하다.

형용사의 종류에는 성상형용사와 지시형용사가 있다. '달다', '고프다', '붉다'와 같이 사물의 성질이나 상태를 나타내는 형용사는 성상형용사라고 한다. 지시형용사는 사물의 성질, 시간, 수량 따위가 어떠하다는 것을 형식적으로 나타내는 형용사로 '그러하다', '어떠하다', '아무러하다' 등을 예로 들 수 있다.

용언은 '약을 먹어야 한다', '제주도에 가고 싶어'에서처럼 두 용언이 연달아 사용되어 하나의 서술어 역할을 하는 경우도 있다. 이때 '먹어야', '가고'처럼 먼저 나오면서 주요한 어휘적 의미를 가지는 용언을 본용언이라고 하고, '한다'나 '싶어'처럼 본용언의 뒤에 오면서 보조적인 의미를 더하는 용언을 보조용언이라고 한다. 이 때 보조용언은 원래의 의미로 쓰이는 것이 아니라 본용언에 보조적 의미만 더하는 경우가 많다. 뒤에 5장 통사론에서 설명하겠지만 보조용언은 우리말 문법에서 '동작'('먹고 <u>있다</u>'), '사동'('울게 <u>하다</u>'), '부정'('가지 <u>않다</u>') 등을 나타내는 중요한 역할을 담당한다. 본용언과 보조용언 사이에는 보조적 연결어미가 오는데, 본용언의 어간에 결합되어 보조용언과 이어주는 '-아/어', '-게', '-지', '-고' 등이 그 예이다. 그러나 용언이 두 개 이상 연달아 나온다고 해서 모두 본용언과 보조용언은 아니다. 예를 들어 '음식이 괜찮은지 한번 먹어 봐'에서 '봐'의 경우에는 진짜 '본다'는 의미가 아니라 먹는 것을 '시도한다'는 의미로 쓰인 것이므로 본용언에 보조적 의미만 더하는 보조용언이라고 할 수 있다. 하지만 '나는 그 배우를 좋아해서 그가 나온 모든 영화는 다 찾아서 보았어'의 경우 '보았어'는 정말 '본다'는 원래 어휘적 의미로 사용되었으므로 여기서 '보았어'는 보조용언이 아니고, '찾아서'와 '보았어'가 모두 본용언이라고 할 수 있다.

4.4.4 관계언

관계언은 문장 내 단어들 간의 관계를 나타내는 기능을 하는 말로 품사로 치면 조사라고 할 수 있다. 한국어는 명사에 문법적 기능을 나타내는 형태소가 와서 문법적, 의미적 차이를 나타내는 교착어, 첨가어인데 조사는 문법적 기능을 나타내는 요소의 대표적 예라고 할 수 있다.

ㄱ. 엄마 양말

ㄴ. 엄마의 양말이다.

ㄷ. 엄마가 양말을 신어요.

ㄹ. 엄마와 양말을 신어요.

ㅁ. 엄마는 방에서 양말을 신어요.

위의 문장들에서 ㄱ의 경우 '엄마'와 '양말' 사이에 조사가 없기 때문에 우리는 명확한 의미를 알 수 없다. 그러나 ㄴ~ㅁ의 경우에는 '엄마'와 '양말'이라는 체언 사이에 조사가 딸려옴으로써 다양한 의미를 가지게 된다. 이 외에도 훨씬 더 다양한 조사를 붙여 여러 문장을 만들 수 있을 것이다. 이처럼 우리말은 조사가 매우 발달되어 있는데, 조사는 크게 격조사와 보조사, 접속조사로 나눌 수 있다.

격조사는 위의 ㄴ과 ㄷ에서 '엄마의', 엄마가'의 '-의', '-가'처럼 체언이나 체언 역할을 하는 말 뒤에 붙어 앞말이 다른 말에 대하여 갖는 일정한 자격을 나타내는 조사이다. 격조사의 종류로는 주격 조사, 서술격 조사, 목적격 조사, 보격 조사, 관형격 조사, 부사격 조사, 호격 조사 등이 있다. 주격조사 '-이/가'는 문장 성분상 주어인 체언 뒤에 오면서 행위의 주체를 나타내는 역할을 한다. 위의 ㄷ 문장에서 '-가'는 '엄마' 뒤에 붙어 '엄마가'가 문장의 주어임을 나타내 준다. 주격조사는 주어가 단체인 경우 '-에서'가, 주어가 높임의 대상인 경우 '-께서'가 사용되기도 한다.

목적격 조사는 '-을/-를'은 체언 뒤에 와서 이 체언이 서술어의 대상임을 나타내고, 문장의 목적어임을 알 수 있게 해준다. 위의 ㄷ~ㄹ의 문장에서 '양말' 뒤에 '-을'이 붙어서 서술어인 '신어요'의 대상이 '양말'임을 알 수 있다.

서술격 조사는 '-(이)다'로 주로 'A가 B이다' 형태의 문장에서 서술어 역할을 한다. 원래 체언은 단독으로 서술어 역할을 할 수 없지만 B 뒤에 서술격 조사 '-이다'가 결합되면 서술어 역할을 할 수 있게 된다. 위의 ㄴ의 예에서는 '양말' 뒤에 '-이다'가 와서 체언인 '양말'이 용언처럼 서술어 역할을 하게 되었다.

보격 조사는 '-이/-가'인데 주로 'A가 B가 되다/아니다' 형태의 문장에서 '-되다/-아니다' 앞에 오는 조사이다. 보격조사는 체언 B와 결합하여 서술어의 의미를 완전하게 해준다. '이것은 엄마의 양말이 아니다'에서 '양말이'는 보격조사의 예이다. 보격 조사는 주격 조사와 모양이 같은데 'A가 B가 되다/아니다'는 문장에서 첫 부분에 오는 'A가'는 주격조사가 결합되었고, 'B가'는 보격조사가 결합된 것이다.

관형격 조사는 위의 ㄴ의 예처럼 체언인 '엄마' 뒤에 와서 '양말'을 꾸미는 관형어 역할을 하게 한다.

부사격 조사는 위 ㅁ의 '방에서'처럼 체언 뒤에 붙어 서술어나 다른 부사어, 문장을 꾸며주는 부사어 역할을 하게 하는 조사이다. 부사격 조사는 장소를 나타내는 '-에', '-에서', 방향을 나타내는 '-(으)로', 도구를 나타내는 '-로', 수여 대상을 나타내는 '-에게', '-한테', '-께' 등으로 매우 다양한 특징이 있다.

호격 조사는 '영희야!', '신이시여'의 '-야', '-여'처럼 앞의 체언을 부름을 나타내며, 이 때 체언은 문장에서 독립어 역할을 하게 된다.

격조사가 문장 안에서 앞의 체언이 어떤 역할을 하는지를 주로 나타내주는 반면, 보조사는 특별한 의미를 추가하는 조사로 격조사 자리에 대신하여 올 수 있다. 예를 들어 위의 ㅁ과 같은 예에서 '-는'이 '엄마' 뒤에 오면서 '대조'의 의미를 더하게 되는데 '다른 사람은 방에서 신지 않는다'는 의미를 내포한다. 이 밖에도 보조사에는 '엄마<u>만</u> 방에서 양말을 신는다', '엄마<u>도</u> 방에서 양말을 신는다'에서처럼 '단독'을 나타내는 '만'이나 '더함'을 나타내는 '-도' 등이 있다.

위의 문장 ㅁ에서는 단어와 구를 잇는 접속조사 '-랑'이 사용되었는데, 접속조사는 격조사, 보조사와 같이 자주 사용되는 조사이며 '-랑' 외에도 '-하고', '-와/과' 등이 접속조사로 사용된다.

지금까지 형태소와 단어가 무엇인지와 그 종류를 살펴보고, 형태소를 결합하여 단어를 구성하는 방법에 대하여 알아보았다. 형태론은 뒤이어 나올 통사론과 더불어 문법의 두 축을 이룬다고 할 수 있다. 통사론은 형태론보다 더 큰 언어학적 단위에 대한 규칙이라고 볼 수 있는데, 단어를 배열하여 구나 절을 이루고 다시 구나 절을 배열하여 문장을 이루는 원칙에 대한 것이기 때문이다. 통사론에 대해서는 다음 장에서 자세히 살펴보도록 한다.

학습목표

1. 형태소와 다른 언어학적 단위(낱말, 어절 등)를 구분해서 설명할 수 있다.
2. 다양한 기준으로 형태소를 분류할 수 있다.
3. 형태소와 단어의 구성에 대해 알 수 있다.
4. 단어의 종류를 알아보고 아홉 가지 품사를 말해볼 수 있다.
5. 선어말어미와 어말어미를 이용한 용언의 활용에 대해 살펴본다.
6. 여러 가지 조사의 종류를 분류해 본다.

연습문제

1. 형태소와 낱말을 각각 정의해 보자.
2. 형태소를 자립성과 의미에 따라 분류해 보자.
3. 단어를 기능에 따라 5가지로 나누어 보고 다시 품사별로 구분해 보자.
4. '가다'를 선어말어미와 전성, 연결, 종결 등의 어말어미를 넣어 다양하게 활용해 보자.
5. '엄마'에 다양한 격조사와 보조사를 붙여 보자.

CHAPTER

05

통사론

언어학의 하위 학문 중 형태론과 통사론은 언어의 형식이라고 할 수 있으며 말을 운용하는 규칙, 즉, 문법에 해당한다. 문법은 초중고등학교에서부터 배워왔는데 고등학교 때까지 학교에서 배운 문법은 이것은 맞고 이것은 틀리다는 문법적 판단에 근거한 학교문법 혹은 규범문법이라고 한다. 이에 비해 문법성(grammaticality)과 관계없이 한 집단의 사람들이 공통으로 사용하고 있는 언어규칙을 기술하는 데 초점을 두는 문법은 기술문법이라고 한다. 언어재활사는 언어문제를 가진 사람들이 문법에 맞는 언어사용을 하도록 도와야 하므로 규범문법을 알아야 할 필요가 있고, 또 동시에 언어발달기에 있거나 다양한 언어문제를 가진 사람들의 말에서 규칙을 찾아내어 설명할 필요가 있다는 점에서 기술문법에도 익숙해야 한다.

앞장의 형태론이 형태소를 기본단위로 낱말을 구성하는 방법에 대한 학문이라면 통사론(syntax; 구문론)은 문장을 기본 대상으로 하여 문장의 구조나 기능, 문장의 구성 요소 등을 연구하는 학문이다. 언어학의 분야 중 언어의 형식이나 규칙에 해당하므로 형태론과 비슷하다고 할 수 있지만 통사론(구문론)은 낱말을 배열하여 구나 절, 문장을 만들어 내는 규칙을 다루므로 형태론보다 더 큰 단위의 문법에 해당한다고 할 수 있겠다. 그러므로 이 장에서는 낱말보다 더 큰 언어학적 단위들인 구, 절, 문장과 문장을 이루는 성분, 문장의 종류에 대하여 알아보기로 한다.

5.1 문장의 구조

통사론이 문장을 이루는 규칙을 다루기 때문에 문장을 만드는 과정에서 단어를 어떤 순서로 배열하는가 하는 문제는 통사론의 중요한 내용이다.

ㄱ. 나 너 좋아해.
ㄴ. 너 나 좋아해.

위의 ㄱ과 ㄴ은 단지 어순만 달라졌을 뿐이지만 어순구조가 달라지면서 의미에도 큰 차이를 보이게 된다. 어순구조가 달라짐에 따라 의미 또한 달라지는 문장으로 의미와 형식이 밀접한 관련을 맺고 있음을 보여주는 예라고 할 수 있다.

그러나 촘스키(Chomsky)는 문장의 형식과 의미가 독립적임을 강조하면서 다음과 같은 유명한 예문을 제시하였다. 의미는 이상하더라도 문법적으로는 올바른 문장이 가능하다는 것이다.

ㄱ. 'Colorless green ideas sleep furiously'
(무색의 초록색 아이디어가 맹렬하게 잔다)
ㄴ. 'Ideas colorless green furiously sleep'*

모국어 화자라면 ㄱ의 문장에서 '무색의 초록색'이라던가 '초록색 아이디어'나 '아이디어가 잔다', '맹렬하게 잔다'는 표현이 모두 의미상 어색함에도 불구하고 이 문장은 문법적으로 완전하다고 평가할 수 있다는 것이다. 만약 ㄴ처럼 어순을 바꾼다면 이는 비문법적인 문장, 즉 비문이 된다. 어순이 그만큼 문장 구조에 중요한 역할을 담당한다는 것을 알 수 있다.

이에 비해 사동과 주동, 능동과 피동문은 어순은 다르지만 의미가 같은 문장으로 어순이 문법의 전부는 아니라는 것을 알려주는 대표적인 예라고 할 수 있다. 또, '늙은 엄마와 친구'와 같은 문장이 가지는 중의성은 어순문법만으로는 설명이 어렵다. 이런 문장들은 어떠한 순서로 배열되어 있는가 하는 문제 외에 어떤 구조로 연결되었는가가 중요한데 이를 위해서는 촘스키가 강조한 구조문법에 대해서 알아볼 필요가 있다.

뒤의 8장에서 자세히 살펴보겠지만 생득주의(nativism)를 주장한 촘스키는 인간이 선천적으로 언어를 학습할 수 있는 능력을 타고 난다고 보았다. 때문에 아이들은 환경에서 입력되는 언어자극에서 스스로 규칙을 찾고 적용하는데, 이 과정에서 '안 밥 먹어', 'I play not baseball'과 같이 환경에서 들은 적이 없는 창의적 말실수를 보인다. 그런데 이런 실수들을 분석해보면 한국어와 영어라는 각기 다른 언어를 사용하는 아이들의 실수가 서로 비슷함을 알 수 있는데, 촘스키는 이것을 보편문법(universal grammar)의 주요 증거로 언급하였다. 즉, 전 세계의 언어에 공통적으로 적용될 수 있는 보편문법이 있고 이 보편문법에서의 부정어 위치가 목적어 앞이기 때문에 다른 언어권 아이들임에도 공통된 실수를 보였다는 것이다. 세계의 여러 언어들은 서로 다른 표면구조(surface structure)를 가지고 있지만 기저의 심층구조(deep structure)는 같다는 것이다.

촘스키는 문장을 기본적으로 구 단위로 나누고, 주어부인 명사구(NP)와 서술부인 동사구(VP)의 결합으로 분석해가는 구절구조 규칙, 즉 구조문법을 주장하였다. 이를 문장의 어순과 계층관계와 함께 나타내 보면 다음 〈그림 1〉과 같다. 명사구는 다시 관형사(D)와 명사(N), 동사구는 동사(V)와 목적어(NP)로 구성된다.

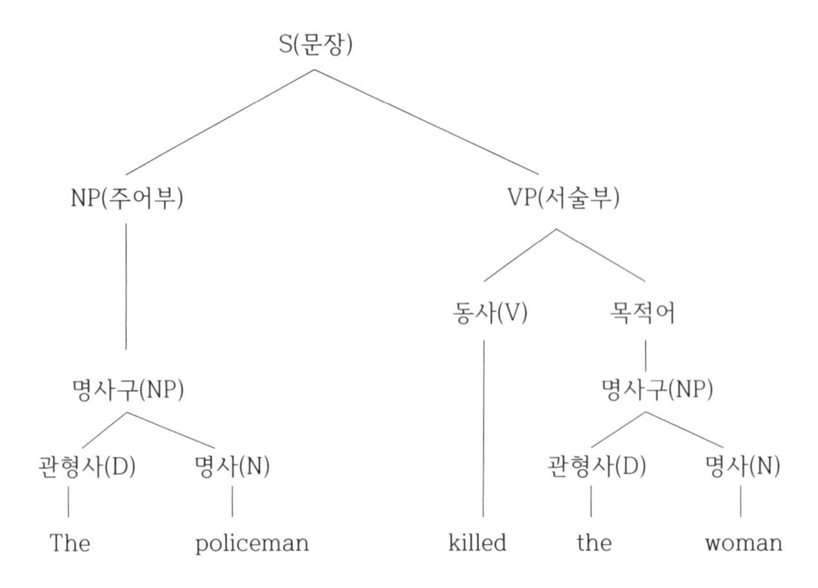

〈그림 1〉 구절구조 규칙을 적용한 수형도(출처: 김진우의 '언어', p.180)

이러한 심층구조 분석을 통한 구조문법으로 볼 때 아래 문장들은 다음과 같이 분석해 볼 수 있다.

ㄱ. 현준이가 지혜를 좋아한다.

ㄴ. 지혜를 현준이가 좋아한다.

ㄷ. 늙은 엄마와 친구

위의 ㄱ와 ㄴ에서처럼 어순은 다르지만 같은 의미인 문장은 심층구조에서 같은 형태를 가진다. 중의성을 가진 ㄷ은 어순만으로는 의미의 중의성을 해결하기 어렵지만 수형도를 통해 분석한 심층구조로 살펴보면(〈그림 2〉 참조), '늙은'이라는 관형어가 어느 범위까지 수식하는 구조인가에 따라 (1)과 (2)로 구분하여 중의성을 해결할 수 있다.

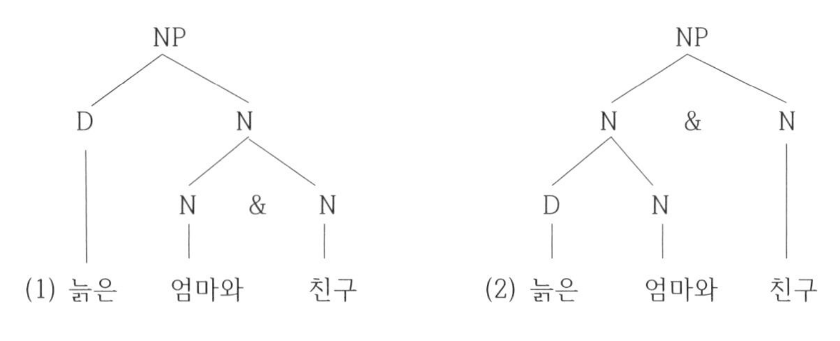

〈그림 2〉 수형도를 통한 중의성 해결

그러면 심층구조를 공유함에도 개별언어가 각기 다른 형태인 것은 왜일까? 심층구조는 같지만 심층구조가 표면구조로 실현되는 과정에서 이동, 삽입, 대치 등의 여러 가지 변형이 일어나기 때문이다. 예를 들어 수동문과 능동문은 의미는 같으므로 심층구조가 같다고 볼 수 있지만 기저의 능동형 문장이 표면구조로 실현되는 과정에서 목적어가 주어가 되는 어순 이동 등의 변형(transformation) 과정을 거친 결과 수동문이 된다는 것이다.

또, 우리는 '예쁜 옷과 가방', '어두운 하늘과 바다', '새 친구와 학교'처럼 〈그림 2〉의 수형도와 같은 심층구조를 가지는 셀 수 없이 많은 구를 생성해 낼 수 있는데, 이렇게 만들어진 다양한 구들은 다시 〈그림 2〉와 같은 심층구조로 귀환될 수 있다.

ㄱ. 희진이가 잘했다.
ㄴ. 현준이가 희진이가 잘했다고 말했다.
ㄷ. 선생님은 현준이가 희진이가 잘했다고 말했다고 하셨다.

심층구조를 이용한 문장의 확장은 다양한 양상으로 확인되는데 위의 ㄱ~ㄷ의 문장에서는 인용절의 내포문이 반복되고 있다. 이렇게 같은 구문이 한 문장 내에서 반복적으로 나타나는 것을 귀환(recursion)이라고 한다. 우리말에서 관찰되는 다른 귀환 구조의 예로는 '나는 걷고 쉬고 달리고 먹고...', '나의 언니의 친구의 남편의...'와 같은 접속구조와 '내가 어제 본 사람이 그린 그림이 걸린 미술관에서 산 엽서'처럼 내포문(관형절) 구조 등을 들 수 있다. 촘스키는 인간 언어가 동물의 언어와 다른 고유 특성을 이러한 인간 언어의 귀환성(회귀성)에 있다고 보았는데 이는 심층구조를 유지하면서 셀 수 없이 많은 표면구조를 생성해내는 창조성이 있기 때문이다.

구조를 분석하는 문법은 다소 복잡해 보일 수 있지만 어순 분석만으로는 설명할 수 없는 언어현상 — 의미와 독립적으로 문장의 적절성 파악하기, 문장의 생성, 구조적 중의성의 해결, 언어의 회귀성 등 — 을 설명할 수 있다는데 의의가 있다.

5.2 한국어의 통사론적 특징

한국어는 기본문형이 '주어(S) + 목적어(O) + 서술어(V)' 형태인 문장이다. 영어나 다른 언어에서는 문장의 어순이 '주어(S) + 서술어(V) + 목적어(O)'인 경우도 있고, 심지어 '서술어(V) + 주어(S) + 목적어(O)'인 언어도 있다. 우리말에서 '나는 책을 읽는다'라는 문장은 영어로 'I read a book'이어서 우리말과 목적어와 서술어의 순서가 바뀐다. 우리말의 기본 문형이 '주어+목적어+서술어'라고는 하지만 우리말에서는 문장 구성요소들의 순서 이동이나 주어 생략이 비교적 자유롭다. 즉, '책을 읽는다'라고 하거나 '책을 읽는다, 나는' 등의 문장이 가능하다는 것이다. 다른 언어에서는 순서가 바뀌면 뜻이 달라지거나 아예 말이 되지 않는 경우도 있다. 물론 성분의 생략과 어순 변화는 앞뒤 문맥상 의미 파악이 가능하고, 어색하지 않아야 한다는 전제 조건이 있다.

또 우리말의 어순 상의 특징적 제약은 꾸미는 말이 꾸밈을 받는 말 앞에 와야 한다는 것이다. 부사어의 경우 문장부사어는 순서가 자유롭기 때문에 예외이지만 관형어의 경우에는 꾸밈을 받는 체언보다 앞에 와야 한다. 예를 들어 '나는 새 책을 읽는다'고 해야지 '나는 책을 새 읽는다'라고는 할 수 없다. 이와 비슷하게 문법형태소는 반드시 어간이나 어근 뒤에 온다. 즉 조사는 체언의 뒤에 오고 어미는 어간의 뒤에 붙는다는 것도 반드시 지켜지는 어순 규칙이라고 할 수 있다.

5.3 문장과 구성성분

앞서 통사론은 낱말을 배열하여 문장을 이루게 되는 과정에 관한 규칙이라고 하였다. 문장을 이루는 단위 요소들을 문장 성분이라고 하는데, 한국어의 문장 구성성분은 크게 문장을 이루는데 반드시 필요하여 생략할 수 없는 주성분(필수성분)과 이를 꾸며주면서 생략이 가능한 부속성분으로 나눌 수 있다. 필수성분에는 기본문형을 이루는 주어와 목적어, 서술어와 보어가 포함되며, 관형어, 부사어, 독립어는 부속성분에 해당한다.

국어의 모든 문장은 '무엇이 어찌하다', '무엇이 어떠하다', '무엇이 무엇이다'의 세 가지 유형으로 나누어 볼 수 있는데 다음과 같은 몇 가지 예문을 들어볼 수 있다.

ㄱ. 파도가 친다.
ㄴ. 친구가 밥을 먹는다.
ㄷ. 물이 얼음이 된다.
ㄹ. 하늘이 맑다.
ㅁ. 그 사람은 학생이 아니다.
ㅂ. 개는 동물이다.

주어는 '무엇이 어찌하다', '무엇이 어떠하다', '무엇이 무엇이다'에서 '무엇이'에 해당하는 말로 행위나 서술의 주체라고 할 수 있으며, 뒤에 주격조사가 결합되는 경우가 많다. 즉, 주어는 체언이나 체언 역할을 하는 말에 주격 조사가 결합된 형태이다. 이때 체언 대신 체언의 역할을 하는 말로는 '높은 파도' 같은 명사구나 '파도 타기' 같은 명사절 등이 있다. 위의 ㄱ~ㅂ에서는 '파도가', '친구가', '물이', '하늘이', '그 사람은', '개는'이 각 문장의 주어이다. 주어가 빠지면 문장의 내용을 이해하기 어렵기 때문에 주어는 문장의 필수성분 중 하나이지만 앞서 우리말의 특성에서 언급했듯이 구어에서는 앞뒤 문맥상 파악이 되는 경우에는 자주 생략되기도 한다.

목적어는 서술어의 직접적 대상이 되는 말로 '누가 무엇을 어찌하다'라는 문장이 있다면 '무엇을'에 해당하는 말인데 뒤에 목적격 조사인 '-을/를'이 오는 경우가 많다. 위의 ㄱ은 목적어가 필요 없는 문장이지만 ㄴ의 경우에는 '밥을'이라는 목적어가 없으면 어색해진다. 때문에 목적어는 이러한 문형에서 빠지면 안 되는 문장의 필수 성분이다. 목적어는 체언이나 체언 역할을 하는 말에 목적격 조사가 결합된 형태로 나타난다. 그러나 목적격 조사는 '짜장면 먹었어'에서처럼 구어에서 자주 생략되기 때문에 이를 이용해 목적어를 찾는 것은 어려울 수도 있다.

서술어는 '어찌하다', '어떠하다', '무엇이다'에 해당하며 주어의 동작이나 상태를 서술하는 말로 우리말에서는 문장의 마지막에 온다. 위의 ㄱ~ㅂ 문장에서 서술어는 '친다', '먹는다', '된다', '맑다', '아니다', '동물이다'라고 할 수 있다. 서술어가 될 수 있는 말의 품사는 동사나 형용사이고 체언에 서술격 조사가 결합되어도 서술어가 될 수 있다.

보어는 '무엇이 무엇이 되다/아니다'에서 두 번째 오는 '무엇이'에 해당하는 말로, 뒤에는 반드시 '되다'와 '아니다'라는 서술어가 온다. 위의 문장에서 찾아보면 ㄷ에서 '얼음이', ㅁ에서 '학생이'가 보어에 해당한다. 이처럼 보어는 체언이나 체언 역할을 하는 말 뒤에 보격 조사 '-이/가' 결합된 형태이다. ㄷ과 ㅁ에서 만약 보어가 생략된다면 물이 무엇이 되었다는 것인지 혹은 그 사람이 무엇이 아닌지가 불분명해지기 때문에 문장이 불충분해진다. 그러므로 보어도 생략될 수 없는 문장의 필수성분이라고 할 수 있다.

이와는 달리 문장의 부속성분은 문장 안에서 주로 필수성분을 꾸미거나 문장의 뜻을 더하여 주는 성분을 말하며, 관형어, 부사어가 이에 속한다. 관형어는 뒤에 나오는 체언, 주로 주어나 목적어를 꾸미는 말이다. 관형어는 품사 상 관형사이거나 용언의 관형사형(어간 + 관형사형 전성어미), 혹은 체언에 관형격 조사 '-의'가 결합된 형태, 혹은 체언으로 이루어진다. 예를 들어 ㅁ의 '그'가 관형어이고 ㄴ의 친구 앞에는 '새 친구', '동생 친구', '어제 굶었던 친구'처럼 '친구' 앞에 다양한 관형어를 결합시켜 볼 수 있다.

부사어는 서술어나 관형어, 다른 부사어를 꾸미는 역할을 하는 말인데, 간혹 문장 전체를 수식하기도 한다. 문장 전체를 수식하는 부사어는 문장부사어라고 하며, 나머지 부사어는 성분분사어라고 할 수 있다. 부사어는 부사이거나 체언이나 체언 역할을 하는 말에 부사격 조사가 결합된 형태, 부사절 등의 다양한 형태로 나타난다. 위의 ㄱ 문장을 '파도가 세게 친다', '파도가 쉴 새도 없이 친다'처럼 다양한 부사어를 포함한 문장으로 만들어볼 수 있다. 부사어나 관형어는 모두 주성분과는 달리 문장에서 쉽게 생략될 수 있는 부속성분이다.

독립어는 문장 내 다른 구성요소와는 별로 관련이 없이 독립적으로 존재하는 구성요소로 감탄사나 체언에 호격조사가 결합된 형태, '네', '아니', '응' 등의 대답하는 말, 문장과 문장을 연결하는 접속부사, 명사가 단독으로 사용된 제시어의 형태가 될 수 있으며, 쉼표로 나머지 문장 성분과 구분되는 경우가 많다. ㄱ의 문장을 '우와! 파도가 친다', '영희야, 파도가 친다'처럼 독립어가 포함된 문장으로 바꾸어 볼 수 있다.

문장성분의 분석은 품사 구분과 혼동하기 쉬우므로 주의하여야 한다. 물론 관형사는 문장성분상 주로 관형어로, 부사는 문장성분상 부사어로 사용되고 동사나 형용사, '체언+서술격 조사'가 서술어로 사용되지만, 체언은 어떤 조사와 결합하느냐에 따라 주어, 목적어, 관형어, 부사어, 보어, 서술어 등 다양한 문장성분이 될 수 있고, 동사와 형용사는 그 어간이 전성어미와 결합되면 관형어, 부사어가 될 수 있을 뿐만 아니라 체언역할을 하여 더 다양한 문장성분이 되기도 한다.

5.4 어절과 구, 절, 문장

문장 성분을 이룰 수 있는 말의 단위는 단어, 어절, 구, 절이다. 어절은 문장을 구성하고 있는 각각의 마디로 한글 띄어쓰기 단위와 일치한다. 따라서 띄어쓰기대로 구분한다면 비교적 쉽게 어절을 구별할 수 있다. 문장에서 어절, 구, 절을 찾아본 예는 다음 표 1과 같다.

〈표 1〉 문장과 어절, 구, 절의 예

<table>
<tr><td>문장</td><td colspan="7">내 친구가 내가 산 책을 먼저 읽는다</td></tr>
<tr><td>어절</td><td>내</td><td>친구가</td><td>내가</td><td>산</td><td>책을</td><td>먼저</td><td>읽는다</td></tr>
<tr><td>구</td><td colspan="2">내 친구가</td><td colspan="3"></td><td colspan="2">먼저 읽는다</td></tr>
<tr><td>절</td><td colspan="2"></td><td colspan="3">내가 산(내가 샀다)</td><td colspan="2"></td></tr>
</table>

〈표 1〉에서 어절 분석은 '내/ 친구가/ 내가/ 산/ 책을/ 먼저/ 읽는다'와 같이 띄어 쓰기대로 구분되어 이 문장 안에는 총 7개의 어절이 있다고 할 수 있다.

구와 절은 둘 이상의 어절이 하나의 성분처럼 쓰인다는 점에서 공통점이 있다. 구는 둘 이상의 단어가 모여 문장이나 절의 일부를 이루는 것을 말한다. 표 1에서 '내 친구'는 두 단어가 마치 하나의 명사와 같은 역할을 하기 때문에 명사구라고 할 수 있고 '먼저 읽는다'는 두 단어가 하나의 동사 역할을 하므로 동사구라고 할 수 있다. 이 밖에도 구가 어떤 품사처럼 쓰이느냐에 따라 형용사구, 부사구, 관형사구가 있을 수 있다. 예를 들어 '영희가 아주 열심히 공부한다'에서 '아주 열심히'는 전체 문장에서 부사 역할을 하고 있으므로 부사구라고 할 수 있고, '그 새 옷은 나에게 줘'에서 '그 새'는 관형사 역할을 하므로 관형사구, '그는 힘이 아주 세다'에서 '아주 세다'는 형용사 역할을 하므로 형용사구라고 할 수 있다.

절은 주어와 술어를 갖추었으나 독립하여 쓰이지 못하고 다른 문장의 한 성분으로 쓰이는 단위를 말한다. 절을 이루는 둘 이상의 단어들은 자체적으로 주어와 서술어를 갖추고 있다는 점이 구와는 다르다. 앞서 구의 예로 든 '내 친구', '먼저 읽는다'는 각각이 주어와 서술어를 갖추고 있다고 보기 어렵다. 하지만 '내가 산'의 경우는 내부적으로 주어('내가')와 서술어('샀다')를 갖추고 있으므로 구가 아닌 절이라고 할 수 있다. 이 경우에는 '책'을 수식하는 하나의 관형어 역할을 하고 있으므로 관형절이라고 한다. 그 외에 구와 마찬가지로 절도 전체 큰 문장 안에서 어떤 역할을 하느냐에 따라 명사절, 서술절, 부사절, 인용절 등으로 나누어 볼 수 있는데, 절의 종류에 대해서는 다음 문장의 종류를 설명하면서 더 자세히 살펴보겠다.

5.5 문장의 종류와 절의 유형

문장은 다양한 기준으로 분류할 수 있다. 먼저 문법적 구조에 따라 나누자면 문장에 절이 하나만 포함되어 있는지 두 개 이상 포함되었는지 여부에 따라 홑문장과 겹문장으로 나눌 수 있다. '나는 침대에서 잠을 잔다'에서처럼 문장 안에 하나의 주어와 서술어만 있으면 홑문장(단문)이라고 한다. 이와는 달리 앞서 살펴본 문장, '내 친구가 내가 산 책을 읽고 있다'의 경우 문장 안에 '내 친구가 책을 읽고 있다'와 '내가 책을 샀다'라는 두 개의 절을 포함하고 있으므로 겹문장(복문)이라고 할 수 있다.

겹문장은 내부의 홑문장들이 어떠한 관계를 맺고 있는가에 따라 두 절이 단순히 이어져 있으면 이어진 문장(접속문)이라고 하고, 하나의 절이 다른 문장 안에 문장 성분처럼 들어가 있으면 안은 문장(내포문)이라고 한다.

이어진 문장은 다시 대등하게 이어진 문장과 종속적으로 이어진 문장으로 나뉜다. 앞뒤의 두 절의 관계가 대등하면 대등하게 이어진 문장, 대등하지 못하면 종속적으로 이어진 문장이라고 한다. 대등하게 이어진 문장은 앞뒤 절 내용의 중요도가 비슷하고, 대등, 나열, 대조, 선택 등을 나타내는 연결어미로 이어지며, 절의 순서를 바꾸어도 의미가 바뀌지 않는다. 반면, 종속적으로 이어진 문장은 두 절 중 한 절이 주된 내용을 나타내는 주절이고, 다른 한 절은 그 주절에 딸려있는 종속절이다. 종속절에는 원인, 조건, 양보, 목적(의도) 등을 나타내는 연결어미가 주로 쓰이며, 대등적으로 이어진 문장과는 달리 종속적으로 이어진 문장은 두 절의 순서를 바꾸면 비문이 되는 특징이 있다.

ㄱ. 민수가 아침 일찍 학교에 간다.
ㄴ. 민수는 학교에 가고 어머니는 출근하셨다.
ㄷ. 엄마가 오시면 우리는 저녁밥을 먹는다.
ㄹ. 어머니는 우리가 차린 밥을 드셨다.
ㅁ. 우리는 어머니가 퇴근하시기를 기다렸다.
ㅂ. 우리 시험을 잘 보도록 공부를 열심히 합시다.

ㅅ. 영희가 머리가 좋다.

ㅇ. 교수님께서 연구실 앞으로 모이라고 하셨어.

위의 문장 예에서 ㄱ은 주어와 서술어가 각각 하나씩인 홑문장(단문)인 반면에 나머지 ㄴ~ㅇ은 주어와 서술어가 두 개씩 포함된 겹문장(복문)이다. ㄴ과 ㄷ은 문장 안의 두 절이 이어져 있는 이어진 문장(접속문)인데, ㄴ은 앞 뒤 절이 대등한 관계이므로 대등적으로 이어진 문장이고, ㄷ은 뒤에 있는 '우리는 저녁밥을 먹는다'가 주절이고, '엄마가 오시면'이라는 앞 절이 주절을 한정하는 종속절인 종속적으로 이어진 문장이라고 할 수 있다. ㄹ과 ㅁ은 복문이지만 각각 '우리가 차린', '어머니가 퇴근하시기'라는 절이 전체 문장의 문장 성분 역할을 하므로 안은 문장이라고 할 수 있다.

안은 문장에는 명사절, 관형절, 부사절, 서술절, 인용절이 포함될 수 있다. ㅁ의 '어머니가 퇴근하시기'는 문장 안에서 명사 역할을 하면서 뒤에 오는 조사에 따라 다양한 문장성분으로 쓰이는 명사절로, 여기서는 목적어로 쓰였다. 명사절은 명사형 전성어미 '-(으)ㅁ', '-기' 등이 절 표지로 쓰인다. 관형절은 ㄹ의 '우리가 차린'처럼 전체 문장 안에서 관형어 역할을 하는 절로, 절 표지로는 관형사형 전성어미인 '-(느)ㄴ', '-(으)ㄴ', '-던', '-(으)ㄹ'이 사용된다. 부사절은 ㅂ의 '시험을 잘 보도록'처럼 전체 문장에서 봤을 때 부사어 역할을 하는 절로, '-이', '-게', '-어서/-아서'와 같은 부사형 전성어미가 절 표지로 사용된다. 서술절은 ㅅ의 '머리가 좋다'처럼 전체 문장의 서술어 역할을 하며, 절 표지가 따로 없이 마치 주어가 두 번 연달아 나오는 것 같은 문장 형태를 보인다. 마지막으로 인용절은 ㅇ의 '연구실 앞으로 모이라'처럼 다른 사람의 말을 다시 받아쓰는 경우에 해당한다.

5.6 문장의 종결

문장은 또 그 종결 방법에 따라 나누어볼 수도 있다. 화자가 청자에게 하고 싶은 말이 잘 드러나는 부분이 종결어미이기 때문에 문장 끝부분을 보면 화자가 진술하고 있는지 질문하는 것인지 권유하는 것인지 명령하는지 등을 알 수 있다.

ㄱ. 나는 동생이 둘 있다.

ㄴ. 너는 형제관계가 어떻게 되니?

ㄷ. 가족관계를 설명하라.

ㄹ. 우리 다 같이 가보자.

ㅁ. 우와! 색깔이 정말 멋지다!

위의 문장들 중에서 ㄱ은 화자가 어떤 사실을 진술하는 평서문 문장으로 평서형 종결어미로 끝난다. ㄴ은 의문문에 해당하는데 화자가 청자에게 질문하여 답을 요구하는 문장으로, '-(으)ㄹ까', '-니까', '-니' 등의 의문형 종결어미로 실현되며 물음표로 끝맺게 된다. ㄷ은 명령문으로 화자가 청자에게 어떤 행동을 지시하는 문장인데, '-라' 등의 명령형 어미로 끝맺고 보통 주어가 생략되는 특징이 있다. ㄹ은 청유문인데 이는 화자가 청자에게 어떤 행동을 함께 하자고 권유하는 문장으로 보통 '-자'와 같은 청유형 종결어미로 끝을 맺는다. ㅁ은 감탄문으로 화자가 청자와는 상관없이 본인의 느낌을 독백하는 내용으로, '-구나' 등의 감탄형 종결어미로 끝난다.

5.7 기타 문법 요소의 통사적 기능

5.7.1 높임

우리나라 말에서 높임표현은 무엇을 높이느냐 하는 높임의 대상에 따라 나누어볼 수 있다. 청자인 대화 상대방을 높이면 상대 높임이라고 하는데, 이 경우에는 주로 '읽어요', '읽습니다', '읽게', '읽어라', '읽어'처럼 종결어미를 변화시켜서 높임을 표현하게 된다.

상대 높임이 청자를 높인다면 화자가 말하는 문장의 주어를 높이는 경우는 주체높임이라고 한다. 이 경우에는 주로 '선생님께서 오시다'에서처럼 용언에 높임 선어말어미 '-시'를 붙이는 것으로 높임을 실현하고, 추가로 '-께서'처럼 높임을 나타내는 조사를 사용하기도 한다. 마지막으로 화자가 말하는 문장의 목적어나 부사어를 높이는 경우를 객체 높임이라고 한다. 객체 높임에서는 '어머니께 여쭙다'에서 '묻다' 대신 '여쭙다'를 사용한 것처럼 '주다' 대신 '드리다', '데리다' 대신 '모시다' 등의 특수한 어휘로 바꾸어 표현함으로써 높임을 표현한다.

5.7.2 시제와 동작상

앞서 주체 높임에서처럼 우리말에서는 시제도 선어말어미로 실현되는 경우가 많다. 과거 시제는 '-었-/-았-/-ㅆ-'의 선어말어미가 사용되고, 용언 '하다'의 경우에만 '-였-'이 사용된다. '어제 친구가 왔다', '오전에 도서관에서 있었다'에서처럼 과거 시제를 나타내는 시간 부사와 함께 쓰이는 경우가 많다. 또, 다른 전성어미들과는 달리 관형사형 전성어미는 시제를 나타낼 수도 있는데, 과거시제를 표현하는 경우에는 '-(으)ㄴ'을 사용하여 '내가 먹은 빵'으로 표현한다. 과거보다 더 앞선 과거는 대과거라고 하는데 '그 식당에 자주 갔었다'에서처럼 과거시제 선어말어미를 중복해서 사용하는 형태로, '과거에는 그렇게 했으나 더 이상 그렇게 하지 않는다'는 의미를 포함하게 된다.

현재시제 선어말어미는 '-는/ㄴ'인데 '지금 아기 잔다', '친구가 밥을 먹는다'에서와 같이 사용되며 '지금'과 같은 현재를 나타나는 말과 함께 쓰이는 경우가 많다. 관형사형 전성어미로는 '내가 먹는 빵'처럼 '-는/-ㄴ'이 사용된다.

미래시제의 경우에는 선어말어미 '-겠'이 사용되거나 '-(으)ㄹ 것이다'와 같은 의존명사를 사용한 형태로 실현된다. '내일 공부하겠다'에서처럼 주로 미래 시간을 나타내는 말과 함께 쓰인다. 관형사형 전성어미로 미래시제를 표현할 때에는 '-(으)ㄹ'을 사용하여 '내가 먹을 빵'이라고 한다.

아래의 예는 시제 선어말 어미가 사용된 문장들이다.

ㄱ. 너는 <u>내일</u> 출발은 다<u>했</u>다.
ㄴ. <u>어제</u> 그가 화가 많이 났<u>겠</u>다.
ㄷ. <u>곧</u> 봄이 <u>온</u>다.
ㄹ. 지구가 태양 주위를 <u>돈</u>다.

얼핏 보면 ㄱ~ㄷ의 문장은 시간을 나타내는 부사와 시제 선어말어미가 맞지 않는 느낌이 든다. 한국어에서 시제 선어말어미는 때로 ㄱ에서처럼 과거 시제로 확신을, ㄴ에서처럼 미래시제 선어말어미로 추측이나 의지를, ㄷ처럼 미래 대신 현재시제 선어말어미를 사용함으로써 매우 가까운 미래나 화자의 확신을 나타내는 등 시제 이외의 추가적인 의미로 사용되기도 한다. ㄹ에서는 현재시제 선어말어미가 현재의 의미보다는 불변의 진리를 나타내는데 사용된 경우이다.

우리말에서는 영어처럼 현재 진행형, 과거 완료 등의 동작상을 나타내는 뚜렷한 형태가 정해져 있지 않고 주로 본용언 뒤에 보조용언을 사용하여 완료나 진행, 예정 등의 동작상을 실현한다. 현재 진행형은 '-고 있다'와 같은 본용언과 보조용언의 형태로 사용된다. '밥을 먹고 있다'라고 한다면 '밥을 먹는다' 보다는 행동이 일어나고 있음을 강조하는 의미가 된다. 우리말에서는 과거 완료는 '먹어 버리다'에서처럼 '-어 버리다'의 형태로 사용되며, 예정은 '거기에 가게 되었다'에서처럼 '-게 되다' 형태의 본용언과 보조용언으로 실현된다.

5.7.3 사동과 피동

한국어를 사용하는 아동의 언어발달에 있어서 가장 늦게 발달하는 문법 표현 중 하나로 언급되곤 하는 것이 사동과 피동 표현이다. 어근 뒤에 접사를 붙이고 다시 어미 활용해야 하기 때문에 어렵지만, 자주 사용되기 때문에 언어발달에서 그만큼 중요한 과제라고 할 수 있다.

사동표현은 남으로 하여금 어떤 행위를 하도록 하는 행위를 말하며, 반대로 스스로 하는 행위를 주동 표현이라고 한다. 문장에서 사동을 표현하는 방법은 두 가지가 있는데 첫 번째는 '-이-', '-히-', '-리-', '-기-', '-우', '-구-', '-추-' 같은 사동 접미사를 붙이는 파생적 방법이고, 두 번째는 '-게 하다' 형태의 보조용언을 활용하는 통사적 방법이다. 예를 들어 '아이가 울다', '아기가 우유를 먹는다'는 주동표현을 사동표현으로 바꾸게 되면 각각 '아기를 울리다', '아기에게 우유를 먹이다'라고 할 수 있는데, 이 경우 주동문의 주어가 사동문에서는 목적어 또는 '-에게', '-한테'의 대상이 되는 통사론적 변화가 생긴다. 위의 두 문장을 통사적 사동문으로 만들어보면 '아이를 울게 하다', '아기에게 우유를 먹게 하다'가 되는데 이렇게 통사적 사동문은 파생적 사동문보다 문장이 길어지므로 '긴(장형) 사동문'이라고 하고, 파생적 사동문을 '짧은(단형) 사동문'이라고 하기도 한다. 파생적 사동문과 통사적 사동문은 어떤 경우 약간의 의미 차이를 가져오게 된다. 예를 들어 '엄마가 아이에게 밥을 먹이다'의 경우 엄마가 직접 이에게 밥을 먹인다는 의미를 포함하는 반면, 통사적 사동문으로 바꾼 '엄마가 아이에게 밥을 먹게 했다'는 엄마가 아이에게 말로 지시해서 밥을 먹도록 했다는 간접적 사동의 의미를 가지게 된다.

피동은 주어가 동작이나 행위를 당하는 문장으로 주어가 스스로 동작을 하는 능동과 대비 된다. 사동표현과 마찬가지로 피동표현도 두 가지로 실현될 수 있다. 하나는 '-이-', '-히-', '-리-', '-기-' 등의 접미사를 붙여 '물리다', '잡히다' 같은 파생어로 피동을 표현하는 짧은(단형) 피동문 또는 파생적 피동문이고, 다른 하나는 '-어지다'와 같이 보조용언이 결합된 통사적 피동문이다. 예를 들어 '줄을 끊다'의 경우 파생적 피동문으로는 '줄이 끊기다'가 되고 통사적 피동문의 경우에는 '줄이 끊어지다'가 된다. 능동문이 피동문이 되면 능동문의 목적어가 피동문의 주어가 되고, 능동문의 주어는 피동문에서 '-에 의해'와 같은 형태로 쓰이게 된다.

접미사에 의한 사동사나 피동사는 접미사가 비슷하기 때문에 같은 형태를 가지기도 한다. 예를 들어 '물다'의 경우 사동사도 피동사도 '물리다'여서 '모기한테 물렸다' 같은 피동사와 '아기에게 젖병을 물렸다' 같은 사동사의 형태가 같으므로 의미를 생각하여 구분할 수 있어야 한다.

5.7.4 부정

국어에서 부정은 서술어 앞에 부정을 나타내는 부사 '안'이나 '못'이 오거나 '-하지 아니하다', '-하지 못하다'와 같이 보조용언과 결합함으로써 표현된다. 부정부사와 결합하여 '안 하다', '못 하다'의 형태인 것을 '짧은(단형) 부정문'이라 하고, '-하지 않다', '-하지 못하다'처럼 보조용언으로 표현되는 부정문을 긴(장형) 부정문이라고 한다.

부정문을 의미적으로 분류하기도 하는데, '안'이나 '못' 중 어떤 부정 부사를 사용했는가에 따라 '안'을 사용하는 부정문은 화자의 의지를 나타낸다고 하여 의지부정이라 하고, '못'을 포함한 부정문은 화자가 능력이 없음을 의미한다고 하여 능력부정이라고 한다. '나는 밥을 먹었다'라는 문장의 부정문은 아래와 같이 네 가지가 있을 수 있는데, 이를 통해 부정표현의 종류를 정리해 보면 다음과 같다.

ㄱ. 나는 밥을 못 먹었다.
ㄴ. 나는 밥을 먹지 못했다.
ㄷ. 나는 밥을 안 먹었다.
ㄹ. 나는 밥을 먹지 않았다.

위의 ㄱ~ㄹ은 모두 부정문이지만 ㄱ과 ㄴ의 경우는 능력부정, ㄷ과 ㄹ은 의지부정에 해당한다. 또, ㄱ과 ㄷ은 부정의 부사를 이용한 짧은 부정문이고, ㄴ과 ㄹ은 보조용언을 이용한 긴 부정문이다.

국어에서 부정문은 중의성을 가지는 경우가 있어 의미 해석에 유의하여야 한다. 예를 들어 '사람들이 다 오지 않았다'의 경우, '모든 사람이 다 오지는 않았다(일부만 온 경우)'와 '한 사람도 오지 않았다'라는 두 가지 의미를 모두 내포할 수 있으므로 조사나 수식언 등을 이용하여 문장의 의미를 명확히 할 필요가 있다.

통사론은 낱말이나 구, 절을 배열, 결합하여 문장을 이루는데 관한 규칙이다. 이러한 문장 구성 능력은 언어능력의 주요 부분이며, 이를 반영하는 문장 길이나 복잡성은 언어수준을 평가하는 주요한 요소가 된다. 또한 구문 길이와 복잡성을 늘리는 것은 가장 흔한 언어 중재의 목표 중 하나이다. 특히 학령 전기 언어발달 평가에서의 평균 발화 길이(MLU)나 학령기 아동의 복문 사용 비율 등은 형태소나 낱말의 경계, 구나 절, 문장의 종류 등 구문 지식을 직접적으로 사용하여 분석해야 하는 평가항목이다. 따라서 언어재활사는 통사론의 이론적 지식을 가장 실질적으로 이용하는 직업군이라고 할 수 있는데, 통사론의 이론을 활용한 언어분석의 실제는 뒤의 11장 언어

분석과 언어연구에서 살펴보도록 하겠다.

학습목표

1. 규범문법과 기술문법의 차이를 이해할 수 있다.
2. 통사론과 형태론을 비교해볼 수 있다.
3. 심층구조에 따라 다양한 의미를 가지는 문장에 대해 알 수 있다.
4. 국어의 문장성분을 알고 문장에서 찾아볼 수 있다.
5. 어절, 구, 절, 문장 등의 언어학적 단위를 구분해 볼 수 있다.
6. 다양한 겹문장의 종류를 알 수 있다.
7. 높임, 시제, 사동/피동, 부정 등을 나타내는 문법형태소와 표현을 알아본다.

연습문제

1. 다음 문장에서 문장 성분을 분석해 보자.
   (1) 내가 반장이 되었다.
   (2) 이 휴대폰은 매우 비싸다.
   (3) 친구가 운동을 하고 있다.
2. '2학년 학생들은 신입생이 적응하게 잘 도와 주세요'에서 어절, 구, 절, 문장을 찾아 보자.
3. '새로운 집과 사람'의 심층구조를 분석해 보자.
4. 대등적으로 이어진 문장과 종속적으로 이어진 문장을 각각 만들어 보자.
5. 다음 문장들에 포함된 절을 말해 보자.
   (1) 동생이 머리가 좋다.
   (2) 시험을 잘 보도록 공부를 열심히 해라.
   (3) 교수님이 주신 책은 도서관에 없는 책이었다.
   (4) 올해 나의 버킷리스트는 해외여행 가보기와 다이어트다.

(5) 친구가 주말에 만나자고 메시지를 보냈다.

6. 다음 문장들에서 높임, 시제, 사동/피동, 부정 등을 나타내는 문법형태소와 표현을 찾아 보자.

(1) 할머니께서는 요리를 잘 하셨다.

(2) 내일 연락할게.

(3) 엄마가 아기에게 우유를 먹였다.

(4) 아르바이트를 못 구해서 하지 않는다.

(5) 친구가 모르는 것을 설명해 주었다.

CHAPTER

06

의미론

의미론(semantics)이란 언어 표현의 의미를 연구하는 학문이다. 말소리가 음성, 음운과 같이 여러 층위로 나뉘어 연구되듯이 의미론 역시 다양한 층위를 대상으로 연구를 한다. 예를 들어 뜻을 가지고 있는 언어의 최소 단위인 형태소, 독립적으로 사용될 수 있는 단어, 이러한 단어 들이 모여 하나의 완전한 생각을 나타낸 단위인 문장, 문장 등이 모여 하나의 이야기를 구성하는 담화 등이 어떠한 의미를 가지고 있는지가 의미론의 연구대상이 되어 각기 어휘 의미론, 문장 의미론, 담화 의미론 등이 된다.

6.1 의미의 정의

'컵'이라는 단어의 의미는 무엇일까? 우선 컵이라는 말소리를 들으면 떠오르는 사물이 있을 것이다. 이러한 사물이 그 단어, 즉 컵의 의미라고 생각할 수 있지만 세상에는 매우 다양한 종류의 컵이 존재하며, 사람들이 떠올리는 컵의 개념은 각 개인마다 다를 수 있다. 컵과 같이 매우 구체적인 사물을 가리키는 단어 역시 그러한데 '사랑'과 같이 추상적인 단어의 경우에는 이러한 관계가 더욱 더 모호해질 수 있다. 즉 단어의 의미는 단순히 일상 세계에서 존재하는 사물뿐 아니라 그러한 사물과 관련된 개념이기 때문이다.

이러한 사물, 기호, 개념의 관계를 Ogden과 Richards(1956)는 〈그림 1〉과 같은 삼각형으로 설명하고 있다. 기호란 언어표현으로 단어 혹은 문장이 될 수 있으며, 사물은 그러한 언어표현이 가리키는 실제적인 지시물 혹은 대상이다. 사고 혹은 지시는 개념을 의미한다. 언어표현은 소쉬르에 따르자면 기표(시니피앙), 개념은 기의(시니피에)에 해당한다.

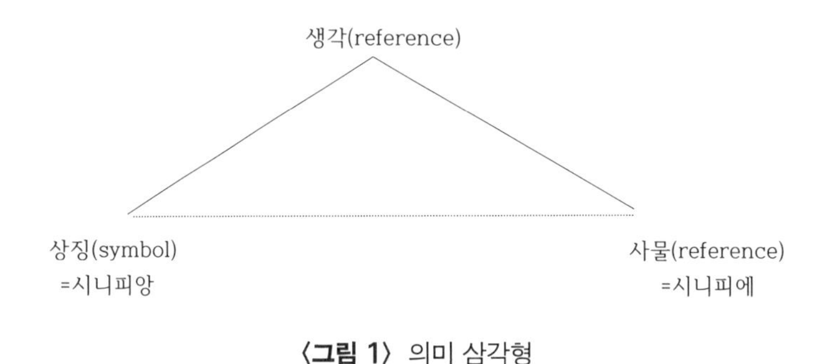

〈그림 1〉 의미 삼각형

한 가지 첨언하자면 기호와 개념, 그리고 개념과 사물 사이에는 직접적인 관계가 성립하지만 기호와 사물 사이에는 직접적인 관계가 성립하지 않는다. 즉, 애초에 '컵'이라는 단어를 구성하는 세 소리, 그리고 이러한 세 소리의 조합이 굳이 '컵'이라는 사물과 직접적인 관련이 없다는, 즉 자의적(arbitrary)이라는 것이다.

6.2 의미 분석

단어의 의미를 분석하는 방법은 크게 두 가지 방식으로 구분된다. 첫 번째는 단어 사이의 의미관계를 분석하는 장이론(field theory)이며 두 번째는 단어의 개별적이고도 독자적인 의미를 분석하는 방법인 성분분석이다.

6.2.1 장이론

의미적으로 밀접한 관련이 있는 단어들의 집합을 의미장(semantic field)라고 하며 이러한 단어 사이의 의미 관계 분석을 통하여 한 단어의 의미는 더욱 정교화된다는 것이 장이론이다. 예를 들어 양배추, 상추, 무, 당근, 호박, 오이 등은 모두 채소이지만 이들은 잎채소, 뿌리채소, 열매채소 등으로 나뉠 수 있다.

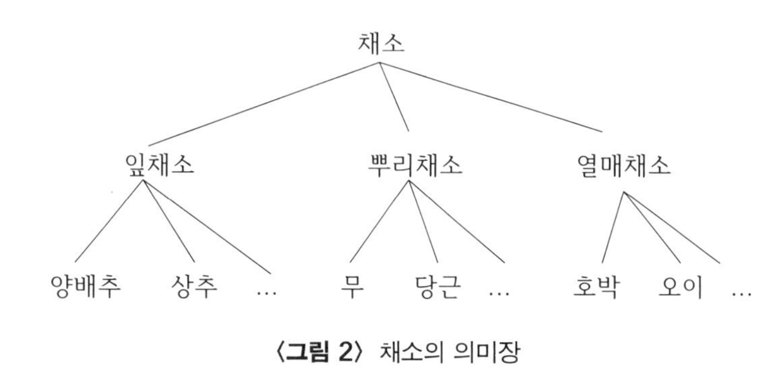

〈그림 2〉 채소의 의미장

위 그림에 따르면 채소는 잎채소, 뿌리채소, 열매채소 등의 부분장으로 이루어진다. 이러한 어휘의 계층구조는 의미의 상하관계를 나타낸다. 즉 채소는 상위어, 뿌리채소는 하위어에 해당한다.

또한 언어에 따라서 이러한 체계에 해당하는 어휘는 다르게 나타날 수 있다. 예를 들어 형제자매를 나타내는 친족어의 경우, 한국어에서는 성별, 손위 관계 등에 따라서 형, 오빠, 누나, 언니, 남동생, 여동생 등이 있지만 영어에서는 brother와 sister 등이 있다.

6.2.2 의미성분 분석

의미성분 분석은 의미가 '의미성분'으로 구성되어 있다고 가정하고 이러한 의미성분을 추출하는 방법이다. 변별자질과 마찬가지로 의미성분의 값은 이원적이다. 즉 그러한 특성이 있는지(+), 아니면 없는지(−), 두 가지로만 분석한다. 예를 들어 '처녀'와 '총각'의 의미성분은 다음과 같다(최경봉, 2015).

처녀: [+여성] [+성인] [+인간] [−결혼]

총각: [−여성] [+성인] [+인간] [−결혼]

이러한 의미성분 분석을 통하여 단어들이 가지고 있는 공통적인 특성과 변별적인 특성을 구별할 수 있다. 또한 각 단어들이 가지고 있는 의미와 각 단어 사이의 의미 차이를 알 수 있으며, 이를 통하여 단어 사의의 유의 관계, 반의 관계 등을 설명할 수 있다. 예를 들어 '처녀'와 '총각'은 모두 인간, 성인이지만 성별과 결혼여부에 있어서 차이가 나타난다.

이러한 성분분석은 세 가지 절차에 따라 실시되는데, 이는 상호 연관된 낱말의 영역 설정, 그 영역의 낱말 사이의 비례식 만들기, 그리고 비례식에 근거하여 의미성분 식별하기이다. 예를 들어 '성인남자, 성인여자, 소년, 소녀' 등과 같이 상호 연관된 낱말을 선택하고, 이를 바탕으로 '성인남자 : 성인여자 = 소년 : 소녀', '성인남자 : 소년 = 성인여자 : 소녀'와 같은 비례식을 만들 수 있다. 이후 이러한 비례식을 바탕으로 각각 대립의 기준인 '성별'과 '성숙'이라는 의미성분을 추출할 수 있다.

의미성분 분석이 다른 단어와의 비교에는 적절히 사용되지만 단순히 의미성분의 합이 그 단어의 의미를 나타내기에는 부족함이 있다.

반면 원형이론에서 단어는 그 단어가 나타내는 가장 기본적이고도 전형적인 의미를 가지고 있다. 예를 들어 사람들이 '컵'이라는 단어를 듣고 떠올리는 것 중에는 전형적인 것부터 비전형적인 것까지 매우 다양하게 분포되어 있을 것이다. 〈그림 3〉과 같이 전형적인 유리컵 형태의 컵도 있는 반면에 주변부에는 컵이라고 하기 어려운, 비전형적인 것까지도 있을 수 있다. 이렇듯 단어의 의미를 지시물의 전형성을 기반으로 살펴보는 이론이 원형이론(prototype theory)이다.

또한 원형이론에 따르면 사람들은 단어에 대한 원형을 지니고 있고 이러한 원형이 상황에 따라 확장된다. 예를 들어 '가다'의 원형적 혹은 전형적 의미는 사람이 두 발로 이동하는 행위이지만 '기차' 등과 같은 운송수단의 이동에도 확대되어 적용된다. 이렇게 의미가 확장된 다의어와 단순히 소리만 같게 된 동음이의어는 다르다.

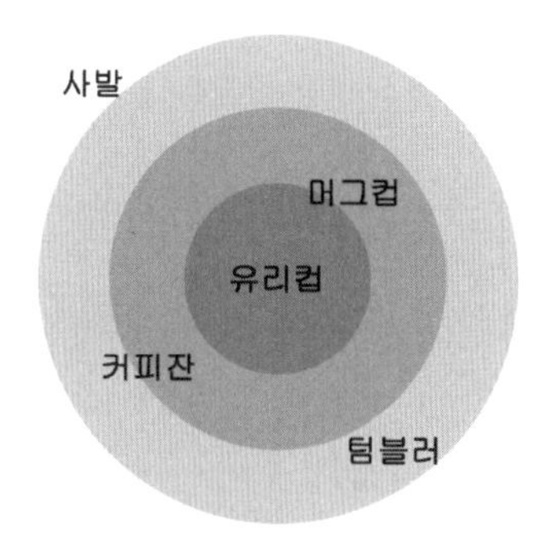

〈**그림 3**〉 컵의 지시물

6.3 의미의 종류

의미는 연구자에 따라 다양한 하위부류로 나뉠 수 있는데 리치는 의미를 크게 개념적 의미, 연상적 의미, 주제적 의미 등 세 가지로 구분하고 있다. 개념적 의미는 단어 스스로가 지니고 있는 인지적, 외연적 의미로 앞서 설명한 의미성분으로 규명될 수 있다. 예를 들어 앞서 설명한 '총각'의 개념적 의미는 결혼을 하지 않은 남자 성인이 된다.

개념적 의미가 사람들이 모두 공통적으로 가지고 있는 의미인데 반하여 연상적 의미는 개인의 경험에 따라서 달라질 수 있는 가변적 의미이다. 이러한 연상적 의미는 크게 내포적 의미, 사회적 의미, 감정적 의미, 반사적 의미, 배열적 의미 등으로 구분된다.

우선 내포적 의미란 언어표현이 지시하는 것에 덧붙여 나타나는 주변적, 가변적 의미로 '아저씨'라는 단어에서 '자상하다, 뻔뻔하다' 등을 떠올리는 경우를 말한다. 이러한 내포적 의미는 모든 사람이 공통적으로 가지고 있기보다는 상황이나 문맥적 의미에 덧붙여 나타날 수 있기에 가변적이고 주변적인 의미이다.

사회적 의미란 말을 사용하는 사람의 사회적 환경과 관련된 의미이다. 예를 들어 방언, 신분, 교양 등에 따라서 느껴지는 의미는 달라질 수 있는데, 표준어를 사용하는 사람이 ‘아저씨’가 아니라 ‘아재’라는 단어를 사용하여 다른 의미를 전달할 수 있다.

정서적 의미는 화자의 개인적 감정이 반영된 의미인데, 예를 들어 “잘 놀아”라는 말을 다른 억양으로 표현을 하게 되면 전혀 다른 의미를 전달할 수 있다.

반사적 의미(혹은 반영적 의미)는 어떤 낱말의 의미가 다른 의미에 대한 반응에 따라 달라지는 경우이다. 이를 설명하는데 자주 사용되는 예는 “The Comforter”와 “The Holy Ghost”이다. 기독교인인 경우에는 두 단어 모두 동일한 의미를 갖지만 비기독교인에게는 comfort와 ghost라는 의미에 기인하여 전자는 따뜻하고 편안함을, 후자는 무서움을 느낄 수 있다는 것이다.

배열적 의미는 단어가 배열된 환경에 의해 획득된 연상 의미이다. 예를 들어 ‘예쁜’과 ‘잘 생긴’은 모두 특정한 외적인 특성을 나타내지만 ‘예쁜 여자/예쁜 남자/잘 생긴 여자/잘 생긴 남자’ 등과 같이 함께 사용될 수 있는 단어에 제한이 있을 수 있으며, 같이 사용되는 단어에 따라 그 뜻 역시 달라진다.

마지막으로 주제적 의미는 화자의 의도를 특별하게 드러날 때 발생하는 의미이다. 예를 들어 화자는 어순, 초점 등에 따라서 내용을 달리 표현할 수 있는데, “개가 사람을 물었다.”와 “사람이 개에게 물렸다.”는 어순에 따라 문장의 초점이 달라져 주제적 의미도 달라졌다고 말할 수 있다.

〈표 1〉 의미의 종류

<table>
<tr><td colspan="2">개념적 의미</td></tr>
<tr><td rowspan="5">연상적 의미</td><td>내포적 의미</td></tr>
<tr><td>사회적 의미</td></tr>
<tr><td>정서적 의미</td></tr>
<tr><td>반사적 의미</td></tr>
<tr><td>배열적 의미</td></tr>
<tr><td colspan="2">주제적 의미</td></tr>
</table>

6.4 의미의 관계

어휘 사이에는 동의관계, 대립관계, 상하관계, 다의관계, 동음관계 등 다양한 의미관계가 있다(〈표 2〉 참조).

〈표 2〉 의미관계 표

동의관계	동의어 – 절대적 동의어 – 상대적 동의어
대립관계	대립어 – 상보 대립어 – 정도 대립어 – 방향 대립어
상하관계	상위어 하위어
동음/다의 관계	동음어 다의어

6.4.1 동의관계

동의관계(혹은 유의관계)는 둘 이상의 단어가 동일한 의미를 지닐 때 성립되며, 동의관계에 있는 단어를 동의어(synonym)이라고 한다. 동의어는 크게 절대적 동의어와 상대적 동의어로 구분된다.

절대적 동의어는 개념의미, 연상의미, 주제의미가 동일하며 모든 문맥에서 치환이 가능한 경우이다. 하지만 이러한 절대적 동의어는 쉽게 찾아볼 수 없다.

상대적 동의어는 문맥상 치환은 가능하나 개념의미만 동일하거나 혹은 제한된 문맥에서 개념의미, 연상의미, 주제의미가 동일하고 치환이 가능하다.

이러한 동의어가 나타나는 유형은 방언, 문체(혹은 격식), 직업분야(혹은 전문성), 내포의 차이, 감수성(혹은 완곡어법) 등이다.

방언 혹은 지역적 차이에 따라 동의어가 되는 경우로는 '부추'와 '정구지'가 있다. 부침개를 할 때 사용되는 채소인 부추를 경상도 지역에서는 정구지라고 부른다.

문체 혹은 격식에 따라 동의어가 나타나는 경우로는 '키'와 '신장'이 있다. 일반적인 경우에는 키를 사용하지만 격식을 차린 경우에는 신장이라는 단어를 사용할 수 있다. 또한 고유어는 비격식체인 반면 외국어나 한자어인 경우에는 격식체로 나타나는 경우도 있다. 예를 들어 '빛깔, 색채, 칼라'의 경우가 그러하다. '농업협동조합'과 '농협'처럼 본말과 줄임말의 경우도 이러한 종류의 동의어일 수 있다.

직업분야 혹은 전문성의 차이에 의한 동의어 관계의 예로는 '염화나트륨'과 '소금'이 있다. 소금이 일상에서 사용되는 일상어라면 염화나트륨은 화학 등의 전문분야에서 사용이 되는 전문어이다.

내포의 차이에 의한 동의어로는 중립적인 표현과 특별한 내포적인 의미를 가지고 있는 경우로 '아내, 부인, 마누라' 등이 예가 될 수 있다. 아내가 중립적인 표현이라면 부인과 마누라는 그 귀함의 정도가 다른, 내포적인 의미가 다를 수 있다. 존비어, 정감어, 비속어 등 역시 내포의 차이에 의한 동의어가 될 수 있다.

감수성 혹은 완곡어법에 따른 동의어의 경우에는 '죽다'와 '돌아가다'가 있다. 죽음, 질병, 두려움, 성 등과 관련하여 직설적인 표현 대신에 완곡어를 사용하는 경우가 이에 해당한다.

6.4.2 대립관계

대립어는 크게 상보 대립어, 정도 대립어, 방향 대립어 등으로 구분된다.

상보 대립어는 '남자'와 '여자'처럼 서로 양립할 수 없는 관계를 나타내며 단언과 부정에 대한 상호 함의 관계가 성립한다. 예를 들어 "나는 남자다."는 '남자'의 상보 대립어인 '여자'를 사용한 부정문인 "나는 여자가 아니다."를 나타낸다. 상보 대립어는 크게 순수 상보 대립어(남자와 여자 등)와 정도 상보 대립어(깨끗하다와 더럽다 등)로 구분된다.

정도 대립어는 '길다'와 '짧다'와 같이 정도의 차이를 나타내며 등급 반의어라고도 한다. 상보 대립어의 경우, 두 단어를 모두 긍정하거나 부정하면 모순이 생기지만 정도 대립어는 그렇지 않다. 예를 들어 "연필이 길지도 짧지도 않다."라는 표현을 사용할 수 있다. 정도 대립어는 가치 중립적이며 객관적인 평가 기준이 사용될 수 있는 척도 반의어(길다와 짧다 등), 한 단어는 긍정적인 평가를, 다른 단어는 부정적인 평가를 나타내는 평가 반의어(좋다와 나쁘다), 주관적인 감각이나 감정, 주관적 반응에 근거한 정감 반의어(덥다와 춥다 등)으로 구분된다. 척도 반의어와는 달리 정감 반의어는 화자의 주관적, 개인적 판단에 근거한다.

방향 대립어는 다른 방향으로의 이동을 나타내는 대립어이다. 방향 대립어의 하위 유형으로는 우선 '위, 아래'와 같이 하나의 축을 중심으로 다른 방향을 나타내는 역의어가 있다. 이와 같은 방향을 나타내는 단어 이외에도 가계나 혈연의 축을 따라 다른 방향을 나타내는 단어인 '부모/자식'이나 동사인 '팔다/사다' 역시 역의어이다. 반면 한 방향의 양 극단을 나타내는 단어인 '꼭대기/밑바닥' 같은 경우는 대척어이다. 반면 서로 맞선 방향으로 이동이나 변화를 나타내는 '가다/오다, 올라가다/내려가다'는 역동어라고 하며, '언덕/고랑, 암나사/수나사' 등과 같이 균일한 표면이나 상태에서 방향이 역전된 대립어를 대응어라고 한다.

6.4.3 상하관계

상하관계는 의미의 계층적 구조로 한 단어가 의미상 다른 단어를 포함하거나 포섭되는 관계를 의미한다. 특히 계층적으로 위에 있는 단어를 상위어, 아래에 있는 단어를 하위어라고 한다. 다음 〈그림 4〉는 상하관계를 나타낸다. 〈그림 4〉에서 동물은 상위어에, 소는 하위어에 해당한다.

특히 상하관계는 함의와 밀접한 관련이 있다. 예를 들어 하위어인 소는 상위어인 동물을 함의할 수 있으나 그 역은 성립하지 않는다. 즉, 소는 동물이 되지만 모든 동물이 소인 것은 아니다.

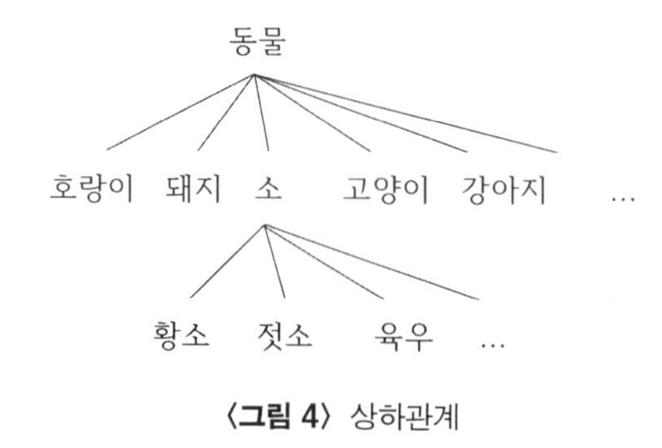

〈그림 4〉 상하관계

상하관계는 크게 장소포섭, 부분–전체 포섭, 부류 포섭 등으로 구분된다. 장소포섭은 '방, 집, 마을'과 같이 어떤 한 단어가 다른 단어 '안에' 있다라고 표현하는 것이 가능한 관계이다.

부분–전체 포섭은 '잎, 나무'와 같은 경우이며, 이 때에는 한 단어가 다른 단어를 '갖는다'라고 표현될 수 있다. 특히 이와 같은 관계를 부분관계라고 하며, 앞의 예의 경우 '잎'은 '나무'를 구성하고 있는 부분이기에 나무는 전체어, 잎은 부분어로 분류할 수 있다.

마지막으로 부류 포섭의 예로는 "진달래는 꽃이다."와 같은 형식으로 표현될 수 있는 단어를 의미한다. 이 경우 "꽃은 진달래이다."와 같이 순서를 바꾸면 비정상적으로 된다.

6.4.4 동음/다의 관계

동음어는 우연히 소리만 같게 된 의미가 다른 단어이다. 예를 들어 "잠긴 문을 열쇠로 열었다."와 "홍수에 잠긴 집을 깨끗이 청소했다."에서 나타난 "잠기다"의 경우가 바로 동음어이다.

다의어란 하나의 단어가 둘 이상의 의미를 갖는 경우이다. 다의어는 한 단어의 중심의미인 기본의미와 기본의미에서 파생된 파생의미를 가진다. 예를 들어 "먹다"의 경우 가장 기본적인 의미는 음식물을 섭취하는 것으로 "밥을 먹다."와 같이 사용될 수 있다. 하지만 이러한 기본적인 의미 이외에도 "축구경기에서 골을 먹었다."와 같이 사용될 수 있는데, 이러한 의미가 바로 파생의미이다.

동음어와 다의어는 하나의 형태에 여러 의미가 있다는 유사점이 있으나 개념적으로는 〈그림 5〉와 같이 명확히 구분된다.

〈그림 5〉 다의어와 동음어의 구조(임지룡, 2014, p. 229에서 인용)

6.5 비유적 의미

글자 그대로 해석되지 않는, 비유적인 의미를 나타내는 경우는 크게 은유와 환유, 관용구 등이 있다.

은유는 익숙하지 않은 개념을 익숙한 개념을 이용하여 표현하는 것으로 유사성에 근거한다. 예를 들어 "내 마음은 호수다."의 경우, 호수라는 익숙한 개념을 통하여 나의 마음은 호수와 같이 잔잔하다는 뜻을 나타내는 은유적인 표현이다.

반면 환유는 유사한 의미를 가진 경우에 사용한다. 예를 들어 "한국 기업이 세계 시장에 노크한다."의 경우, '노크'의 들어가기 위해 문을 두드린다는 의미에 기반하여 세계 시장에 도전한다는 의미를 지닌, 환유적 표현이다.

관용구 혹은 숙어는 구를 구성하고 있는 단어로부터 그 뜻을 예측할 수 없는 경우이다. 예를 들어 "미역국을 먹었다."는 생일이어서 미역국을 먹은 것일 수 있지만 시험에 떨어졌다라는 의미를 지는 관용구이다.

6.6 문장 의미론과 담화 의미론

문장의 의미를 이해하기 위해서는 우선 그 문장을 구성하고 있는 어휘의 의미와 문장의 통사규칙을 이해하여야 한다. 이와 관련된 어휘의 의미는 앞에서 설명하였으며 통사규칙은 통사론에서 보다 자세히 설명할 것이다. 본 장에서는 문장 사이의 의미 관계와 관련된 동의성, 중의성, 모호성, 모순성, 함의, 전제 등을 간단히 살펴볼 것이다.

첫 번째는 서로 다른 형태의 문장이 동일한 의미를 가지게 되는 동의성이다. 이러한 개념적 의미가 같은 문장을 동의문이라고 하는데 크게 전달하고자 하는 내용은 같지만 화자가 선택한 어휘가 달라서 나타나는 어휘적 동의문과 의미는 같지만 통사구조가 달라서 나타나는 통사적 동의문이다. 예를 들어 "나는 이번 시험에서 백점을 맞았다."와 "나는 이번 시험에서 만점을 맞았다."는 다른 어휘를 사용하지만 의미는 같은 어휘적 동의문이 된다. 반면 "뱀이 개구리를 먹었다"와 같은 능동문과 "개구리가 뱀에게 먹혔다"와 같은 피동문 등은 통사적 동의문의 예가 된다. 더불어 어순이 변화한 문장 역시 통사적 동의문이라고 할 수 있다.

두 번째는 중의성이다. 중의성은 하나의 언어표현이 둘 이상으로 해석가능한 것이며, 우선 앞서 설명하였듯이 동음어 등과 같은 어휘의 특성으로 이러한 중의성이 나타날 수 있다. 예를 들어 '다리'는 사람의 다리 혹은 강을 건널 때 사용되는 다리일 수 있기에 "다리가 튼튼하다."는 중의성을 지닌 문장이 된다. 더불어 문장구조에 의해서도 중의성이 나타날 수 있는데 예를 들어 "나는 철수와 영희를 보았다".의 경우 '나'와 '철수'가 함께 영희를 보거나 '나' 혼자 '철수와 영희' 두 명을 본 것으로 해석이 가능하다. 또한 수나 부정을 나타내는 단어의 영향이 어디까지 미치느냐에 따라 중의성이 나나탈 수도 있다. 예를 들어 "모든 사람은 하나의 꿈이 있다."의 경우 모든 사람이 다 하나씩, 각자의 꿈이 있는 것으로 혹은 모든 사람이 공통적으로 하나의 꿈이 있는 것으로 해석이 될 수 있다. 이와 더불어 발화 상황에 따라 의미가 달라질 수 있는 화용적 중의성도 있다.

중의성과 달리 모호성은 의미하는 바가 명확하지 않을 때 나타난다. 예를 들어 '친구의 사진'은 친구가 찍은 사진인지, 친구를 찍은 사진인지, 아니면 친구가 가지고 있는 사진인지 그 뜻이 모호한 경우이다.

문장의 내용이 논리적으로 맞지 않아서 문장의 내용이 잘못되었다고 판단할 수 있는 문장을 모순문이라고 한다. "나는 형보다 나이가 적다."라는 문장이 이에 해당된다.

어떠한 문장의 의미 속에 포함된 다른 의미를 함의라고 한다. 예를 들어 앞서 의미 분석에서 설명한 '총각'이란 단어를 포함하는 문장 "민건은 총각이다."의 경우, 민건은 남자이며, 결혼을 하지 않았다는 함의를 가지게 된다. 함의는 단어의 의미구조 뿐 아니라 통사구조에 의해서도 나타날 수 있다. 예를 들어 "민건과 성훈은 총각이다."의 경우 "성훈은 총각이다."라는 의미를 문장구조에 의해 함의하게 된다.

하나의 문장이 의미적 정당성을 가지기 위해 이미 참이어야만 하는 다른 문장을 전제라고 한다. 예를 들어 "나는 민건이가 달리기를 잘하는 것이 이상했다."라는 문장은 "민건이는 달리기를 잘한다."라는 것을 전제한다. 즉 "나는 민건이가 달리기를 잘하는 것이 이상했다."라는 문장이 참이든 거짓이든, 예를 들어 "나는 민건이가 달리기를 잘하는 것이 이상하지 않았다."라는 문장에서도 "민건이가 달리기를 잘한다."는 참이기 때문이다. 반면 "나는 민건이가 달리기를 잘한다고 생각한다"는 "민건이는 달리기를 잘한다."라는 것을 전제하지 못한다. 이는 "나는 민건이가 달리기를 잘한다고 생각한다."라는 문장이 만약 거짓 혹은 부정문일 경우, 예를 들어 "나는 민건이가 달리기를 잘한다고 생각하지 않는다."의 경우, "민건이가 달리기를 잘한다."는 항상 참이라고 말할 수 없기 때문이다.

한 담화의 전체적인 의미를 나타내는 문장을 주제문이라고 한다. 한 담화를 구성하는 각 문장에는 독립적인 의미가 있으나 담화를 구성하는 각 문장과 주제문의 의미적인 관계가 잘 성립될 때 그 담화는 통일성이 있다고 한다. 더불어 질문과 대답 역시 하나의 담화를 구성하는데 이러한 질문과 대답은 통일성을 지녀야 할 것이다. 마지막으로 앞뒤에 놓인 말들이 이루는 의미의 흐름을 문맥이라고 하는데 문장에 따라 그 의미가 문맥에 의존하는 정도가 다를 수 있다. 이렇듯 담화의 의미는 상황에 따라 달라질 수 있기에 화용론의 연구대상이 될 수 있다.

학습목표

1. 의미의 종류와 체계를 이해한다.
2. 단어의 의미 관계를 구분하고 이해한다.
3. 문장 사이의 의미 관계를 이해하다.

학습문제

1. '동물'의 의미장을 구성해 보자.
2. '어린이'의 개념적 의미, 연상적 의미, 주제적 의미를 나누어서 예를 들어 보자.
3. 동의어, 대립어 상의어-하위어, 동음어, 다의어 등을 예를 들어 설명하라.
4. 은유와 관용구를 예를 들어 설명하라.
5. 중의성과 모순성이 있는 문장을 예를 들어 설명하라.

CHAPTER

07

화용론

형태론이 형태소로 낱말을 이루는 규칙을, 구문론이 낱말이나 절을 배열하여 문장을 만드는 규칙을 다룬다면 화용론(pragmatics)은 그보다 큰 문장이상의 단위에 대한 규칙을 다룬다. 문장은 말하는 사람과 상대방, 상황과 문맥에 따라 다양한 의미를 가질 수 있는데 이를 연구하는 학문이 화용론이다. 같은 문장이라도 "저 여기서 내려요"라는 문장을 생각해보면 문맥에 따라 다양한 의미를 가질 수 있다. 상대방이 어디서 내리는지를 물어본 상황이라면 상대방의 말에 대답하는 기능, 즉 정보요구에 반응하는 의미가 있고, 예전 어느 광고에서처럼 버스에서 처음 만난 남녀 중 먼저 내리는 사람이 하는 말이라면 정보를 제공하면서 간접적인 제안(?)의 의미까지 가지게 된다. 또한 '저'라는 자신을 낮추는 1인칭 대명사와 '−요'라는 높임의 보조사를 사용한 것을 볼 때 두 사람 사이가 그리 친한 사이가 아님을 알 수 있고, 버스인지 기차인지 어디에서 내리는 것인지 언급하지 않았고 구체적인 명사 대신 '여기'라는 대명사를 사용한 것을 볼 때 화자와 청자 간 상황을 공유하고 있으며, '여기'는 이미 안내방송 등에서 한번 언급된 장소였을 수도 있다.

이렇듯 화용론은 문장을 넘어서 앞뒤 문장이나 화자와 청자, 대화가 이루어지는 상황(context)을 고려하기 위해 적용되는 규칙을 연구한다. 여기에는 청자를 고려하는 높임법이나 간접적 표현, 문장에 수반되는 화자의 의사소통 의도, 화자의 미묘한 심리 상태나 태도를 나타내는 양태(modality)와 서법(mood), 담화에서 문장 간 결속(cohesion)을 표현하는 장치, 화자와 청자, 말하는 대상의 상대적 거리에 따른 직시(deixis) 등 다양한 주제를 포함한다.

7.1 문장과 발화

형태론이나 구문론에서는 문장 내에서의 단어나 문장 의미만 해석하면 되었지만 화용론의 경우에는 위의 예에서처럼 말하는 사람과 듣는 사람, 문장이 사용되는 상황 간의 역동성을 고려하여 문장이 여러 가지로 해석한다. 그러므로 화용론은 청자가 존재하는 구체적 상황에서 문장이 실제 말로 산출되는 것을 전제로 한다. 문장을 산출하는 행위에 초점을 두어 지칭할 때 '발화(utterance)'라고 한다. 책 속의 문장은 문장이기는 해도 그 자체로는 발화가 될 수 없다. 누군가 그 문장을 음성언어, 말로 실현하는 경우에만 발화라고 하는 것이다. 또 문장은 반드시 주어와 서술어를 갖춘 반면, 발화의 경우에는 그렇지 못할 수도 있다. 문장이 말로 산출되다가 완결되지 못한 경우, 이를 문장으로 볼 수는 없지만 한 발화로는 볼 수 있다. 특히 화자가 아동인 경우 문장을 산출하다 중단하거나 갑자기 다른 문장을 다시 시작하는 경우가 종종 있는데, 이 경우에도 중단된 문장은 완전한 문장이라고 할 수는 없지만 하나의 발화로는 볼 수 있다. 문장은 마침표나 느낌표, 물음표 등의 문장 부호를 사용하여 종결을 표시하지만 발화의 경우에는 그 경계가 불분명한 경우가 많다. 이 경우 발화 간 휴지(pause) 시간이나 주제의 변화 등을 기준으로 발화를 구분한다.

7.2 화행

문장이 일단 발화가 되면 발화는 어떤 기능이나 행동을 수반하게 된다. 예를 들어 '두 사람이 부부가 되었음을 선언합니다'라는 말을 했다면 이는 말함과 동시에 선언하는 행위를 한 셈이다. 이렇게 발화가 동반하는 기능, 말로 하는 행동을 화행(speech acts)라고 한다. Austin(1962)은 화행을 크게 세 가지로 분류하였는데 첫 번째 언표 행위(locutionary act; 발화행위)는 일정한 의의를 가진 문장을 발화하는 것인데 예를 들어 '문을 좀 열어주시겠습니까?'라는 문장을 발화하는 것이다. 두 번째 언표내적 행위(illocutionary acts; 발화수반 행위)는 문장을 발화할 때 동반되는 행위로 '의사소통에서 화자가 언어를 통해 수행하려는 의도적 행위'를 말한다. 만약 '문을 좀 열어주시겠습니까?'를 발화하면서 화자가 확실히 행위 요구를 표현, 전달했다면 언표내적인 행위는 요청이라고 할 수 있다. 세 번째 언향적 행위(perlocutionary acts; 발화효과 행위)는 발화행위에 대한 결과로 생기는 행위로, 화자의 말이 청자에게 영향을 끼쳐 일어나는 행위라고 할 수 있다. 위의 예에서는 청자가 문을 열거나 하는 행위 혹은 공부를 하던 중에 문을 열어달라는 요구를 받아서 짜증을 내거나 주의가 분산되는 등의 감정 변화까지, 하나이상의 결과행위가 언향적 행위에 해당한다. Austin의 분류 이후에 이 세 가지를 분명하게 구분하기 위한 시도가 활발히 진행되어 왔다. 언표적 행위(발화 행위)는 주어진 발화를 순수하게 언어학적으로 이해하고 진위파악만 하면 되는 경우라고 보는 입장도 있고, '알리다', '보고하다', '묻다', '청하다' 등의 수행동사(performative verbs)를 이용하여 발화에 동반되는 행위를 명시적 수행문으로 표현할 수 있으면 언표내적 행위, 그렇지 못하면 언향적 행위라고 구분하기도 하였다. 또 언향적 행위는 언표내적 행위와는 달리 꼭 언어사용을 전제로 하지 않으며, 청자의 행동이나 심적 태도 변화와 관련되는 것이라고 보기도 한다. 그러나 이 세 발화행위를 명확히 구분하는 것은 상당히 어려운 일이며, 이들은 동시에 일어나는 행위들로 보는 것이 더 적절하다. 예를 들어 화자가 "밖에 비가 오네"라고 말했다면 이는 사실 진위여부를 파악하는 진술로 보면 언표적 행위라고 할 수 있지만 상황에 따라 청자에게 창문을 닫거나 빨래를 걷으라는 요청행위나 정보를 제공하려는 의도가 수반

되었다면 언표내적 행위도 함께 발생한 것이 된다. 또 그 결과 청자가 창문을 닫거나 빨래를 걷었거나 우산을 챙겨나가는 행위를 했거나 마음 속으로 화자에게 고마움을 느끼거나 우산을 챙겨가야겠다고 생각을 했다거나 하는 청자의 행위나 감정 변화는 모두 언향적 행위라고 할 수 있다. 엄밀히 말해서 단순한 사실의 진술이라고 하더라도 진술이나 정보제공이라는 화자의 의도를 발화행위에 수반하게 되므로 모든 언표적 행위(발화 행위)는 기본적으로 언표내적 행위(발화수반 행위)를 동반한다고 할 수 있다(박영순, 2007).

언어발달 문헌들(Bates et al., 1975)에서는 위의 화행의 세 가지 행위 구분을 이용하여 영아기의 의도성 발달을 세 단계로 나누어 설명하였다. 첫 단계인 언향적 단계(perlocutionary stage; 발화효과 단계)에서는 출생에서 8개월까지의 시기로 아동의 의도와는 상관없이 양육자가 아동의 울음이나 발성에 반응하여 어떤 행동을 하게 된다. 즉 아동은 당연히 발화도, 자신의 의사를 표현하겠다는 명시적 의도도 없었지만, 양육자가 아동의 의도를 추론하고 반응하여 어떤 행위를 보이므로 이 경우 아직 언표적 행위나 언표내적 행위는 나타나지 않고, 양육자의 행위는 아동의 발성, 울음에 반응하는 언향적 행위라고 할 수 있다. 8개월에서 12개월 정도에는 앞선 단계에서 양육자의 언향적 행위들이 축적되고 아동의 인지가 발달되면서 드디어 아동이 어떤 의도나 목적성 있는 행동을 보이는데 이 단계를 언표내적 단계(illocutionary stage; 발화수반력 단계)라고 한다. 이 시기에는 같은 울음이라도 이전 단계와는 다르게 양육자에게 자신의 의도를 알리겠다는 의지가 담겨 있고, 말로 하지는 못하더라도 몸짓이나 눈빛 등으로 요구나 거부 등의 의사소통 의도를 분명히 표현할 수 있게 된다. 아직 언표적 행위(발화 행위)는 없지만 아동의 의도는 명확히 나타나는 시기라고 할 수 있다. 아기가 돌이 될 무렵에는 자기의 의사소통 의도를 몸짓이나 발성 대신 단어를 사용해 표현하거나 몸짓에 발화를 함께 사용할 수 있게 되는데, 발화가 가능해졌다는 의미에서 이 단계를 언표적 단계(locutionary stage; 발화 단계)라고 한다. 그러나 이 영아의 초기 의도성 발달의 세 단계는 앞서 나온 Austin의 화행의 세 가지 구분과 용어는 비슷하지만 세 단계가 순서적으로 실현되고 분명하게 구분된다고 보았기 때문에 화행이론에서의 세 행위와 완전히 같다고 할 수 없고, 관점도 상당히 다르다고 할 수 있다.

앞서 모든 발화 행위는 순수한 진술이라 하더라도 언표내적 행위를 동반한다고 했는데, 이 언표내적 행위를 어떻게 구분할 것인가 하는 문제는 화행을 연구하는 학자들의 주된 관심거리였다. Austin(1962)는 언표내적 행위를 언약 행위, 판정 행위, 평서 행위, 행사 행위, 행태 행위로 구분하였으며, Searle(1969)는 단언과 선언, 언약, 정표, 지시 행위로 구분하는 등 학자들마다 다양한 분류 기준을 제시하였다. 언어발달 문헌에서는 한 낱말 표현을 주로 사용하는 언어발달초기 아동의 의사소통 기능을 요구하기, 거부하기, 인사하기, 따라하기, 대답하기 등의 아홉 가지로 분류하였고(Dore, 1975), 언표내적 의사소통 시기에 있는 아동들을 대상으로 한 연구에서 Halliday(1978)는 도구적 기능, 개인적 기능, 조정적 기능, 상호작용적 기능, 발견적 기능, 가상적 기능, 표상적 기능 등으로 분류하였다.

학령기 이후에는 농담하기, 놀리기, 타협하기 등의 인지능력이 필요한 화행이 발달한다고 보고하였고(Though, 1977), 직접적인 표현을 통한 화행 외에 간접적인 화행까지도 이해, 표현이 가능해 진다. 예를 들어 '책 좀 줘'라는 말은 직접적인 명령문으로 명시적으로 행위를 요구했으므로 직접화행(direct speech acts)이라고 할 수 있는 반면에 '책 좀 줄 수 있어?'는 가능 여부를 묻는 질문의 형태로 사실상 행위요구를 표현한 간접 화행(indirect speech acts)라고 할 수 있다. 이처럼 학령기에는 간접화행을 활발히 사용하여 더 겸손하고 예의 있는 표현을 할 수 있게 된다.

7.3 함축과 대화격률

간접 화행의 경우에서 우리는 발화에 문자 그대로의 뜻보다 더 많은 뜻이 내포되어 있음을 알 수 있는데, 이렇게 문장의 명제 내용 외에 발화가 갖는 부수적 의미를 함축(implication)이라고 한다. 앞에서처럼 대화에서 "그 책 좀 줄 수 있어?"라고 화자가 말했을 때 상대방이 "나도 아직 다 못 봤어"라고 대답했다면 상대방의 대답은 문장 자체로는 서술이지만 앞뒤 문맥을 고려하면 거절의 의미를 담고 있는 '대화 함축'이라고 할 수 있다. 이와는 달리 문맥과 상관없이 어휘 자체에 어떤 부가적인 의미를 가지게 되는 경우도 있다. '그러나' 뒤에는 대조되는 내용이 나온다는 것, '아직'의 경우에는 미래에는 무언가를 기대한다는 의미, 보조사 '-도'와 '-는'은 '더함'이나 '대조'의 의미를 나타내는데, 이는 어휘 자체에 내포된 함축으로 '고정함축'이라고 할 수 있다. 우리가 대화를 원활하게 주고받는다는 것은 이 함축된 의미(implicit meaning)까지도 잘 전달하고 파악하는 것이라고 할 수 있겠다.

함축된 의미가 원활히 전달되기 위해서는 대화 참여자 모두가 대화가 잘 이루어지도록 서로 협력하고 있다는 믿음이 전제되어야 한다. Grice(1975)는 우리가 주고받는 대화가 잘 이루어지기 위해서는 대화에서 다음과 같은 규칙, 격률이 지켜져야 한다고 보았다.

- 질의 격률(quality) - 거짓이 아닌 진실만 말하라. 근거가 있을 때 말하라.
- 양의 격률(quantity) - 필요한 만큼의 양만 말하라. 충분한 정보를 제공한다.
- 관련성의 격률(relevance) - 주제와 관련된 말만 하라.
- 양태(manner) - 모호성을 피하고, 간결하고 명료하게 말하라.

이러한 대화 격률이 잘 지켜질 것이라는 것을 가정하여야 비로소 우리는 다음 대화에서 함축된 의미를 파악해 볼 수 있다.

ㄱ. A: 지금 몇 시니?
 B: 여섯시 오 분 전.
ㄴ. A: 제수도에 언제 가봤니?
 B: 2017년 7월 22일 화요일에 갔어요
ㄷ. A: (전화 상황에서) 엄마 계시니?
 B: 네. 계세요.

위의 문장에서 ㄱ은 A가 지금 시간을 물었기 때문에 질의 격률 상 A는 시간을 알 수 없다는 사실을 내포, 함축하고 있으며, B가 시간을 알려준 것도 사실에 근거해야 한다는 원칙이 적용된다. 만약에 A가 다시 '아니야, 지금은 5시 54분이야'라고 B의 대답에 반응한다면 A가 시간을 알면서 물어본 셈이기 때문에 시간을 물어봤던 A의 첫 발화는 질의 격률에 어긋난 것이라고 할 수 있고, B의 대답도 시간이 정확하지 않았기 때문에 B또한 질의 격률을 지키지 못한 것이 된다.

ㄴ의 경우에는 질문에 대한 B의 대답은 "작년 여름에 갔어요" 정도의 발화를 기대한 상대방에게 불필요하게 많은 양의 정보를 제공하여 양의 격률을 지키지 못한 발화가 된다. ㄷ의 경우에는 A의 발화가 질문의 형태이지만 사실은 엄마를 바꾸어줄 것을 요청하는 간접 화행이므로, 대답만 할 게 아니라 "잠깐만 기다리세요" 하고 빨리 엄마를 바꾸어주는 행동을 해야 한다. 그러므로 ㄷ의 B는 대화 격률 중 관련성의 격률을 지키기 못한 것으로 볼 수 있다.

대화 참여자가 대화의 격률을 지키고 있다는 가정 하에 대화에서 글자 그대로의 의미 외에 추가적, 암시적 의미를 추론해 볼 수 있는데, 예를 들어 위의 ㄷ의 대화에서 A와 B가 서로 협조적으로 대화의 격률을 지켜 대화하고 있다는 가정 하에 A는 엄마를 바꾸어달라는 암묵적 의미를 내포하고 있으며, ㄱ에서는 A가 시간을 모르고 시계도 핸드폰도 갖고 있지 않다는 것을 함축하고 있다.

어떤 경우 일부러 대화격률을 위반함으로써 오히려 함축의 의미를 더하기도 하는데 아래의 두 대화가 그 예이다.

ㄱ. A: 영화 보러 갈까?
　B: 내일 시험 봐.
ㄴ. A: 내가 우리 반 공유다.
　B: 그러면 나는 정우성이다.

위의 ㄱ에서는 A의 질문, 제안에 B가 관련성 있게 답하지 못하고 엉뚱한 내용을 진술한 것 같아 보이고 표면적으로 관련성의 격률을 어긴 것 같아 보인다. 하지만 B는 A 발화의 내포된 의미인 요청에 대해 간접적으로 거절하여 보다 세련되게 자기의 의도를 표현할 수 있었다. ㄴ의 경우에는 B의 발화가 사실일 가능성이 없으므로 질의 격률을 위반했다고 볼 수 있지만 이러한 고의적인 위반을 통해 A의 발화도 사실일 수 없다는 것을 오히려 강조하는 결과를 얻게 된다.

이러한 대화격률은 문화권에 따라 기준이 달라질 수 있다. 예를 들어 우리나라에서는 겸손, 사양 등의 덕목이 태도의 격률에 추가될 수 있지만 영어에서는 이러한 덕목이 적용되지 않고, 좀 더 당당하고 자랑스러워하는 태도가 긍정적으로 인식된다. 어느 교포가 딸의 화재사고를 막지 못한 안타까운 마음, 자책하는 마음에 '내가 죽인 거다'고 말했다가 실제로 살해용의자로 오인받기도 했다는 일화는 발화 내용의 함축적 의미 해석이나 대화 격률의 원칙을 적용함에 문화적 차이가 크게 영향을 주고 있음을 알 수 있게 한다.

7.4 맥락에 따른 의미

문장과는 달리 발화는 진위여부보다는 맥락과 상대방, 상황을 고려했을 때 적절한가 하는 적절성을 평가받는다. 즉, 화용론에서 언어 표현은 단순히 한 문장 안에서 해석되는 것이 아니라 앞뒤의 문맥이나 상대방, 상황에 비추어 해석되고 파악되어야 하는데 직시, 전제, 함축 등이 이에 속한다.

(1) 직시

발화의 적절성이 맥락과 상대방에 따라 결정되는 것처럼 인칭('나'), 장소('여기'), 시간('그때')와 같은 직시(deixis) 표현도 해석을 위해서는 맥락(context) 정보를 고려해야한다. 즉, '나'는 화자가 누구인지를, '여기'는 발화가 이루어지는 장소가 어디인지를, '그때'는 발화가 이루어지고 있는 시점과 사건이 일어난 시간 정보가 있어야 발화를 해석할 수 있다.

국어의 직시표현으로는 지시대명사나 지시관형사 등이 있을 수 있다. 우리말에서 '이', '그', '저'는 각각 화자와 청자에게 모두 가까운 것, 화자에게는 멀고 청자에게는 가까운 것, 화자와 청자에게서 모두 먼 것을 나타낸다. 만약 A와 B라는 두 사람이 대화하고 있을 때 같은 사물을 지칭한다 하더라도 A에게는 '이것'인 것이 B에게는 '그것'이 될 수 있는 것이다. 혹은 A와 B가 똑같이 '이것'이라고 언급한다 하더라도 A가 말하는 '이것'과 B가 말하는 '이것'은 다른 사물이 된다.

대명사 표현은 대표적인 직시표현 중 하나인데, '나', '너', '우리', '그', '그녀' 등의 대명사는 앞에 언급되었던 것을 지칭할 때 사용되기 때문에 해석을 위해서는 앞 발화(문장)의 정보를 적극적으로 사용하여야 한다. 같은 사람이라도 화자일 때와 청자일 때, 화자와 청자가 모두 아닐 때에 따라 '나'도, '너'도, '그(녀)'도 될 수 있기 때문이다.

또한 같은 동작을 표현하면서도 화자일 때와 청자일 때, 움직임의 방향에 따라 달라지는 '가다, 오다' 같은 동사도 직시 표현의 예라고 할 수 있다. 예를 들어 우리말에서는 약속에 늦어 가고 있을 때 기다리는 친구에게 '나 가고 있어'라고 화장의 입장에서 이야기하지만 영어식으로는 '나 오고 있어(I'm coming)'라고 청자의 입장에서 표현하는 등 언어별로 의미를 구조화하는 데에서도 차이를 보인다.

이밖에도 '오늘', '지금', '내일'과 같은 시간과 장소표현도 발화 당시의 시간과 장소에 대한 정보가 있어야 해석이 가능하므로 직시표현의 일부라고 할 수 있다.

(2) 전제

전제(presupposition)는 일반적으로 어떤 표현, 발화가 의미를 가지게 되는 배경 가정이라고 정의할 수 있다. 예를 들어 결과는 논리상 원인이 있음을 전제로 하고 '그가 편지를 썼다'고 하는 문장은 '그가 읽고 쓸 수 있다'는 것을 전제로 한다. 여기서의 전제는 문장이 쓰여진 의미 외에 부가적 의미를 가지는 경우에 속하므로 큰 틀에서 함축에 속한다고도 할 수 있다. 언어학에서 말하는 전제는 의미론적 전제와 화용론적인 전제로 나눌 수 있는데 의미론적 전제는 명제의 내용 차원에서 이루어지며, 함축과 비슷하지만 그와는 달리 문장을 부정문으로 바꾸어도 유지된다는 차이점이 있다. 예를 들어 '현재 프랑스의 왕은 대머리이다'라는 문장은 '현재 프랑스에 왕이 있다'는 것을 전제로 하는데, '현재 프랑스의 왕은 대머리가 아니다'고 부정해도 '현재 프랑스에 왕이 있다'는 전제는 유지가 되고, 그러므로 이는 확실히 전제라고 할 수 있다. 이에 반해 위의 문장 '그가 편지를 썼다'는 '그는 읽고 쓸 수 있다'를 전제하는데 부정문인 '그가 편지를 쓰지 않았다'의 경우에는 그가 읽고 쓸 수 있는지 확인할 수 없어지므로 '그가 읽고 쓸 수 있다'는 전제가 사라지게 된다. 이 경우 '그가 읽고 쓸 수 있다'는 엄밀한 의미에서 전제가 아닌 함축이었다고 할 수 있다.

화용론적인 전제는 주로 명제의 내용 자체에 포함된 의미보다는 화자와 청자 간 상호지식이나 배경정보, 세계에 대한 지식과 관련된 전제를 말한다. 즉, 화용론적 전제는 화자가 청자의 지식, 경험의 공유 여부나 세계사 지식 등에 대해 가정하는 것이고, 그 적절성은 실제 대화 상황 안에서만 판단될 수 있다. 대화 상황에서 전제는 청자가 그 상황에서 이해 가능할 것이라는 것을 가정하고 이루어지지만 화자가 전제한 것을 청자가 모르는 경우도 종종 있다. 예를 들어 '선희는 현준이가 소개팅을 한 것을 아직 모른다'는 말을 했을 때 화자는 선희가 아닌 청자는 현준이가 소개팅한 것을 알고 있다고 전제한 것이지만 화자의 전제와는 달리 청자는 아직 현준이가 소개팅한 것을 모르고 있었을 수도 있다. 이 경우 청자는 사실 전제가 참인지 확인 할 수 없기 때문에 문장을 받아들일 수 없지만, 일반적인 청자는 화자가 전제한 것('현준이가 소개팅을 했다')을 그대로 받아들여 자기의 배경지식을 업데이트 하는 방법으로 공유 맥락을 조정해 나가기도 한다.

이렇게 화자로서 상대방이나 상황에 대해서 정확히 전제하는 것이나 청자로서 화자의 전제를 이해하고 적극적으로 자신의 지식이나 맥락을 축적, 조정해 나가는 것은 매우 복잡할 뿐 아니라 세련된 화용 기술이 필요하다. 언어발달 문헌에 따르면 학령 전기 아동도 자기보다 어린 아동과 대화할 때는 더 짧은 문장이나 쉬운 어휘를 사용하는 등의 전제 표현을 보인다고 한다. 하지만 상대방의 지식과 경험, 세계사 지식과 대화 상황을 두루 조절해서 이를 표현하고 이해하는 전제능력은 학령기 이후에 지속적으로 발달하는 언어발달 특징 중 하나라고 할 수 있다. 그러나 언어장애 아동은 학령기 이후에도 본인이 알고 있는 사람이나 내가 주말에 한 일을 상대방도 당연히 알고 있다고 가정하고 이야기 하는 전제 오류를 보이기도 한다. 또 화자와 청자가 서로 볼 수 없는 장벽놀이(barrier game) 상황에서도 내가 보는 것을 상대방도 볼 수 있다고 가정하는 등 '상황공유'에 대한 전제 오류를 보여 그 상황에서 해석할 수 없는 대명사나 지시관형사를 사용하여 표현하는 직시의 오류를 보이기도 한다. 하지만 우리 주변에서 가장 흔하게 볼 수 있는 전제 표현은 아무래도 선생님들이 수업 때 학생들에게 하는 다음과 같은 발화가 아닐까 싶다.–'이 내용은 지난 시간(학기)에 배웠죠? 그러니까 간단히 설명하고 넘어 가겠습니다'. 아쉽게도 교실에서의 이런 발화는 상대방의 지식정도에 대한 전제의 오류로 끝나는 경우가 많다. 이렇듯 전제 표현은 맥락과 상대방을 세심히 고려해야하는 복잡한 표현이며, 학령기의 대화기술 발달을 잘 살펴볼 수 있는 기술이다. 특히 학교 교과과정에서는 사물이나 사건, 개념에 대해서 설명하는 참조적 의사소통(referential communication)이 활발히 이루어지는데, 이를 위해서는 상대방의 지식이나 연령, 경험공유 여부 등을 잘 고려하는 전제 능력이 반드시 필요하다.

(3) 담화의 결속장치

담화(discourse)는 두 문장 이상으로 길어진 말로 하나의 주제를 나타내는 경우라고 할 수 있다. 담화의 예로는 이야기, 대화 등이 있을 수 있는데 대화가 두 사람 이상이 하는 담화라면 이야기는 혼자서도 가능한 장르라는 차이점이 있다. 담화는 여러 문장으로 구성되어 있지만 그냥 모여 있는 것이 아니고 전체가 하나의 주제를 나타내고 있으므로, 각 문장은 모두 전체 주제와 관련을 맺고 그것을 뒷받침하고 있어야 하고 각 문장들도 서로 관계를 맺으면서 연결되어 있어야 한다. 이렇게 담화 내 문장들이 하나의 주제를 나타내면서 전체적으로 일관성 있을 때 응집성(coherence)이 있다고 하고, 응집성 있는 담화가 되기 위해 문장을 연결하는 장치들을 결속장치(cohesive devices)라고 한다. 결속장치에는 문장을 연결시키는 연결어미, 접속부사, 보조사 등과 대명사, 생략, 상위어 등의 어휘적 결속장치들이 포함된다. 우리말은 주어를 포함한 주요 문장 성분의 생략이 비교적 자유로운 특징을 가지고 있는데, 담화에서 문장

성분의 생략은 앞뒤 문맥에서 생략된 부분을 추론하여 쉽게 복원이 가능하다는 전제하에 가능하다. 이때 생략된 부분은 담화에서 앞에 나온 부분과 긴밀한 관련을 맺고 있으므로 담화 내 문장을 연결시켜주는 결속장치의 하나라고 볼 수 있다.

대화나 이야기 같은 담화를 분석하는 것도 대화가 이루어지는 장소나 시간, 내용의 논리적 연결, 문장 간 연결 등 상황이나 맥락, 저자나 청자에 대한 분석이 중요하므로 화용론의 내용이라고 볼 수 있다. 담화 분석은 크게 담화의 전체적인 내용의 응집성(coherence)를 중심으로 분석하는 내용구조 분석과 담화 내 문장 간 결속(cohesion), 즉 문장 간 연결을 주로 분석하는 형식구조 분석으로 나눌 수 있다. 이야기 분석의 경우 응집성 분석으로는 전체적인 이야기 문법 분석을 주로 실시하는데, 이를 이야기의 대형구조(macro-structure) 분석이라고 하고, 문장 간 결속장치나 문장 내 구조에 대한 분석은 소형구조(micro-structure) 분석이라고 하기도 한다.

7.5 화용의 문법적 실현

(1) 높임

한국어는 '높임말'이라는 말이 따로 있을 정도로 높임 표현이 발달한 언어다. 앞서 5장에서 살펴본 바와 같이 높임은 통사론에서도 중요한 부분을 차지한다.

높임은 청자와 화자, 제 3자와의 관계에서 친소관계나 상하관계에 따라 언어표현을 달리하여 상대방을 높이는 표현이다. 높임 표현은 높이는 대상이 누구인지에 따라 나누어 볼 수 있는데, 문장의 주어를 높이는 주체높임과 대화에서 듣는 사람을 높이는 상대높임, 문장의 목적어 등을 높이는 객체높임의 세 가지가 있다. 주체높임은 주로 높임을 나타내는 선어말어미 '-시-'를 어간과 어말어미 사이에 붙이는 것으로 실현되고, 상대높임은 주로 문장의 끝에서 높임을 나타내는 보조사 '-요'나 다양한 종결어미를 사용함으로써 실현된다. 객체높임은 '~에게' 대신 '~께'를, '데리다' 대신 '모시다'를 사용하는 것처럼 주로 특수 조사나 어휘를 사용함으로써 실현된다. 우리말에서 높임 표현은 공식적인 연설이나 군대에 소속되는 등의 상황이나 청자와의 관계라는 화용적 정보에 따라 실현된다는 점에서 화용론적의 한 부분이라고 할 수 있다.

(2) 양태

양태 표현은 화자의 주관적인 정서나 심리상태를 나타내는 표현으로 주로 본용언을 보조용언과 결합하거나 양태를 나타내는 선어말어미를 덧붙임으로써 실현된다. 예를 들면 '지금쯤 도착했겠다'에서처럼 앞서 시제에서 살펴본 미래시제 선어말어미 '–겠–'을 화자의 추측을 나타내는 의미로 사용한다거나 '영희가 공부를 하네'에서처럼 화자가 새롭게 알게 된 사실임을 표현하는 경우에는 종결어미 '–네'를 사용하는 것은 모두 화자의 주관적인 생각이나 심리상태를 나타내는 양태 표현이다.

7.6 사회언어학

사회언어학은 화용론에 포함된다기보다는 관련성을 가지는 독립된 학문으로 분류된다. 발화내용의 문자적 의미 외에 사회적 의미를 해석하게 되는데, 화자의 성별이나 연령, 지역, 계층 등의 사회적 요인에 의해서 언어 사용이 어떻게 달라지는가를 연구하는 것이 사회언어학 연구의 대표적인 예라고 할 수 있다. 다소 추상적일 수 있는 이론 언어학에 비해 사회언어학은 실제적 언어사용을 살펴보는 구체적, 실용적인 학문분야다.

소속된 집단이나 지역, 성별이나 연령, 구어상황인지 문어상황인지의 여부 등에 따라 나타나는 언어의 변이를 사용역(register)라고 하는데, 사용역은 화자가 집단이나 청자 관련 요인을 어떻게 생각하고 이를 언어에 적용하고 있는지를 추측할 수 있게 한다. 예를 들어 상대방의 연령을 고려하여 높임보조사 '–요'를 붙이는 것이나 우리나라 군대에서의 '–다', '–나?', '–까'체처럼 종결어미를 바꾸거나 언어 형식을 변경하는 것이 사용역의 대표적인 예인데 이를 통해 우리는 대화상황에 있지 않아도 청자가 화자보다 나이가 많거나 지위가 높을 것 같다거나 화자가 군대에 속한 사람임을 알 수 있다. 그 외에도 사회언어학 연구주제가 될 만한 것들을 살펴 보면 지역

방언(흑인영어), 성별이나 연령에 따른 언어사용 양상, 청소년들이 많이 쓰는 속어 및 은어, 유행어나 온라인상의 언어사용—'학생식당'을 '학식', '문화센터'를 '문센'이라고 어휘를 줄여 부르는 말, 'ㅇㅇ', 'ㅇㅈ' 과 같은 초성만 따오는 표현들, 그 밖에 직업에 따른 언어사용 현상 등이다. 이렇게 다양한 화자들이 실제 사용하는 언어자료를 수집하여 여기에 나타난 언어 현상을 살펴보고 규칙을 발견하여 사회적 함의를 살펴보는 사회언어학은 특정 연령이나 장애를 동반한 사람들의 언어 자료를 수집하여 분석하고 연구하는 언어병리학의 연구방법과 상당히 비슷하다고 할 수 있다.

화용론은 최근 언어교육이나 언어평가에서 의사소통이나 기능성을 중시하는 경향으로 인해 매우 강조되는 언어학 영역이다. 하지만 화자와 청자, 상황, 문맥 등 다양한 요소를 세밀히 고려하여 말의 내용이나 형식을 조정하여야 하기 때문에 매우 광범위하고 세련된 의사소통 기술과 상위언어능력이 필요한 영역이라 할 수 있다. 뒤의 11장에서는 여기에서 더 나아가 언어평가 시 고려해야 하는 화용론적 요소들을 구체적으로 살펴보도록 하겠다.

학습목표

1. 형태론과 구문론에 비해 화용론이 다루는 내용을 설명할 수 있다.
2. 문장과 발화의 차이를 이해할 수 있다.
3. 화행의 정의를 알고 언표 행위, 언표내적 행위, 언향적 행위를 구분할 수 있다.
4. 발화에서 함축적 의미를 이해하고 그 전제조건이 대화의 격률을 알아본다.
5. 상황이나 문맥에서의 적절성이 중요한 직시, 전제, 담화 결속장치에 대해 이해한나.
6. 높임, 양태 표현이 문법요소를 통해 실현되는 예를 살펴본다.

연습문제

1. 문장이긴 하지만 발화가 될 수 없는 예와 발화이지만 문장이라고 할 수 없

는 예를 들어 보자.

2. 강의실에서 교수님이 '너무 덥지 않니'라고 했더니 에어컨 옆에 앉은 학생이 에어컨을 켰다. 이때의 언표 행위와 언표내적 행위, 언향적 행위를 각각 설명해 보자.

3. 다음 각 대화에서 지켜지지 못한 대화 격률을 말해 보자.

   (1) A: 점심 뭐 먹을까?
   B: 과제가 너무 많아

   (2) A: 몇 시에 왔어?
   2시 25분 34초에 왔어

   (3) A: 오늘이 며칠이지?
   B: 24일
   A: 아냐 25일이잖아.

4. 다음 문장에서 상황이나 앞뒤 문맥, 상대방에 따라 달라질 수 있는 부분을 찾아 보자.

   (1) 이게 네 것이니?
   (2) 그런데 민수는 A학점을 받았는데 수영이는 받지 못했다.
   (3) 아빠, 민지라는 애가 제 짝인데 짝이랑 같이 그랬어요.

5. 문법형태소를 사용하여 책에 이미 나온 예를 제외하고 높임이나 양태를 나타내는 표현을 만들어 보자.

CHAPTER

08

언어습득

세상에 태어나 처음 컵을 본 아이에게 책상 위에 놓여진 컵의 의미를 가르치는 과정을 상상해보자. 일반적으로 부모는 아이에게 컵을 가리키며 "책상 위에 컵이 있네, 저건 컵이야."라고 말을 해 주게 된다. 그러나 이를 받아들이는 아이는 '컵'이라고 한 엄마의 말이 책상 위에 컵이 놓여진 장면을 의미하는 것인지 엄마가 손가락으로 가리키는 상황인지 파악이 어려울 수도 있다. 하지만, 신기하게도 아이는 얼마 지나지 않아 별 어려움 없이 엄마의 손짓과 말이 컵이라는 사물의 이름을 가리키고 의미한다는 것을 쉽게 알아차린다. 사물 하나의 이름과, 그 이름이 갖는 의미를 이해하는 복잡한 과정을 넘어 성공적인 의사소통자가 되기 위해 두 돌이 지난 아이는 하루 평균 10개의 새로운 낱말들을 익히고 6세가 되면 평균 14,000개 정도의 낱말을 알게 된다. 일반 성인이 약 2만에서 5만 개 정도의 단어를 말한다는 점을 감안하면 아이들의 언어 습득 속도는 실로 놀랍다.

이 장에서는 언어습득을 다루는 이론적 모형을 간단히 다루었으며, 그에 앞서 인간 언어의 기원과 더불어 언어 창조의 예를 간단히 살펴보았다. 아이들이 언어를 습득하는 발달적 이정표에 더해 단어습득과 관련된 제약 이론, 그리고 부모의 언어 입력의 특징을 '아기 지향어'로 간단히 요약하였다. 최근 들어, 이중 언어에 대한 관심이 높아지고 있어 이중 언어 환경에서 부모와 사회의 역할을 함께 다루었다.

8.1 인간 언어의 기원과 언어 창조

인간 의사소통의 기원을 살펴볼 때, 인간 아기의 언어 이전 제스처 의사소통은 성인의 협력적 의사소통과 구조적으로 상당히 닮아 있다. 개체 발생에서 인간에게만 독특한 형태로 나타나는 협력적 의사소통은 발달 초기에는 언어 이전의 제스처 의사소통, 특히, 가리키기 제스처에서 출현한다고 Tomasello(2008)는 주장한다. 특히, 인간의 의사소통 내에서는 정보주기와 협력하기라는 특징을 발견할 수 있으며, 인간 아기는 이러한 의사소통 능력을 모방을 통해 빠르게 습득할 수 있다. 아이들은 무엇보다 순환적인 마음 읽기를 통해 의사소통 과정에서 의도를 표현해내려는 욕구를 가지게 된다. 인류가 낼 수 있었던 발성은 처음에는 단지 정서 표현의 의미였을 뿐이었지만, 점차 이전까지 이뤄지던 손짓에 의한 의사소통을 대체해가게 되었을 것이다.

무엇보다 인간 언어의 기원의 중심에는 사회성이 있다. 뇌의 진화 과정에서 현생인류인 호모사피엔스가 다른 인류인 네안데르탈인을 물리치고 이 지구에 지배적인 종이 된 것도 서로 소통을 하여 사회성을 발휘하였기 때문이며, 이러한 소통의 중심에 말하기가 있었다.

지구상에 언어가 없는 부족은 없으며, 어떤 언어든 말소리로써의 체계와 문법 규칙을 가지고 있다. 언어가 이처럼 복잡한 구조를 가졌지만 보편적으로 존재한다는 사실은 언어가 선천적이라는 사실을 입증해 주는 증표라고 할 수 있다. 하지만, 언어가 보편적이라고 해서 이러한 언어들이 모두 선천적 언어 능력에 기인하였다기보다는 매 세대마다 아이들이 언어를 학습하는 데에 그치지 않고, 선천적인 언어 능력을 바탕으로 실질적으로 언어를 재창조하기 때문으로 설명하는 것이 보다 적절하다.

언어 재창조의 예는 피진(pidgin)어와 크리올(creole)어 사용에서 찾을 수 있다. 피진어는 서로 다른 언어권의 언어사용자들끼리 모였을 때 임시방편으로 만들어지는 혼합어 또는 혼종어를 지칭하는 용어이다. 이렇게 급조된 형태의 언어인 피진어는 대체로 어순이 가변적이고 문법 면에서도 조악하다고 알려져 있다. 크리올어는 언어 습득기의 아이들이 부모가 사용하는 피진어에 노출되었을 경우, 선천적 언어 능력을 바탕으로 자연스럽게 복잡한 문법체계를 도입하여, 완전히 새롭고 표현 가능성이 풍부한 언어로 재창조하여 자신의 모국어로 만들 때 생겨나는 언어를 말한다. 17세기경 대서양 노예무역과 남태평양 고용 노동 현장에서 이러한 피진어와 크리올어 사용인구가 관찰되었다. 담배, 면화, 커피, 사탕수수 농장의 소유주들은 서로 다른 언어적 배경을 가진 노예와 노동자들을 일터에 혼합하여 배치하게 되었고, 업무 수행 상당연히 공통의 의사소통 수단이 필요하게 되었다. 이러한 집단의 구성원들은 이전에 다른 나라의 언어를 배울 기회가 없었기 때문에 피진어라는 임시방편의 혼합어를 개발하게 되었고, 피진어 사용자의 후예들이나 이들에 의해서 양육된 아이들의 경우는 선천적 언어본능에 따라 크리올어를 만들어내게 된 것이다.

피진어 발생의 대표적인 예로는 20세기 초반 하와이 사탕수수 농장에서 영어를 지배 계층의 언어로 하고, 동아시아계나 아프리카계 노동자들의 언어가 혼용되어 사용되던 피진어가 있다(Bickerton, 1981, 1984). 이때의 피진어는 어순, 접사, 시제 등 문법적 요소나 단위들이 부족하여 복잡한 의미를 전달하기에는 구문 면에서 매우 허술하고 빈약했다고 한다. 하지만, 이후 피진어를 사용하는 부모에게서 성장하며 그 피진어를 익혔던 아이들은 부모세대의 언어와는 달리 규격화된 어순과 문법적인 표지까지 갖춘 진정한 언어를 창조해냈다. 인간의 선천적인 언어 능력을 가정할 수 있는 언어 창조의 예인 것이다.

청각장애인의 수화(sign language)에서도 언어 창조의 또 다른 예를 찾아볼 수 있다. 청각장애인이 있는 곳이면 어디서나 발견되는 수화는 그 하나 하나가 전 세계 소리 언어(spoken language)와 마찬가지로 문법 장치를 이용하는 독특하고도 완전한 언어이다. 니카라과에서는 1979년부터 청각장애인을 위한 학교가 설립되기 시작했고, 정부는 10세 쯤 되는 아이들에게 국가 주도로 독순법(lip reading)과 말하기를 중점적으로 가르쳤지만 결과는 참담했다고 한다. 아이들은 운동장과 통학버스 안에서 임시방편의 몸짓을 공동으로 고안해내서 그들 나름대로의 신호체계를 만들어 낸 것이었다. 그 신호체계는 하나의 피진어로 기능하게 되었는데, 일관된 동작체계와 문법체계가 없이, 그저 암시적이고 정교하게 꾸며낸 표현에 의존하고 있었는데, 이것이 '니카라과 수화(Nicaraguan Sign Language)'이다. 이후 4세 경에 학교에 합류한 어린이들이 좀 더 나이 많은 어린이들의 피진 수화법을 접하게 되면서 일시에 자생적으로 표준화해서 창조해 낸 것으로 보이는 '니카라과 관용어법 수화'가 생겨났고 이것이 크리올어가 되었다. 새로운 크리올어인 니카라과 관용어법 수화는 이전의 피진어 형태의 니카라과 수화에는 없던 많은 문법적 장치들을 도입했으며, 표현 또한 풍부해졌다고 한다. 초현실적인 만화의 줄거리를 다른 아이에게 설명할 수도 있고, 농담도 하고, 시를 짓고, 다양한 주변 생활 이야기도 할 수 있게 되어, 니카라과 관용어법 수화는 청각장애 아이들 사회를 하나로 묶어주는 역할을 하게 되었다고 한다(Senghas & Coppola, 2001).

이러한 언어 창조의 예들은 언어 습득이 인위적인 교육이나 모방을 통해서만 이뤄지지는 않는다는 것을 보여준다. 언어가 특별하게 창조되는 예를 보았지만, 일반적인 언어습득을 위해서는 어떤 특별한 상황을 필요로 하지도 않으며, 많은 아이들은 자신의 모국어를 배울 때 비슷한 종류의 언어적 선천성을 보여주기도 한다.

8.2 언어발달 이론

성인이 되어 외국어를 배워본 사람이라면 아이가 말을 배워가는 과정이 얼마나 경이로운지를 이해할 것이다. 아이는 어떻게 그리고 어떠한 과정을 통해 말을 배울까? 언어발달에 관련된 초기 행동주의 접근에서는 언어 습득이 모방과 강화 등에 의한 학습의 과정을 통해 이루어진다고 가정하였다. 그러나 언어가 일반적인 행동과 다르므로 인간은 언어 습득에 특수한 선천적인 심리적 기제를 가지고 태어난다고 주장하는 학자도 있다. 인간에게 유전되어 온 인지 능력의 일부로 언어 발달이 이뤄지는 것인지, 그렇지 않다면 환경적 언어 입력(linguistic inputs)을 통해 학습한 결과인지가 논쟁의 초점이었다. 어린 아이들이 언어 지식을 습득하는 방식에 관한 이러한 본성(nature)과 양육(nurture)의 논쟁은 지난 반세기가 넘게 언어심리학과 언어학, 나아가 인지과학 분야에서 논쟁과 관심의 중심에 있었다(Bates & Goodman, 1999; Chomsky, 1957, 1965; Elman et al., 1996; MacWhinney, 2004).

8.2.1 선천주의

일부 언어학자와 심리학자들에 따르면 인간 언어는 선천성에 기반을 두고 있으며, 이러한 선천적인 언어능력은 특정 언어 유전자에 의해 세대를 거쳐 유전된다고 한다. 어린 아이는 인간의 언어 구조에 관련된 선천적인 규칙이나 원리를 갖고 태어나기 때문에 그토록 빠르게 별다른 노력을 기울이거나 직접적인 교육이 없이도 언어를 습득할 수 있다는 것이다. 이러한 선천주의 가설(innateness hypothesis)에 따르면 인간의 뇌는 성숙되어 가면서 언어를 습득하도록 이미 프로그램되어 있으며, 아이들에게는 문법을 처리하는 타고난 능력이 있다. 즉, 아이들은 보편문법(universal grammar)을 갖고 태어나도록 유전적으로 결정되어 있으며, 뇌의 발달과 더불어 모든 언어의 일반적인 규칙에서 시작해 자신들의 특정 언어에서 나타나는 규칙을 습득할 수 있게 되는 것이다.

보편문법은 아이들의 언어습득에 관한 선천주의 이론의 기초가 되는 체계이다. 부모로부터 환경적으로 올바른 언어 입력(linguistic inputs)이 잘 이뤄진다면 아이들은 보편문법을 통해 언어를 학습할 수 있는 일반적인 규칙을 알아낼 수 있다. Chomsky에 따르면, 아이들은 유전적으로 언어를 습득할 수 있는 일종의 이론적 장치를 갖고 태어나는데 이를 언어습득장치(Language Acquisition Device, LAD)라고 한다. LAD는 일종의 이론적 두뇌 영역이며 출생 시부터 존재한다고 알려져 있다.

보편 문법에는 각 언어마다 달라질 수 있는 고유의 변수(예: 어순, 주어 사용)가 있으며, 언어발달은 이 변수 설정(parameter setting)의 문제이다. Chomsky가 제안한 원리-변수이론(principle-parameter theory)에 따르면 언어의 문법적인 요소는 상당부분 유전적으로 형성되어 있다고 가정하므로 언어경험의 역할은 제한적이라고 할 수 있다. 즉, 문법의 습득은 인지발달에 의존하지 않는 자율적인 능력이라는 것이다.

언어습득 과정에서는 언어 입력이 이뤄지는 시기 또한 무엇보다 중요하다. 언어습득이 생물학적 성숙의 과정이라고 믿는 이론가들은 언어습득에는 결정적 시기(critical period)가 있다고 제안한다(Lenneberg, 1967). 언어를 자연스럽게 습득하기 위해서는 18개월에서 아동기 중반 정도까지는 언어를 반드시 접할 수 있어야만 한다. 1970년 미국에서 발견된 Gennie라는 소녀의 사례는 초기 언어 입력과 사회화 과정의 중요성을 알려주는 계기가 되었다. 그녀는 13세까지 정상적인 언어 환경이 제공되지 않아 발견 당시 전혀 말을 하지 못했고, 이후 4년 간 세계적인 언어 전문가들에 의해 집중적인 언어교육이 이뤄졌지만 겨우 5세 수준의 일부 어휘만을 습득할 수 있었다. 이 밖에 부모 모두가 선천적 중도 청각장애인이어서 정상 청력을 가진 자녀에게 말소리 자극을 제공하지 못해 TV를 계속해서 보여주었지만, 아이들의 언어발달이 정상 수준에는 이르지 못한 사례 역시 전형적인 언어 발달을 위해서는 생물학적으로 결정된 시기에 적절한 언어적 상호작용이 필수적임을 증명해 주는 예로 볼 수 있다.

8.2.2 환경에 대한 강조: 경험주의와 행동주의

구성주의 또는 경험주의 접근은 아동이 노출되어 있는 환경적 언어 입력으로부터 언어지식을 습득한다고 주장한다(MacWhinney, 2004; Reali & Christiansen, 2005; Tomasello, 2005). 아동은 입력된 언어의 언어구조가 관련된 충분한 정보를 담고 있다고 가정하면서 이해한다. 앞서 살펴본 선천주의 연구자들이 언어구조에 관심이 있다고 본다면, 경험주의자들은 이론적으로 습득 연령이나 언어형식에 대해서는 비교적 관심이 적다. 오히려 이들은 언이를 습득하기 위해 아이들이 자신이 가지고 있는 일반적인 인지 기제에 의존한다고 제안한다(Abbot-Smith & Tomasello, 2006). 이러한 처리 과정은 특정 언어기제 또는 언어습득장치가 아닌 일반적인 뇌의 처리과정을 통해 수행된다는 것이 무엇보다 강조된다. 특히, 구성주의자는 언어 습득이 환경으로부터의 입력을 통해 언어 구조를 학습하는 것과 관련되어 있다고 제안한다.

언어습득에서 환경의 영향을 강조하는 언어발달 모형에서 아이는 학습과정에 기여하는 한 구성원으로 여겨진다. 아이와 언어 환경은 서로 역동적인 관계를 만들어 간다. 아이들은 언어습득을 위해 필요로 하는 적절한 언어를 제공하도록 자신의 입장에서 부모에게 단서를 준다. 부모는 다른 성인에게 하는 말과는 차이가 있는 여러 가지 형식과 방법의 '아기지향어(Infant directed speech, IDS)', 또는 아동 지향어(child directed speech, CDS)를 통해 어린 아이에게 말하는 방식에 적응해 간다. Tomasello(2008)에 따르면, 인간의 협력적인 언어 능력은 출생 후 아기가 외부와 관습적 의사소통을 공유하는 과정에서 생겨났으며, 유입되는 정보에서 자연발생적으로 어떠한 패턴을 찾으려 했기 때문에 가능했던 것이라 주장한다. 즉, 아이들의 언어는 명시된 규칙이 아닌, 환경과 일반적 인지 기제 간의 상호작용으로부터 발생한 결과인 것이다. 사회적 맥락 안에서 다른 사람과 함께 하는 상호작용을 통해 아이는 자연스럽게 언어를 습득하게 된다.

행동주의 이론에서는 인간의 발달을 학습에 의한 것으로 설명한다. 태어난 이후부터 어떠한 경험을 하는지에 따라서 인간은 다양한 특성을 가진 개체로 발달해 간다는 것이다. 행동주의 학자로 잘 알려진 Skinner는 인간이 행동을 배우는 과정과 유사하게 언어를 습득한다고 가정하며 1957년『언어행동(Verbal Behavior)』이라는 저서를 출판하기도 하였다. 어린 아이는 주변 사람들이 들려주는 언어를 모방(imitation)하며, 이러한 언어 자극에 뒤이어 아동이 성인의 행동이나 언어에 대한 반응으로 모방을 하거나 그 반응에 대한 보상이 뒤따르면 그러한 강화(reinforcement)를 통해 아동이 언어를 습득하게 된다는 것이다. 하지만, 아이들은 성인 언어에서는 나타나지 않는 새로운 표현을 스스로 만들어내기도 하는데, 두 세 살이 된 아장이들은 "곰이가" "안밥먹어요" 등 어른들은 하지 않은 말을 스스로 고안해 말하기도 한다. 이러한 특성은 영어를 말하는 아이에게서도 보편적인 현상이다. 예를 들어, 영어권의 일부 아이들은 동사 "go"를 배우고 나서 불규칙 과거형인 "went"를 말한 뒤, 다시 여기에 규칙 과거형을 사용해 "goed"를 말하기도 한다. 이러한 예들은 어른들이 가르쳐준 것이라기보다는 어른들이 사용하는 문법 규칙을 배우기 위해 아이들 스스로 추론과 검증을 거쳐 가는 단계에서 나온 말실수들이다. 즉, 아이들은 어른들이 가르쳐준 것만을 수동적으로 학습하기보다는 어른들과의 상호작용을 통해 적극적이며 창조적으로 언어적 성취를 이뤄내는 것으로 보인다.

8.2.3 언어발달을 설명하는 인지 발달의 전통적 이론

아이들이 의사소통을 하고 말을 하기 위해서는 상대방의 말을 듣고 나서 지각하고, 분석하고, 기억하여 저장하는 인지 능력이 요구된다. 인지는 지각된 정보를 이해하는 데 필요한 다양한 심적 활동들로 구성되어 있는데, 여기에는 주의, 변별, 조직화와 기억 등이 포함된다.

Piaget에 의하면 인간은 태어나는 순간부터 환경과의 적극적인 상호작용을 통해 자신의 인지구조(cognitive structure)를 재구성해 간다. 말을 하기 이전의 아기들을 관찰하면서 Piaget는 아기들도 세상에 대한 기본적인 지식이 있음을 발견하게 되었다. 지능은 언어적 소통에 의한 것이 아니며, 언어 발달이 사고(지능)에 뒤따른다는 가설에 이르게 된 것이다. 즉, 언어습득은 전반적인 인지발달의 산물이라는 것이 Piaget의 가정이다. 그에 따르면 인지와 언어는 서로 깊은 관련이 있으며 이 관계에서는 인지가 좀 더 지배적이다. 그러나 분명한 것은 인지와 언어의 발달이 어느 하나에서 다른 하나를 분리할 수는 없을 정도로 복잡하게 얽혀있다는 사실이다.

Piaget가 제안한 인지발달의 단계 이론은 감각운동기, 전조작기, 형식적 조작기, 구체적 조작기로 이뤄지는데, 이 가운데 언어발달이 급속히 이뤄지는 시기는 감각운동기(sensorimotor stage)와 전조작기(preoperational stage)이다. 감각운동기는 출생 후 2세까지인데, 이 시기 동안 아기가 보고, 듣고, 빨고, 탐색하는 모든 행위가 인지활동의 자료가 된다. 언어가 사물을 상징하며 그 언이를 사용하여 자신의 의도를 손십게 전달할 수 있다는 것을 아이가 인지적으로 깨달을 때가 바로 감각운동기이다. 이후, 창조적인 언어를 사용하기 시작하면서 물리적, 감각적 경험이 늘어감에 따라 사물을 인식하게 되고, 감각운동기 말기에는 상징적 사고를 함으로써 놀이나 언어를 통해 자신의 의사를 표현하기 시작한다. 따라서 여러 영역의 인지 능력이 발달하는 기초적인 단계라고 할 수 있다. 감각운동기에 습득할 수 있는 여러 인지 개념들은 다음과 같다.

먼저, 수단–목적 그리고 인과성 개념은 언어발달과 매우 관련이 높은 인지 개념이다. 수단–목적 관계를 안다는 것은 문제 해결을 위한 수단으로 여러 사물을 사용할 수 있는 이해능력을 갖추었다는 의미이므로, 말하기나 언어사용에 있어서 필수적인 기초 능력이다. 대략 12~18개월 경에 아기는 자신이 원하지만 멀리 떨어져 있는 것을 얻기 위해 막대나 끈을 사용하는 등 새로운 수단을 사용한다. 몸짓이나 목소리 등 가능한 수단을 모두 동원하여 의사소통하려는 시도를 보이기도 한다. 특히, 의사소통에 중요한 관습적 몸동작(예: 끄덕이기, 가리키기, 보여주기 등)을 사용하여 자신의 의도를 전달할 수 있으며, 18~24개월이면 앞으로 일어날 결과를 미리 예측하는 능력이 발달하는데, 의사소통에 있어서도 한 낱말과 더불어 낱말 조합을 사용하여 요구하기, 설명하기, 명명하기 등의 다양한 기능을 표현할 수 있게 된다.

인과성(causality)은 다른 사물이나 사람이 어떤 행위의 원인이 될 수 있다는 것을 깨닫는 인지개념이다. 4~8개월 경의 아기는 자신을 모든 행동의 기본적인 원인이라고 보는 자기중심적 인과성 개념만 갖고 있지만, 12~18개월에 이르면 다른 사람도 행위의 원인이 될 수 있다는 사실을 깨닫게 된다. 이러한 인과성 개념은 원인을 나타내는 초기 문장이나 질문하기 등의 기초능력이 된다.

감각운동기 아동이 습득하는 친숙한 사물이나 대상의 이름은 초기 단어의 60%를 차지한다. 8~12개월 경의 아기는 대상영속성(object permanence) 개념을 획득하게 되는데, 영어권 아이들이 'all gone'의 의미를 습득하거나 한국 아이들이 '없다/있다'의 개념을 알게 되는 시기와 비슷하다. 즉, 대상영속성 개념은 사물이 시각적으로 보이는 것이나 즉각적으로 사라지는 현상과 무관하게 독립적으로 존재한다는 것을 이해하는 능력이다.

동작 및 소리 모방 능력은 동작이나 음성을 사용하여 제시된 행동을 모방할 수 있는 능력을 의미한다. 그 밖에 도식(schema)은 아동이 다양한 기능과 관련하여 사물을 구별해 내는데서 시작한다. 이러한 사물에 대한 도식은 이름을 학습하기 위한 이름대기(naming)의 기초 능력이 된다. 이 시기 동안 아기는 사물을 흔들고 두드리고 움직여 보거나 치는 행동을 여러 대상에 적용하게 되고, 사물의 기능에 관한 행동을 하고 시각적 탐색을 시작했음을 성인에게 보여준다.

인지 발달에서 중요한 상징놀이(symbolic play)는 어떤 사물이나 행동을 다른 사물이나 행동으로 상징화하는 능력을 필요로 한다. 일상 사물에 대한 기능적인 놀이 단계는 11~13개월에 나타나기 시작한다. 18~24개월경에 아이들은 개념을 내재화시키는 심적표상 능력이 만들어지고 지연모방(deferred imitation:일정 시간이 지난 후 자발적으로 재연)이 가능해지며 상징기능(symbolic function)을 사용할 수 있게 된다.

전조작기는 2세에서 6~7세까지 시기이다. 이전 단계에서 습득한 지연모방이나 상징놀이들을 매우 활발하게 하고 언어 사용 능력도 급격히 진전되는 시기이다. 모국어의 문법을 익히고, 하루 평균 10개 정도의 새로운 단어를 습득하게 되는데 다음 단계인 구체적 조작기와 비교하여 논리적 사고나 문제해결에는 아직 미숙하며 자기중심성(egocentrism)이 특징이다.

Piaget에 의하면 인지발달은 아이가 생각이나 사실들을 양적으로 축적하는 과정이 아니라, 사고 과정에서 발생하는 질적인 변화이다(Piaget, 1954). 아이가 환경에 능동적으로 개입해야만 이러한 변화가 이뤄지며, 아이를 위해 해석해주고 상호작용을 촉진해주는 성숙한 언어사용자가 있어야만 가능하다. Piaget에 따르면, 개인이 다양한 세상사 지식을 이해하고 처리하기 위한 인지과정을 체계화하려는 경향을 조직화(organization)라고 한다. 적응(adaptation)은 환경에 대해 개인이 반응함으로써 변화를 이뤄내는 것이다. 이처럼 조직화와 적응은 아이의 인지발달을 위한 토대가 된다. 적응은 동화와 조절의 결과로 발생하는데, 둘은 서로 관련된 과정이다. 동화(assimilation)는 이미 가지고 있는 도식이나 인지 구조를 사용하여 외부 자극을 병합하는 것이다. 현재의 인지 구조를 가지고 자극을 다루려고 시도하기 때문에, 동화는 개인이 새롭게 지각한 자료들을 이미 있는 형태에 계속해서 통합하는 방식이다. 예를 들어, 장미나 국화가 포함된 꽃의 범주에 들어갈 수 있을 만큼 프리지어의 특성은 비슷하다. 이들은 똑같지는 않아도, 같은 범주에 동화할 수 있을 정도의 유사성을 가지고 있다. 이러한 범주화 과정을 통해 우리는 환경에 대한 감각을 제대로 갖게 된다. 조절(accommodation)은 기존의 도식에 외부 자극이 잘 맞지 않아 동화를 할 수 없을 때 인지 구조를 변형시키는 것이다. 즉, 이미 있는 도식을 수정하거나 새로운 도식을 만들어가는 것이다. 일단 도식을 외부 자극에 맞추어 조절하면, 새로운 정보는 동화되거나 새롭게 수정된 도식에 통합된다. 따라서, 인지발달에서 동화와 조절이라는 과정은 서로 상보적이고 상호 의존적이므로, 끊임없이 만들어지고 수정되며 인지 구조를 만들어감으로써 인간 아기가 환경을 이해하도록 돕는다.

8.2.4 단어 습득에서의 인지적 제약

첫돌을 전후해 걷기 시작하면서 아이들은 이전에 경험하던 세계와는 전혀 다른 세상의 수많은 자극들과 만나게 되며 이 시기에 처음으로 단어를 말하기 시작한다. Carey(1978)에 따르면, 어린이는 새로운 단어를 듣고 그 의미를 파악해 내는 과정에서 빠른 연결하기(fast mapping)를 통해 폭발적인 단어 습득이 가능해진다. 익숙한 환경 맥락 내에서 단어를 경험하는 기회가 많아진다면, 그 단어에 대한 초기 의미적 표상과 연결은 더욱 정교해질 수 있을 것이다. 아이들의 어휘가 짧은 기간 동안 폭발적으로 증가하는 현상은 초기 의미 습득 과정에서 단어 의미를 추론하도록 특정한 방향으로 이끌어 주는 인지적 제약(constraint)으로 설명이 가능하다.

우선, 초기 단어습득을 가능하게 하는 인지적 제약 또는 원리와 관련하여 연구자들은 온전한 대상물 가정(Markman & Wachtel, 1988)을 비롯한, 분류적 가정, 상호배타성가정(Markman, 1992) 등을 제안하였다. 온전한 대상물 가정(whole-object assumption)은 아동이 새로운 단어를 들었을 때 그 단어를 부분, 물질, 색깔, 움직임 보다는 온전한 대상물을 지칭하는 것으로 이해한다는 것이다. 분류적 가정(taxonomic assumption)은 하나의 단어는 같은 종류의 물체를 지칭한다는 것이다. 아이들은 세상의 물체를 주제적으로 연결하고자 하였기 때문이다. 예를 들어, 아이들에게 '소' 그림을 보여주고 같은 것을 고르게 하면 아이들은 '우유'를 선택하였으며, '소' 그림을 '닥스'라고 하고 또 다른 '닥스'를 고르라고 하면 '돼지' 그림을 선택한 것이다. 그 밖에 상호배타성 가정(mutually exclusivity assumption)에서는 하나의 사물은 하나의 이름만을 가진다고 가정한다. 이러한 가정은 아이들이 단어 의미를 추론하는 데 도움이 되는데, 예를 들어, 15개월 된 아기에게 이름을 알고 있는 친숙한 물체를 보여 주고, 새로운 이름을 말해주면 그에 맞는 또 다른 지시 대상(referents)을 찾기 위해 방안을 두리번거리는 행동을 하였다고 한다.

단어 의미 습득의 과정에 관한 이와 같은 인지적 제약에 관한 접근은 Chomsky의 보편문법도 예외일 수 없는데, 보편문법 역시 하나의 제약으로 받아들여지고 있다. 아이들은 대화 과정을 이해하거나 대화 상대방의 의도를 이해하는 과정에서 단어와 그 지시 대상을 연결하는 과제를 해결하기 위한 도움을 발견할 수도 있다. 예를 들어, Gathercole(1989)은 아이들이 새로운 단어가 새로운 의미를 가진다고 가정하는 것은 언어적 원리 때문이 아니고, 말하는 이가 의도를 전달하고자 하며, 만약 이미 알고 있는 단어로 충분히 의미가 전달된다면 새로운 단어를 쓸 이유가 없다고 아이들이 가정하기 때문이라고 제안했다. 즉, 아이는 소통 과정에서 말하는 이의 의도를 이해함으로써 비로소 새로운 단어의 의미를 이해하게 된다는 것이다. 따라서 Hoff(2007)가 제안하는 것처럼 단어와 지시 대상 간의 연결 문제는 논리적인 문제이기보다는 다른 사람이 전달하고자 하는 의미를 알아내는 사회적인 문제가 된다. 실제로 단어 습득과정에서 성인은 아이들이 대상에 주의를 기울일 수 있도록 협력하는데, 대화 상대방과 공동주의를 위해 협응하는 능력은 다른 사람의 행동과 생각을 예언하고 이해하기를 배우기 위한 결정적인 첫 단계라고 할 수 있다(Tomasello, 2008).

언어발달과 관련된 다양한 이론적 접근만으로 우리 아이들의 그처럼 빠른 시기 동안의 언어습득 과정을 모두 설명하지는 못한다. 모든 아이들이 똑같은 단계를 거쳐 성인과 같은 언어수준에 도달하는 것은 아니기 때문이다. 언어발달에서 생겨나는 개인차는 언어관련 종사자들이 반드시 고려해야 할 사항이다.

8.3 언어발달의 이정표와 언어습득

인간은 전 생애에 걸쳐 언어를 배운다. 기본적으로 모국어의 발음이나 문법에 관한 지식이 갖춰졌다고 해도, 계속해서 엄청난 양의 새로운 단어를 학습해야 한다. 이러한 새로운 단어의 학습은 생을 마감할 때까지 이어진다.

아기들의 언어발달은 예측이 가능한 순서를 따르지만, 목표에 도달하는 시점은 아이들마다 다양하며 개인차를 보인다. 즉, 아기들은 동일한 순서로 발달의 단계를 통과하지만, 일부는 다른 아기들보다 더 빨리 진전을 이루어 내거나 몇몇은 더 느리게 따라 갈 수도 있다. 일반적으로 아기는 5~10개월 경에 옹알이를 하는데, 8~10개월 경에는 이미 많은 단어를 이해하며, 보통 첫 생일 즈음에 첫 번째 단어인 '엄마' 또는 '맘마'를 말한다. 일부 아장이는 18개월 경에 두 단어를 포함한 형태의 발화를 산출하기 시작한다. 하지만, 어떤 아이들은 두 번째 생일이 되어도 이러한 평가 기준에 도달하지 못하기도 한다(〈표 1 참조〉).

〈표 1〉 초기 언어발달의 몇 가지 이정표

연령	언어발달 이정표
2~3개월	차례주고 받기, 원시적 대화
5~10개월	옹알이
8~10개월	단어 이해
10~12개월	첫 단어 산출
14~20개월	두 단어 발화 산출
18~30개월	상징 놀이

(Ludden(2016)에서 인용)

아기의 생애 첫 2~3년은 나머지 아동기 동안의 언어발달과 인지발달의 속도를 결정하며, 성인이 된 후의 최종적인 능력에도 영향을 미친다. 언어를 습득하는 데는 결정적 시기(critical period)가 있으며, 이 시기는 생후 2~5세 또는 아동기 중기까지 확대하여 언급되기도 한다. 모든 아이들이 말하기를 배우지만, 부모가 제공하는 언어 자극의 다양성에도 불구하고 아이에게 노출된 언어의 양과 질은 어휘력과 표현 언어에 영향을 미치며, 문해력(literacy)의 기초가 되는 상위 언어기술(meta linguistic skills)에까지 직접적으로 영향을 미친다. 언어에 대한 노출이 중요하지만, 언어습득을 위한 중요한 예측치는 아이가 주양육자나 다른 나이 든 가족 구성원과의 사회적 상호작용을 위해 보내는 시간이라고 할 수 있다.

언어발달의 시작이 부진했던 아기는 이후의 삶에서 사회적, 행동적, 학업, 심지어 심리적인 문제까지도 빈번하게 경험하게 되므로, 초기 언어 중재가 중요하다. 대략 5% 전후의 아이들이 초기에 언어적 어려움을 겪는 것으로 조사되기도 한다. 하지만, 18개월까지 말을 하지 않던 아기도 또래를 따라 잡거나 심지어 넘어서는가 하면, 어떤 아이는 이미 발달장애의 징후를 보이기도 한다. 정상 범위 아래로 떨어지는 아기들의 발달적 특징을 확인하고 변별하기 위한 최선의 접근은 언어 표현 이전 시기일지라도 여러 발달 영역들에 걸쳐 적절하게 평가가 이뤄지는 것이다.

언어발달은 사물을 시각적으로 재인하는 것에 더해 운동 기술 영역을 포함하여 발달의 모든 다른 측면과 관련되어 있다. 예를 들어, 단어 학습은 똑바로 앉을 수 있는 능력과 관련이 있다. 양손이 자유로워지는 아기는 비로소 대상을 조작할 수 있게 된다. 대상을 손에 쥐고 다른 손으로 그것을 만지거나 다루면서 아기는 범주 형성의 기초가 되는 대상의 견고한 특성에 대한 이해를 발달시켜 간다. 또한, 단어는 범주에 대한 이름을 포함하므로 아기는 범주를 발달시켜야만 비로소 단어의 진정한 의미를 학습할 수 있게 된다.

한 영역의 초기 발달 과정은 이후 다른 영역의 발달 과정에 영향을 미친다. 발달이 모든 영역에 걸쳐 함께 이뤄진다는 것은 작업 기억과 언어발달과의 관련성에서도 찾을 수 있다. 아기의 작업 기억은 매우 제한적이지만, 이는 나이 어린 언어 학습자에게는 확실한 이점으로 밝혀졌다. '적은 것이 더 많은 것을 담고 있다'(less is more)는 가설에 따르면 작업 기억 제약은 아기가 말 흐름을 분절하는 관련 단서에 집중하도록 돕는다. 달리 말하면, 만약 그 아기들이 성인 수준의 작업 기억을 지녔더라면 과제에 압도되었을 수도 있으므로, 아기의 미성숙한 체계가 오히려 발달에 확실한 혜

택이 된 것이다(Newport, 1988, 1999). 언어발달은 이미 발달적으로 성취를 이룬 특정 운동기술과 인지기술에 의존한다. 발달은 새로운 능력의 연쇄(cascade)로 진행되며, 각 능력은 앞선 능력에 뒤따라 연속적으로 성취를 이어가면서 성숙이 이뤄진다(Ludden, 2016).

언어발달에서의 성취와 진전은 또한 다른 행동 유형에 영향을 미친다. 아장이가 움직일 수 있게 되면 바로 사물을 가지고 놀게 되는데, 18~30개월에는 때로 놀이에서 사물을 대치하기 시작한다. 즉, 바나나를 전화기로 사용하거나, 냄비를 모자처럼 머리에 쓰기도 한다. 이러한 상징놀이 유형은 범주에 이름을 붙이는 것과 같이 단어에 대한 아동의 이해에 달려있지만, 한 가지 사물에만 한정되지는 않는다. 예를 들어, 아기들은 처음에는 멍멍이를 애완견만을 지칭하는 명칭으로 해석하지만, 이후 일반적인 개에 대한 용어로 확장시켜 간다. 이처럼 초기 발달기에 아이들의 상징 놀이 발달은 언어습득 수준과 매우 밀접하게 관련된다, 따라서, 이 시기 동안 만약 아이에게서 상징 놀이가 부족하다면 이는 발달과 관련된 지체적인 특성에 대한 징후로 해석되기도 한다.

단어를 습득하기 위해, 아기는 우선 말소리 흐름으로부터 무엇이 단어인지를 추출해야 한다. 아기는 이 과제를 수행하기 위한 다양한 전략들을 사용한다. 아기가 말소리 흐름의 길이를 재인하기 시작하면서, 연속체가 되풀이됨에 따라, 이러한 단어 형식에 대한 추상적인 표상을 발달시켜 간다. 먼저, 아기는 말하는 이의 목소리, 강세, 그리고 단어 형식의 일부분인 감정적 억양을 관련짓는데, 7~8개월까지 아기는 말하는 이와 억양 맥락이 달라짐에 따라 친숙한 단어 형식을 재인할 수 있게 된다. 요약하자면, 아기는 자신들이 습득하는 언어의 전형적인 단어 형식의 구조에 대한 이해 또한 발달시켜 간다.

첫 생일에 가까워지면서 아이는 친숙한 단어 형식을 특별한 의미와 연관 짓기 시작한다. 두 번째 해 동안, 아장이는 산출 어휘가 100개를 넘어 확장함에 따라 어휘 폭발(word explosion)을 경험하며, 단어 학습 기술이 증진되면서 학습의 속도는 이후 몇 년 동안 빨라지게 된다. 아장이가 하는 지시하기(pointing) 또한 소통의 중요한 형식인데, 여러 가지 친숙한 대상의 이름을 여전히 모르기 때문이다. 아장이는 원하는 대상을 지칭하기 위해 지시(point) 또는 몸짓(gesture)을 사용하지만, 이들이 움직임을 보일 때면 몸짓에 발성이 동반되기도 하며, 지시하기를 할 때는 주로 오른손을 사용하는 편파를 보이기 시작한다. 2세가 될 때까지, 대부분의 어린이는 가족 구성원들과 간단한 대화에 참여하며 이미 단어를 조합하여 말할 수 있게 된다.

8.3.1 아기 지향어

아이는 다른 사람이 말하는 것을 듣기만 하면서 언어를 배우지는 않는다. 오히려 아이들은 가족 구성원들과의 의사소통적 상호작용에 활발하게 참여한다. 2~3개월 아기도 주양육자와 원시대화(protoconversation)에 참여한다. 원시대화는 아기와 주양육자가 몸짓과 발성을 주고 받는 동안 얼굴 표정과 상호 응시(mutual gaze)를 통해 감정을 전달하는 사회적 교환의 한 방식이다. 이러한 비언어적인 대화는 아이와 성인 양쪽 모두에게 아주 즐겁지만, 아기가 부정적인 감정을 표현할 때 주양육자는 재빨리 안정감을 제공하거나 주의를 환기시킨다. 이러한 상호작용은 아기가 일찍 다른 사람의 감정 읽기와 대화적 차례 맡기(turn-taking) 같은 사회적 행동을 배울 수 있게 한다. 원시대화를 하는 동안 아기는 일반적으로 주양육자의 얼굴을 쳐다보지만, 주양육자의 눈과 입 사이로 주의를 옮겨 간다. 일반적으로 눈 주위는 주양육자의 감정 상태에 대한 중요한 정보를 드러내며, 입의 움직임은 말소리가 산출되는 방식을 보여 주기 때문이다.

성인은 아기와 대화할 때 자신의 언어 형식을 과장해서 사용하는 경향이 있다. 아기는 성인이 일반적인 말하기 스타일로 말해줄 때보다 아기 지향어(infant directed speech)로 말하는 것을 선호한다. 아기 지향어의 몇 가지 특성은 아이가 자연스럽게 언어를 배울 수 있도록 도와주며 흔히, 모성어(motherese)라고 한다. 우선, 아기의 주의를 이끌 수 있도록 운율이 과장되어 있어 단어 간의 경계에 대한 중요한 단서를 제공한다. 또한, 아기에게 말할 때 몇 가지 핵심 어휘만을 사용해 문법적으로 복잡하지 않은 표현으로 말해 준다. 단어를 반복하고 과장된 강세를 사용해 말함으로써 아이가 단어에 좀 더 주목하기 쉽게 또는 강조하며 두드러지게 만든다. 아기는 적은 어휘만으로 반복해서 들려주는 표현들에 곧 친숙해지게 되고, 이후 이러한 표현들을 더 쉽게 재인할 수 있게 된다. 물론, 아기가 이러한 단어의 의미를 모두 이해하는 것은 아니다. 10개월에 자신이 들은 말소리의 흐름을 분절하는 능력은 2세경이 된 아이의 어휘 크기를 예언해 주는데, 이는 초기 말소리 흐름의 분절화로부터 이후 단어 습득에 이르기까지의 발달이 이어지고 있음을 말해준다.

8.4 이중 언어

자라면서 두 개 언어에 노출되어 이중 언어를 발달시키는 아이들이 있다. 이중 언어(bilingualism)란 한 개인이 두 개 이상의 언어를 사용하는 경우를 말한다. 아이마다 두 가지 언어를 습득하는 시기나 두 언어에 노출되는 정도가 다양하므로 다양한 언어발달 특성을 보인다. 아동이 태어나는 시점에서 두 가지 언어에 동시에 노출되어 습득이 이뤄지는 동시적 이중 언어(simultaneous bilingualism)는 단일 언어로 언어발달을 시작해 세 살 이전에 두 언어가 함께 발달하는 경우이다. 순차적 이중 언어(sequential bilingualism)는 모국어가 비교적 완전하게 습득된 이후에 제 2언어에 노출되거나 자연스런 습득이 이뤄지는 경우이다. 대체로 한 언어는 태어나면서부터 가정에서 자연스럽게 습득하고 이후, 두 번째 언어를 대개 세 살이 지난 후에 또래들과 또는 학교에서 배우게 된다.

이중 언어 아동의 언어습득은 아이 개인이 갖고 있는 능력이나 자질 이외에 특히 환경적인 요인에 의해 영향을 받는다(Bialystok, 1991). 아이를 둘러싼 사회 문화적 요인과 부모의 언어적 입력이 중요하게 작용하는데, 언어 환경에 따라 이중 언어 아이들이 단일어를 사용하는 아동과 비교하여 상위언어적 기술이 뛰어나거나(Bialystok, 2001) 지능이나 사고에서 유연함(cognitive flexibility)을 보이기도 한다(Peal & Lambert, 1962). 하지만, 이와는 달리 두 언어 모두에서 능숙하게 사용하는 정도로 발달하지 못하는 준이중언어(semiligualism)가 될 수도 있다,

아이들이 이중 언어를 습득하는 과정에 대한 두 가지 가설이 흥미롭다. 단일체계

가설(unitary system hypothesis)에서는 이중 언어를 말하는 아이들이 두 언어를 모두 포괄하는 단일 체계를 구성하여 하나의 어휘집(lexicon)에 두 언어의 단어를 모두 포함하여 두 언어에 동일한 문법규칙을 적용한다고 제안한다. 하지만, 이러한 제안은 많은 논쟁을 불러일으켰고 대부분의 최근 증거는 아이들이 초기부터 분화된 서로 다른 체계를 가진다는 별도체계가설(separate system hypothesis)을 지지한다(Hoff, 2017). 아이들은 처음부터 두 가지 언어 각각의 음운, 어휘, 의미 체계를 구성해 가는데 이를 위해 상황에 따라 가장 적절한 어휘를 사용하기 위해 노력해야 한다. 하지만, 음운과 어휘, 문법 체계에 따라 이러한 언어 분리에 대한 연구는 논쟁의 중심에 있다.

동시적 이중 언어를 습득하는 아이의 가정에서는 부모 중 한 사람이 다른 언어를 말하는 경우가 대부분이다. 동시적으로 이중 언어를 습득하는 아이들의 발달 단계를 살펴보면, 초기 습득 과정에서 두 언어의 어휘를 분리시켜 습득하며 어휘가 겹치는 경우는 비교적 드물다. 이후 두 언어의 공통적인 문법구조를 배우고, 단순한 문법 구조부터 익힌다. 이러한 단계를 거치는 아이들은 학령 전기에 두 언어의 어휘나 문법 구조를 모두 익히게 되는 것으로 보인다(Owens, 2015). 이중 언어를 경험한 아동들은 초기 어휘습득 과정에서 한 가지 대상에 대한 두 개 언어의 전혀 다른 언어적 입력을 경험하게 된다. 이러한 두 가지 전혀 다른 언어적 입력이 아동의 언어발달에 혼란을 야기할 수도 있겠지만, 빠른 연결하기(fast mapping)의 제약들을 적절하게 적용할 수만 있다면, 두 가지 언어의 어휘습득에서의 여러 어려움들이 비교적 쉽게 극복될 수도 있을 것이다(Kana & Hohnert, 2008).

순차적 이중 언어는 모국어를 습득하고 난 이후에 제2언어의 형태로 또 다른 언어를 습득하는 경우인데, 이민 2세대들이 주로 해당한다. 순차적 이중 언어의 성공 여부는 제2언어의 학습 연령, 동기, 문화 간 차이 등 다양하다. 따라서 이중 언어를 경험하거나 이중 언어 환경에 처해 있는 아동에게서 발생할 수도 있는 비전형적인 말-언어 발달을 예방하고, 보다 적절한 언어교육 환경을 제공할 수 있어야 한다. 특히, 발달에 영향을 미치는 특정 상황이나 요인들을 잘 살펴야 하는데, 언어차이(language difference)와 언어장애(language disorder)를 구별하는 것이 무엇보다 중요하다.

이중 언어 환경에서는 아이들이 대화 상대방이나 상황에 따라 언어 또는 어휘를 달리 선택해 표현 방식을 바꾸어 말하는 경우가 있는데 이를 코드 변환(code switching)이라 한다. 이러한 특성은 이중 언어를 말하는 성인 화자에게서도 나타난다. 예를 들어, 흔히 우리는 한국어로 대화를 하면서 '갭gap(간격)' '디스커션discussion(토론)' 등의 영어 단어를 자연스럽게 섞어 사용한다.

이중 언어 습득이 언어발달, 특히 의미론적 발달에 미치는 영향에 관한 여러 접근이 있다. 예를 들어, Oller 등(1997)에 따르면 단일 언어에 노출된 아기와 두 가지 언어에 노출된 아기들은 비슷한 시기에 옹알이를 시작한다고 한다. 반면 이중 언어를 말하는 5세와 그 이상 연령의 아동은 동일한 연령의 단일어를 말하는 아동과 비교해 각 언어에서 이해하는 단어 수가 비교적 적었다고 한다(Rosenblum & Pinker, 1983; Umbel, Pearson, Fernandez, & Oller, 1992). 하지만 아동이 말하는 단어 수보다 중요한 것은 두 언어에서 동일한 사물에 대해 각각의 단어를 갖고 있느냐의 문제이며, 일반 아동과 마찬가지로 초기 단어 습득을 위해 의미 추론의 다양한 원리를 적절하게 적용하느냐의 문제일 것이다.

이중 언어를 잘 습득할 수 있게 하려면 초기 0~3세 동안 아이가 어머니와의 대화에서 모국어를 통한 다양한 언어적 상호작용을 할 수 있어야 한다. 부모의 언어가 서로 다른 경우, 부모가 서로의 언어를 일관된 사용하는 것은 무엇보다 중요하다. 이러한 일관된 언어입력을 위해서는 자녀의 초기 양육과 언어발달 과정에서 어머니의 모국어 사용에 대한 가족과 사회의 배려가 무엇보다 중요하다. 또한 이중 언어 환경의 중요성과 양육 시 언어 입력의 방법이나 적절한 모성어 사용 등에 대해 외국인인 부모의 이해를 돕기 위한 가족 지원 교육이 필요하다. 이중 언어 환경에 노출되는 아동의 경우, 초기 언어발달과정에서 약간의 지체가 있을 수도 있다. 이러한 지체는 일반적인 언어 발달의 다양한 양상과 비교하여 다르지 않거나 환경적 요인으로 인한 일시적으로 나타나는 발달적 차이인 경우도 있다. 따라서 아이 스스로 적극적인 화자로써 역할을 할 때까지 이해하고 인내하며, 기다려주는 성인들의 지지와 격려가 필요할 것이다.

이중 언어 환경에서 바람직한 가족 지원 요인으로는 아버지와 어머니가 서로 상대방 나라의 언어를 함께 배움으로써 아동과의 의사소통 과정에서 자연스럽게 아동의 이해를 돕게 하는 것이다. 또한 아동이 어릴수록 보다 자연스럽게 어머니의 언어를 쉽게 접하도록 해야 한다. 가정에서 어머니의 모국어를 자연스럽게 사용할 수 있어야 하며, 두 나라의 언어와 문화를 함께 존중하는 가족 환경이 무엇보다 중요하다.

학습목표

1. 인간 언어의 기원과 협력적 의사소통의 중요성을 이해한다.
2. 언어발달을 설명하는 이론들을 이해한다.
3. 아이들이 어휘를 습득하는 원리를 이해한다.
4. 아기지향어가 무엇인지 이해한다.
5. 이중언어의 특징을 이해한다.

학습문제

1. '사회성'이라는 인간 고유의 특성과 '아기 지향어'를 관련지어 설명하라.
2. 이중 언어를 말하는 아이들이 보일 수 인지적 유연성에 대해 설명하고, 그 이유에 관해 토의하라.
3. 언어발달 이론에서 선천주의와 행동주의를 정의하라.
4. 만 1세 아이의 신체 발달과 언어발달(이해와 표현) 특징을 써 보자.
5. 미디어나 주변에서 이중 언어를 말하는 학령전 아이를 찾아 그 특징을 써 보자.

CHAPTER

09

문자와 문해

문자는 언어의 내용을 소리가 아닌 시각적인 상징체계로 전달한다. 문어는 구어 내용을 2차적으로 전달하는 수단이기 때문에 구어를 기초로 하고 어휘나 구문 등의 기본적인 언어처리과정을 구어와 공유한다. 하지만 구어(spoken language)와 문어(written language)는 청각적인 통로와 시각적인 통로를 이용한다는 점에서 뚜렷이 구분이 되며, 몇 가지 차이점이 있다. 먼저 구어는 공식적, 의도적인 학습이 없이도 일상생활에서의 자연스러운 언어자극 노출만으로도 습득되며, 생물학적, 신경학적 체계에 기반하여 습득되므로 구어발달은 일반적인 발달을 하는 사람이라면 언어와 관계없이 누구나에게 일어나는 보편적인 일이다. 그래서 몇몇 언어발달 이론가들은 인간이 언어습득능력을 선천적으로 타고난다고 주장하기도 한다. 그러나 이에 비해 문어는 의도적, 공식적인 교육 없이는 학습이 되기 어렵고(간혹 공식적인 교육을 해도 어렵다!), 구어만큼 다른 생물학적, 신경학적 발달과정에서 자연스럽게 나타나지는 않는다. 또, 상황과 상대방이 있는 맥락에서 의사소통에 사용되는 구어에 비해서 문어는 상황과 시간의 구애를 덜 받는 '탈맥락적인(decontextualized)' 의사소통 방법이다. 때문에 오래 보존되고 멀리까지 전달되며 여러 번 반복적으로 제시될 수 있지만, 반면 구어 의사소통에서 의미 파악에 도움을 주는 화자의 억양이나 강세, 쉼 등의 준언어적 요소가 사용될 수 없고 의사소통 맥락을 공유함으로써 얻을 수 있는 단서가 없기 때문에 이해하기가 훨씬 어려울 수도 있다. 게다가 공식적인 의사소통에 사용되는 특성으로 구어보다 좀 더 어렵고 추상적인 단어가 사용되며 복잡한 문장을 사용하기 때문에 문자 체계를 가진 언어를 사용하는 사람 중에도 문맹인 경우도 있고, 어떤 언어는 문자 체계를 가지고 있지 못하고 구어로만 존재하는 언어도 있다. 인류가 일상적인 의사소통에 필요한 구어 외에 문자를 고안해내기 시작한 것은 매우 오래 전의 일이지만 인쇄기술과 문자 교육이 대중화된 것은 상대적으로 최근의 일이기 때문에 그 전까지 문어사용에 대한 교육을 받지 못한 사람들은 문자를 이해하고 사용할 수 있는 사람들에 비해 정보에 접근할 수 있는 기회에 제약이 있었다. 이런 이유로 아직까지도 음성언어를 사용하는 모든 사람이 문자를 사용하고 있는 것은 아니다.

9.1 문자의 종류와 역사

인류역사 초기에 사용된 문자의 모습은 오늘날 우리가 사용하는 문자와는 모양이 아주 달랐고 또 지역과 환경에 따라 다양한 문자가 사용되어왔다. 초기의 문자는 주로 동굴이나 벽에 그림으로 어떤 장면을 그려서 내용을 전달하려고 했기 때문에 사물의 모양을 본뜬 그림문자(pictogram)가 사용되었다(〈그림 1〉 참조).

미스텍(Mixtec)의 그림문자

〈그림 1〉 그림문자

(출처: 강범모, 언어: 풀어쓴 언어학개론)

그러다가 이러한 그림이 사물과의 관련성이 약화되면서 추상화, 단순화된 상형문자가 되었고 다시 더 추상화되어 개념만 남게 되어, 각 글자가 하나의 단어 혹은 형태소를 나타내는 표의문자(logographic writing/ideogram)로 발전되었다. 한 글자 한 글자가 의미를 가지는 한자가 대표적인 표의문자의 예인데 한자가 사물을 본뜬 글자에서 표의문자로 변화하는 과정은 〈그림 2〉와 같다. 입을 나타내는 한자 구(口)는 누가 보더라도 쉽게 입을 벌린 모양과 비슷함을 알 수 있고 어미 모(母)의 경우 엄마가 아기를 안고 젖을 물리는 모양에서 변형했다는 것을 보면 한자어는 상형문자에서 발전한 표의문자임을 알 수 있다. 〈그림 2〉에서도 사람 인(人)은 사람이 서있는 모양에서, 해 일(日)은 해의 모양에서 변형되어 온 글자라는 것을 쉽게 알 수 있다. 한 글자가 한 단어를 나타낸다면 한자에는 이론적으로 중국의 어휘 수만큼이나 셀 수 없이 많은 글자가 필요하다는 결론에 이른다. 실제로 우리가 알다시피 한자어를 배울 때 초기에 익히는 '천자문'만 해도 1000개의 글자가 있으니 한자의 글자수는 한글에 비하면 어마어마하게 많다.

사람	人
여자	女
귀	耳
물고기	魚
해	日
달	月
비	雨

한자의 모양 변화

〈그림 2〉 한자의 변화

(출처: 강범모, 언어: 풀어쓴 언어학개론)

그림문자는 단순화되면서 상형문자로, 다시 뜻을 나타내는 표의문자로 변형하기도 한 반면, 또 한편에서는 상형문자가 소리를 나타내는 표음문자로 발전해갔는데, 음절문자(syllabic writing/syllabary)가 그 한 예이다. 음절문자가 나타나면서 드디어

글자가 의미와 분리되고 소리와 결합되기 시작하였다. 음절문자는 자음과 모음의 결합인 한 음절을 하나의 글자로 나타내는데, 일본어가 대표적인 음절문자라고 할 수 있다. 일본어로 あ는 '아', か는 '가'라는 소리를 나타낸다. 일본어는 종성 없이 하나의 자음과 모음이 결합한 CV 형태의 음절만 존재하고, 모음과 자음의 수가 많지 않기 때문에 음절문자로 표기하기에 적절하다고 할 수 있다. 그러나 음소수가 많은 언어의 경우 음절단위로 문자를 표현하기 위해서는 너무 많은 글자가 필요하므로 이보다는 좀 더 분절된 음소단위 표기로 소리를 표시하는 표음문자인 음소문자(phonetic writing)가 출현하게 되었다. 영어의 알파벳이나 우리 한글이 이에 해당한다. 실제로 일본어는 히라가나라 외에 외래어 등을 표기하기 위해 한자어에서 차용한 가타가나, 다른 복잡한 외래어들을 표시하기 위해 사용하는 음절기호까지 일본어의 글자소(grapheme)는 1000개 이상으로 늘어나게 된다. 이에 비해 알파벳을 사용하는 영어나 한글의 경우에는 아주 적은 글자소로 음성언어를 표기할 수 있기 때문에 매우 효율적이고 경제적인 문자체계라고 할 수 있다. 영어에는 26개의 알파벳이 있고 한글은 자음 19개, 모음 21개로 총 40개의 글자소가 있는데 이것으로 수없이 많은 일본어나 한자어 글자소가 하는 역할을 하고 있는 것이다. 지금까지의 문자의 발달과 분류를 정리해 보면 〈그림 3〉과 같다.

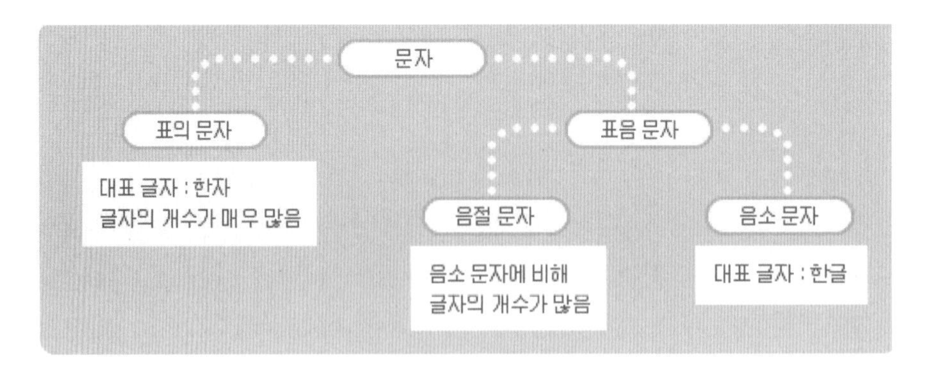

〈그림 3〉 문자의 분류

(출처: 국립국어원 홈페이지 '알고 싶은 한글' 코너)

9.2 한글의 특징

한글의 경우에는 단순히 음소문자일 뿐만 아니라 더 나아가 음운자질까지 표시할 수 있는 자질문자라는 견해도 있다. 왜냐하면 한글은 동일한 위치에서 산출되는 자음들을 유사한 모양으로 설정하고 앞서 3장 음운론에서 언급한 변별자질인 기식성과 경음성에 따른 체계적인 변화를 글자들에 반영하였다. 예를 들어 한글에서 'ㄱ', 'ㄲ', 'ㅋ'와 'ㅂ', 'ㅃ', 'ㅍ'와 'ㄱ', 'ㄲ', 'ㅋ'에서 [+경음성]은 같은 글자의 중복으로, [+기식성]은 획을 추가함으로써 드러난다고 할 수 있다(〈그림 4〉 참조). 하지만 영어에서 이 소리에 해당하는 'b'와 'p', 'd'와 't'에서는 어떤 공통점이나 체계적 변화가 보이지 않는다.

b:p d:t g:k	ㅂ:ㅃ:ㅍ ㄷ:ㄸ:ㅌ ㄱ:ㄲ:ㅋ

〈그림 4〉 영어와 한글 글자 체계 비교

이러한 한글의 변별자질에 따른 체계적 계열성에 대해 국립국어원 홈페이지 '알고 싶은 한글' 코너에서는 이렇게 설명하고 있다.

> …이렇듯 한글은 음소 문자들 가운데에서도 매우 독특한 특성을 가지고 있다. 자음이나 모음을 나타내는 각각의 글자들이 원자적(原子的)인 것이 아니라, 일정한 내적 특성을 보여 주는 것이다. 'ㅋ'이나 'ㄲ'은 원자적인 하나의 낱글자라고만 볼 수 없고, 'ㄱ'과 거기에 추가된 하나의 획, 그리고 두 개의 'ㄱ'으로 분석할 수 있는 것이다. 한글이 지닌 이러한 체계성을 중시하여, 한글을 단순히 음소 문자로 보지 않고 자질 문자(featural writing system)라는 새로운 범주를 만들어서 거기에 속하는 것으로 보는 학자도 있다. 자질 문자는 인간이 만들어 낸 여러 문자 체계들 중에서도 가장 발달된 고도의 체계이다. 그리고 이 범주에 드는 문자는 아직 지구상에 하나밖에 없다. 우리는 그런 문자를 가지고 있다는 것에 대해 자부심을 느끼지 않을 수 없다.

지금까지 세계의 문자를 대략 몇 가지로 나누어 보았는데 실제 세계의 언어를 살펴보면 대체로 표의문자, 음절문자, 음소문자(알파벳 문자)라는 것이지 어떤 언어의 문자가 완전히 음소문자이거나 완전히 음절문자이기만 한 것은 아니며, 한 문자에서 음절문자와 표의문자, 음소문자의 성격이 동시에 나타나는 경우가 많다. 영어에서는 OK(okay), OJ(orange juice) 같은 줄임말이나 CSI, FBI 같은 두문자어가 자주 사용되는데 이 경우는 하나의 글자가 한 단어를 나타내는 표의문자처럼 사용된 것이다. 우리말은 음소문자이긴 하지만 영어처럼 음소를 직선적으로 배열하는 것이 아니라 음절 단위로 모아서 적게 되어 있어서 일견 음절문자로 혼동할 수 있기도 하다. 또, 최근에는 표준용례는 아니지만 온라인상에서 'ㅇㅋ(오케이)', 'ㅇㅈ(인정)'같이 하나의 글자소가 한 음절을 나타내도록 사용되거나 '학식(학생식당)'처럼 한 음절이 한 단어를 표시하는 줄임말을 자주 사용하고, 심지어는 'OTL', '댕댕이'처럼 글자가 어떤 사물이나 다른 단어의 모양을 형상화하도록 새로운 말을 고안해 사용하기도 한다.

한글 자음의 창제원리를 보면 전 세계에서 유래를 찾아보기 어려울 만큼 과학적으로 그 음소를 산출하는 조음기관의 모양이나 그 음소를 발음할 때의 조음기관 모양의 변화를 본떠서 만들었는데 이는 일면 시각적 정보를 담은 그림문자와 비슷한 성격이라고도 할 수 있다. 예를 들어 'ㅁ'은 입술을 붙였다 떼면서 나는 입술소리이므로 입술의 모양을 본떠 만들었고 'ㄴ'은 혀를 치경에 닿게 하여 발음하는데 이때의 혀의 모양을, 'ㅅ'은 음소가 발음되는데 중요한 역할을 하는 치아 모양을 형상화하도록 만들어졌다. 조음기관의 모양을 본뜬 것이기도 하면서 더 나아가 소리가 산출되는 원리를 반영한 것이므로 이는 상당히 과학적이라고 할 수 있다. 모음의 경우에는 'ㆍ'와 'ㅡ', 'ㅣ'의 세 요소를 조합하여 만들었는데 각각 하늘과 땅, 사람을 나타내므로 철학적, 개념적이면서도 시각적인 요소가 모두 담겨 있다.

영어 알파벳이 소리를 음소단위로 적는 음소문자이긴 하지만 철자법과 말소리가 정확히 일치하지는 않는다. 아니 더 나아가 영어는 발음과 철자 차이가 큰 언어로 유명해서 인위적으로 철자법을 발음과 일치시키는 방향으로 철자법의 대대적인 개정을 하기도 하였고, 어려운 단어 철자쓰기 대회가 정기적으로 진행되기도 한다. 그에 비해 한글은 철자와 발음이 일치하는 언어 중의 하나로 인정받고 있으며, 배우기가 쉽기 때문에 최근 문자가 없는 인도네시아의 한 소수민족은 그들의 말을 표기하는 공식언어로 한글을 채택하기도 했다.

많은 글자소를 필요로 하는 표의문자나 음절문자에 비해, 혹은 같은 음소문자인 영어 알파벳과 비교해 보아도 한글은 '·'와 'ㅡ', 'ㅣ'의 세 요소로 거의 대부분의 모음을 만들 수 있고 자음도 기본적인 몇 개의 자음만으로도 획 추가로 같은 계열의 여러 자음으로의 변형이 가능하다. 때문에 세계 어느 언어보다도 PC에서나 모바일에서의 키보드 자판 사용에 매우 간소하고 편리한 특징을 가진다.

영어가 문자들을 일렬로 나열하는 방식으로 써나가는데 비해 한글은 음절단위로 모아적는 특징을 가지고 있다. 즉, '자음+모음'이나 '자음 + 모음 + 자음'의 글자를 음절단위로 사각형 틀 안에 배열하여 조합하는 방식으로 써나가게 된다. 우리말에서는 'ㅏ'나 'ㅣ'처럼 모음이 오른쪽에 배열되기도 하고 'ㅗ'나 'ㅜ'처럼 아래에 배열되기도 하고 'ㅚ'에서처럼 아래와 오른쪽에 동시에 배열되기도 해서 한글의 글자유형은 자음과 모음의 결합형태와 종성의 유무에 따라 6개의 유형으로(예: 1형–가, 2형–고, 3형–과, 4형–강, 5형–공, 6형–곽) 나타난다(이상로 외, 1989). 아이들의 문해발달은 보통 종성이 없는 1형과 2형을 먼저 습득하고 이후에 종성이 포함된 4~6형을 읽을 수 있게 된다.

9.3 문해과정

문해(literacy)과정이란 글을 읽고 의미를 파악하는 데 필요한 사고와 인지과정을 모두 아우르는 개념이다. 앞서 구어와 문어는 어휘나 구문 등 언어적 처리과정을 공유하면서도 지각적 분석이나 단어재인과정에서는 뚜렷한 차이를 보인다. 구어는 말소리가 청각적으로 지각되어 글자와 소리의 일대일 대응을 기반으로 분석되어 음운적 표상을 통해 심성어휘집(mental lexicon)에서 단어의 의미 정보가 활성화되고 재인되는데 비해, 문어는 구어와 같이 음운적으로 해독되는 처리 경로를 거치기도 하지만 이와 다른, 직접적인 경로로 처리될 수 있다. 즉, 시각적으로 입력된 정보가 바로 통글자로 인식되어 단어가 재인되는 것이다. 낯설고 새로운 단어를 읽는 경우에는 자소와 음소의 일대일 대응에 기반한 음운적 표상을 거쳐 재인되나, 익숙한 단어의 경우에는 단어 내 음소단위 처리(음운적 표상) 없이 시각적 분석에서 바로 하나의 통글자로 인식되어 더 직접적이고 신속한 단어재인이 가능해진다.

이렇게 시각적, 청각적 자극이 입력되어 음소자소 대응과 낱말재인, 이후 담화처리로 진행되는 과정은 언어의 작은 단위에서부터 크고 의미 있는 단위로 처리가 진행되므로 읽기 이해의 상향적(bottom−up) 과정이라고 할 수 있다. 반대로 읽기이해의 하향식(top−down) 과정은 읽는 이의 배경지식 등으로 전체 글의 도식이나 전반적인 내용이 먼저 파악된 뒤 이를 바탕으로 그 내용 안에 포함된 구문과 단어 등의 하위 단위에 대한 가설을 세우고 이를 검증해 나가는 읽기 방식이다. 대부분의 경우에는 읽기자료의 난이도나 읽는 사람의 읽기 기술 숙련도에 따라 상향적 읽기와 하향적 읽기 과정이 병행되어 적용되는데 읽기의 상향적 접근과 하향적 접근 과정은 〈그림 5〉와 같다.

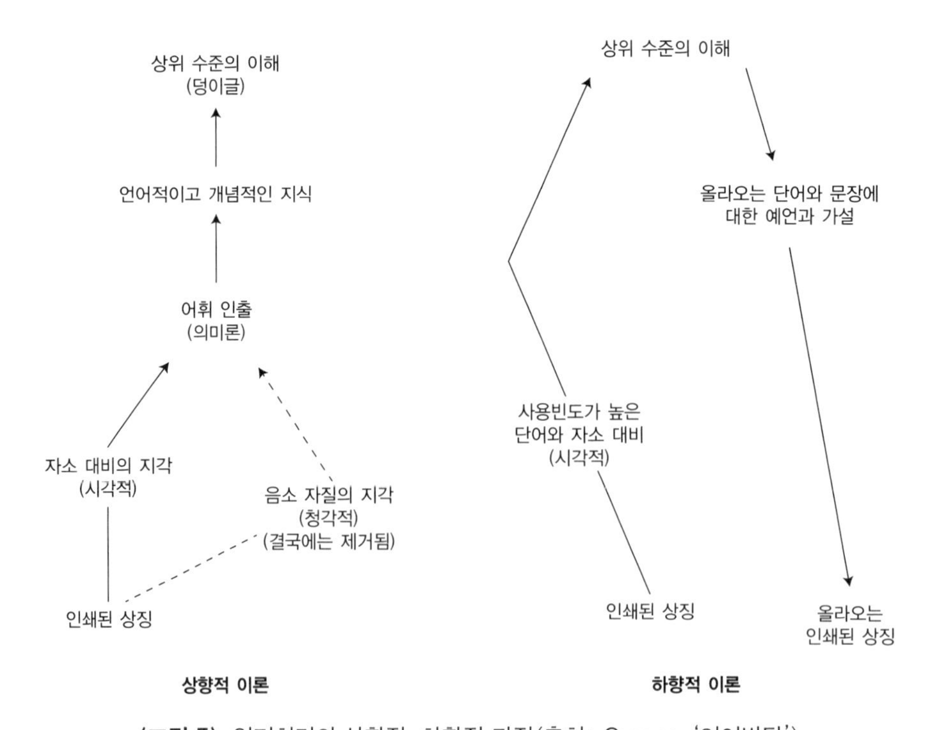

〈그림 5〉 읽기처리의 상향적, 하향적 과정(출처: Owens, '언어발달')

이러한 읽기처리 방식은 크게 글자소와 음소를 대응하거나 시각적으로 인지해 낱말을 재인하는 것과 보다 상위수준의 이해로 나뉘는데 이 두 과정 중 어디에 문제가 있느냐에 따라 읽기장애를 분류하기도 한다. 즉, 자소와 음소를 대응하거나 통글자로 시각적 재인을 하는 데에 문제가 있으면 음운처리과정에 문제가 있는 난독증으로 보고, 읽기 이해에 문제가 있는 경우는 특정읽기결함이라고 하며, 이 두 과정에서 모두 문제를 보이는 경우를 혼재읽기장애라고 한다.

앞서 문어도 구어와 마찬가지로 언어능력에 기반한 것임을 언급한 바와 같이 읽기를 잘 하기 위해서는 어휘, 구문 등의 언어학적 지식이 필요하다. 특히, 구어보다 문해능력에 특정하게 영향을 주는 언어학적 기술은 음운인식(phonological awareness)이라고 할 수 있다. 음운인식은 낱말을 구성하는 말소리에 대해 인식하고 합성, 탈락, 대치하는 등 말소리를 조작할 수 있는 능력이다. 난독증 아동의 경우에는 음운과정 문제로 읽기를 공식적으로 배우는 학령기 이전부터 낱말이나 문장에 포함된 말소리를 인식하는 음운인식에 어려움을 보이는 경우가 많다. 즉, 학령전기의 음운인식 과제 수행은 당시의 구어능력과는 크게 관련이 없지만 학령기 이후 읽기능력을 예측해 주는 중요한 요인이다. 이는 음절이나 음소를 나누고 합성하고 변별하는 음운인식 과제를 수행할 때 필요한 음운적 표상이 이후 읽기 과정과도 밀접하게 관련을 맺고 있기 때문이다.

학습목표

1. 구어와 문어의 차이점에 대해 인식할 수 있다.
2. 세계 문자를 분류하고 예를 들 수 있다.
3. 다른 문자와는 다른 한글의 특징을 설명할 수 있다.
4. 읽기 과정을 단계별로 이해할 수 있다.

연습문제

1. 구어와 문어의 차이점을 기술하라.
2. 한글과 영어 알파벳의 공통점과 차이점을 설명해 보고, 한국어 단어를 영어로 표기해 보고 한국어로 적었을 때와 영어로 적었을 때를 비교해 보자.
3. 본 장의 읽기 과정 그림에서 난독증, 특정읽기결함, 혼합읽기장애 아동이 어려움을 보이는 부분을 각각 지적해 보자.
4. 유치원 아동들에게 음절 혹은 음소 단위 음운인식을 살펴볼 수 있는 과제를 만들어 보자.

CHAPTER

10

비언어적 의사소통

의사소통은 말과 언어에 덧붙여 몸짓이나 대화자 간의 거리, 표정 등의 비언어적(nonlinguistic) 수단을 모두 포함한다. 말하는 이와 듣는 이가 의사소통을 할 때는 말과 언어 이외의 다양한 요소들이 필요하기 때문이다. 이러한 비언어적 수단들은 대부분 말과 함께 작용함으로써 성공적인 대화를 돕게 되지만, 때로 말하기와 독립적으로 기능하기도 하므로 부차언어적 부호(paralinguistic codes)와는 다르다.

준언어(para-language) 또는 초분절적 장치(supra-segmental devices)라고 하는 부차언어적 부호는 한 문장을 이루는 단어나 음절의 분절에 작용하여 그 의미와 형태를 변화시킴으로써, 말하는 이의 태도나 정서, 맥락 정보를 전달하기 위해 말소리 정보에 덧붙여진다. 말소리의 초분절적 특징인 억양(intonation)과 강세(stress), 강조(emphasis)를 사용할 수 있으며, 말의 빠르기(speed)나 전달속도(rate of delivery)를 통해 말하는 이의 의도와 메시지를 표현할 수도 있다. 때로 쉼(pause)이나 머뭇거림(hesitation)도 대화 상대방이 파악해야 할 중요한 부차언어적 부호로 기능한다.

반면, 머리와 몸의 움직임, 표정, 손짓 등은 대화 내용의 전달과 이해에 기여하는 중요한 비언어적 단서(nonlinguistic cues)이다. 물론, 말하는 이와 듣는 이가 위치하는 신체적 거리와 가까움의 정도 역시 성공적인 대화에 영향을 미치는 비언어적 단서라고 할 수 있다. 비언어적 의사소통이란 말소리나 문자, 수화를 사용하지 않고 비언어적 단서를 사용해 대화 참여자들 간에 이뤄지는 소통을 의미한다. 시험을 앞두고 굳은 표정으로 학생들을 바라보며 감독 사항을 말하는 교수의 경직된 태도는 시험 관련 사항을 준수할 필요성을 전달한다. 반면, 초조함과 긴장감으로 자연스럽게 시선을 옮기지 못하거나 볼펜을 연신 돌리고 있는 학생의 비언어적 행동은 시험에 대한 불안감을 그대로 보여준다.

말과 문자로 이뤄지는 소통 만큼이나 눈응시와 몸짓, 또는 신체 움직임으로 이뤄지는 비언어적 의사소통은 개인의 의도 표현과 이해를 포함하는 대화적 상호작용을 성공적으로 이끄는 중요한 수단이 된다. 이번 장에서는 언어의 구성요소 가운데 화용론에서 중요한 역할을 차지하는 비언어적 의사소통에 관련된 요인들을 눈응시부터 공동주의와 동작학에 이르기까지 간략히 살펴보기로 하자. 또한, 몸짓 표현은 초기 발달에서부터 그 중요성을 강조되어야 하므로 몸짓의 발달을 다루었다. 이에 더해 독립적인 언어 양식이라고 할 수 있는 수화가 갖는 언어적 특징도 간단히 익혀보기로 하자.

10.1 눈응시와 공동주의

대화 상황에서 말하는 이와 듣는 이가 성공적인 의사소통을 목적으로 상대방의 의도를 읽고 주제를 유지하기 위해 기여하고 있음을 알게 되는 가장 중요한 방식은 서로의 눈을 바라보는 것이다. 눈응시(gaze)는 대화의 시작과 유지에 중요하게 작용하며, 상호응시(mutual gaze)는 대화자들이 서로의 상호신념(mutual beliefs)을 형성해가며, 의사소통을 원활하게 하고 소통 시간을 단축시켜 줄 수 있는 공통배경(common grounds)을 만들어 가기 위한 중요한 수단이 된다. 눈응시는 대화의 시작을 알리는 한편, 대화 차례를 바꾸거나 더 이상 대화를 계속하고 싶지 않을 때 시선을 피함으로써 그 뜻을 전달하는 데도 필요하다. 응시를 유지하며 눈을 깜박이거나 고개 짓을 더한다면, 상대방에게 대화 차례를 전달하거나 대화에 대한 반응하기(back channel response)로도 기능한다. 만약 상대방의 눈응시를 피한다면 대화의 특정 주제를 회피하는 의미로 해석할 수도 있다.

눈은 얼굴에서 감정 상태를 나타내는 중요한 단서로 작용한다. 사람의 감정을 나타내는 표정, 즉, 화남, 놀람, 두려움, 기쁨, 슬픔 등을 표현하기 위해 가장 중요한 얼굴 부위가 바로 눈이다. 눈을 통해 드러나는 다른 사람의 얼굴 표정을 읽는 데 기여하는 뇌의 주요 영역이 바로 방추상회(fusiform gyrus)인데, 후두엽과 측두엽에 걸쳐 있는 내측 후두 측두회(medial occipitotemporal gyrus)의 다른 이름이다. 특히, 이 피질 부위는 얼굴에 대한 정보 처리에 중요한 역할을 한다. 자폐범주성장애를 지닌 아동은 발달 초기부터 눈맞춤(eye contact)이 어렵고, 공동주의(joint attention)를 잘 하지 못하며, 다른 사람의 마음 상태를 이해하는 데 어려움을 보이며 사회적 상호작용과 의사소통에서 결함을 나타낸다. 이들 아동들의 사회적 상호작용과 의사소통의 어려움은 여러 신경생물학적 결함이나 특정 뇌 영역의 손상에 기인하기도 한다. 뇌의 방추상회 결함이 자폐범주성장애 아동에게서 보고되고 있는데, 이는 타인의 마음 상태 이해 결함이 얼굴 표정 읽기나 눈맞춤과 같은 비언어적 의사소통 결함과 직접적으로 관련이 있음을 나타내 준다.

〈그림 1〉은 각각의 눈 사진을 보고, 사진 속의 사람이 생각하거나 느끼고 있는 것을 가장 잘 나타내는 말을 고르는 '눈에 깃든 마음읽기 검사'의 예이다(Baron-Cohen, Wheelwright & Hill, 2001, Baron-Cohen, 2003에서 재인용). 사람들은 눈빛과 눈 주변의 얼굴 표정만으로도 다른 사람의 마음 상태를 읽을 수 있다는 것이다.

눈을 통해 다른 사람의 마음 상태를 읽는 능력에 더해 성공적인 대화를 위해서는 대화 상대방끼리 서로의 눈길을 따라갈 수 있어야 한다. 이러한 눈길 따라가기는 자연스럽게 말하는 이가 지시하는 지시 대상을 함께 보는 것, 즉 공동주의로 이어진다. 대화 주제를 유지하거나, 구체적인 대화 내용에 대한 이해 여부와 관련된 이해 감시(monitoring)를 위해서도 이러한 공동주의는 일상적인 대화에서 필수적인 요소이다.

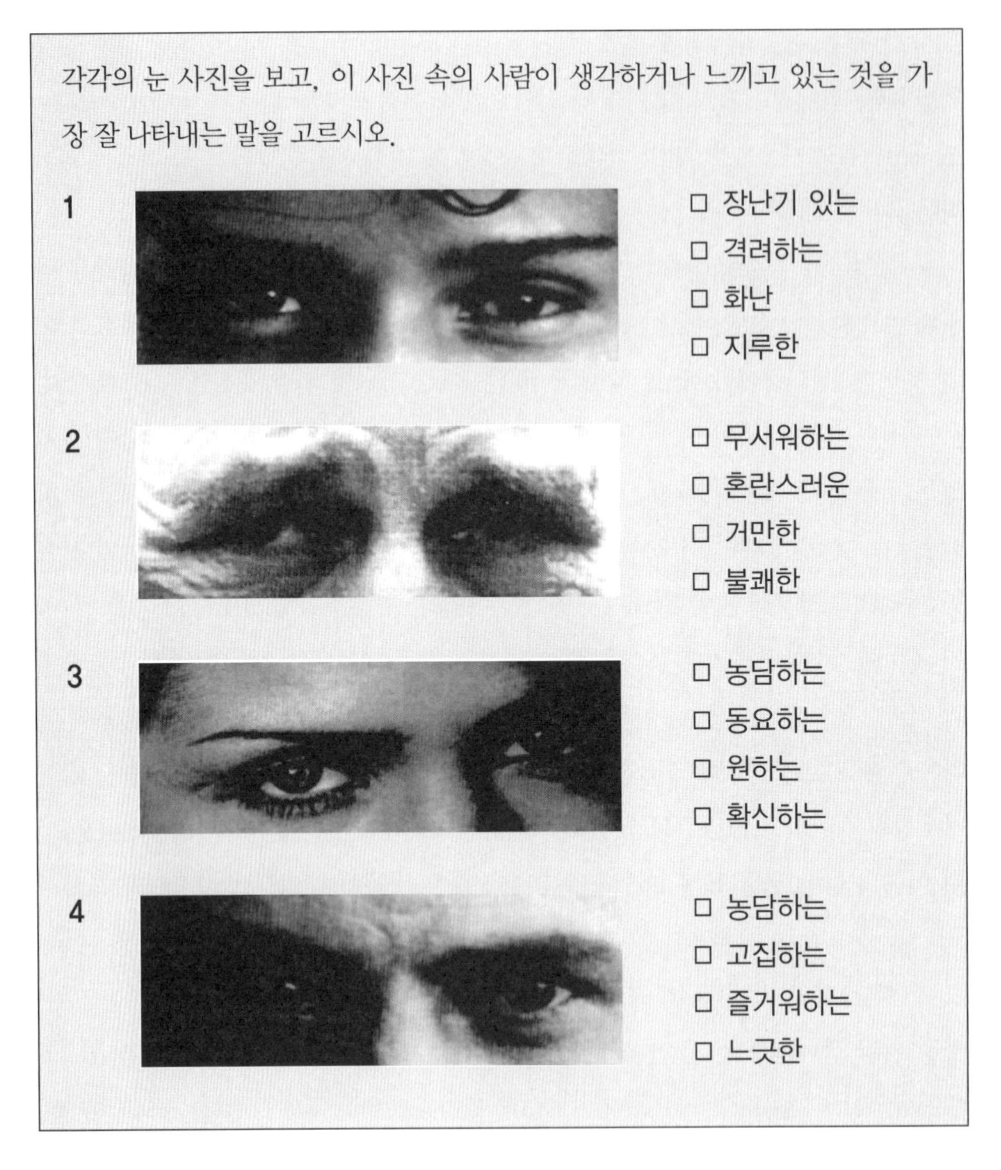

〈그림 1〉 눈에 깃든 마음읽기 검사(Baron-Cohen 등(2003). 〔그 남자의 뇌, 그 여자의 뇌〕. p.341)

발달기에 있는 아이가 특정 대상을 성인과 함께 바라보고, 대상에 주의를 기울이며, 검지 손가락으로 대상을 가리키는 성인의 눈길을 따라갈 수 있다면, 이후 성인이 대상을 향해 이름대기(naming)를 하는 과정에서 전혀 어려움을 느끼지 않게 될 것이다. 이 과정은 아이가 태어난 이후 세상 사물의 이름을 알아가는 언어습득의 첫 단계이기 때문이다. 인류가 처음 사용한 의사소통 형태라고 알려진 가리키기와 몸짓하기는 눈응시와 눈길 따라가기, 그리고 공동주의와 더불어 언어가 소통 장치로 역할을 하는 데 기여했다.

10.2 동작학과 소통행위

신체의 움직임을 통해 의사소통을 연구하는 분야를 동작학(kinesics)이라 한다. 의사소통이 주로 말과 문자로 이뤄지지만, 고개짓과 표정을 비롯한 다양한 신체 움직임 또한 소통을 위해 중요한 수단이 되므로 동작학은 사람들 간의 대화에 작용하며 영향을 미치는 다양한 신체 요인들을 연구한다.

우리는 대화를 하는 도중에도 팔짱을 끼거나, 갑자기 앉은 자세를 바꿔 다리를 꼬아 앉기도 하고, 지나가는 사람을 쳐다보거나 시계를 흘깃거리기도 한다. 이와 같은 행동들은 말과 언어행위가 아니지만 충분히 대화에 영향을 미칠 수 있는 신체 동작들이다. Rowe와 Revine(2012)은 이처럼 신체 언어라고 할 수 있는 동작학적 행위를 표상행위, 강조행위, 규정행위, 적응행위로 정리하여 설명하고 있다. 먼저, 표상행위(emblems)는 손가락으로 이뤄지는 'OK'나 V자 모양 신호처럼 매우 구체적인 의미를 지니는 비언어적 몸짓을 말한다. 비교적 말에 의존하지 않는 신체 행위이므로 언어독립적 몸짓(speech-independent gestures)으로 불리운다. 이와 같은 표상행위의 종류와 수는 문화에 따라 달라진다. 이와 달리, 강조행위(illustrators)는 말로 표현한 것을 명확하게 하거나 강조할 때 말에 관련지어 표현하는 행위이다.

대표적인 강조행위로는 대상물을 지시하며 가리키기, 사건의 속도를 강조하기 위해 특정 리듬으로 팔과 손을 움직이기, 손을 사용해 특정 사물이나 공간의 크기를 표현하는 것 등이 있다. 규정행위(regulators)는 대화에서 말하는 이와 듣는 이가 서로 말하기와 듣기를 자연스럽게 이어가는 도중에 말차례를 바꾸는 데 영향을 주거나 규제하는 행위를 말한다. 대화를 계속하도록 독촉하는 듯한 고개짓이나 손동작, 자신의 말차례가 되었음에도 이를 거부하여 눈의 방향을 바꿈으로써 말차례를 다시 되돌

려는 시도 등은 모두 대화를 지속하게 하는 수단으로써의 규정행위들이다. 마지막으로, 적응행위(adaptors)는 반드시 소통을 위한 행동은 아닐 수 있지만, 목적 없이 책상 위에 연필을 두드리거나 춥지 않은 데도 스스로 팔짱을 끼는 행동처럼 불안감을 해소하거나 감추려는 개인의 욕구를 충족시키기 위한 신체 동작을 말한다.

우리가 사용하는 관습적 언어와 달리 자연발생적으로 사용하기 시작한 제스처나 몸짓만으로는 대화자 간의 정보를 완벽하게 전달하기 어렵다. 제스처나 몸짓이 의사소통 장치로써의 기능이 약하다는 측면이 있지만, 위에서 살펴본 다양한 동작학적 행위들을 사용하지 않은 채 말소리만으로 소통이 이뤄지는 장면을 상상해본다면, 이러한 비언어적 행위들은 분명 의사소통에 기여하는 바가 크다.

10.3 몸짓의 기능

동작학에서 다루는 신체 행위로써의 몸짓(움직임, gestures)에 대한 구분과는 달리, 사람들 간의 실질적인 소통 상황에서 몸짓은 〈표 1〉에서처럼 지시적, 관습적, 시각적(또는 도상적) 몸짓 등으로 다양하게 구분된다.

〈표 1〉 몸짓의 분류

몸짓의 유형	정의	예
지시적(deictic) 몸짓	사물이나 사건에 대해 원하는 것을 표시하거나 주의를 끄는 동작	가리키기 보여주기 뻗기
관습적 (conventional) 몸짓	몸짓의 의미와 형태가 문화적으로 자리잡음	손 흔들기(인사) 고개짓하기(거부, 동의 등)
시각적(iconic) 몸짓	지시 대상의 움직임나 형태, 사람의 행위 등을 묘사하는 동작	검지손가락으로 동그라미를 만듦(선풍기) 손가락을 입에 가져다 댐(먹는다는 의미)

우선, 대화 상대방이 자신과 유사하거나 다른 생각과 믿음, 바람을 가지고 있다는 것을 우리는 몸짓을 통해 이해하기도 하며, 자신의 의도를 전달하기 위한 지시의 기능으로 몸짓을 사용하기도 한다. 이때의 몸짓은 지시물을 직접적으로 가리키거나 발성과 함께 말하기의 보조 장치 역할을 하게 된다. 물론 몸짓으로 표현되는 소통 행위는 지시의 기능에 덧붙여 대화 상대방을 조정하는 역할도 할 수 있다. 또한, 표정이나 눈짓에 더해지는 다양한 신체 움직임은 대화 상황에서 말하는 이의 감정 상태까지도 전달하는 비언어적 소통의 수단이 된다. 이에 덧붙여 원거리에서 이뤄지는 직접적인 손짓이나 신체 움직임은 발성이나 말하기보다 오히려 소통 수단으로서의 가치가 더 높게 여겨지기도 하며, 몸짓 표현에 익숙한 화자들은 여러 가지 몸짓 신호를 조합하여 그 이상의 의미를 만들어내기도 한다.

대표적인 비언어적 의사소통이라고 할 수 있는 몸짓의 사용은 문화권에 따라 매우 다르게 나타난다. 말하기와 독립된 형태이거나 말의 내용이나 의미를 강조하고 보완하는 역할을 하는 다양한 몸짓들은 오랫동안 함께 생활하며 문화를 공유한 공동체 구성원들 간의 독특한 관습적 표현으로 이어져 간다. 따라서, 말로 표현되는 언어만큼은 아니지만 몸짓의 유형과 사용은 문화마다 독특하며 소통에 중요하게 작용하기도 하다. 〈그림 2〉에서처럼 이탈리아인들에게 몸짓은 말하기만큼이나 소통에서 없어서는 안될 중요한 수단이 된다.

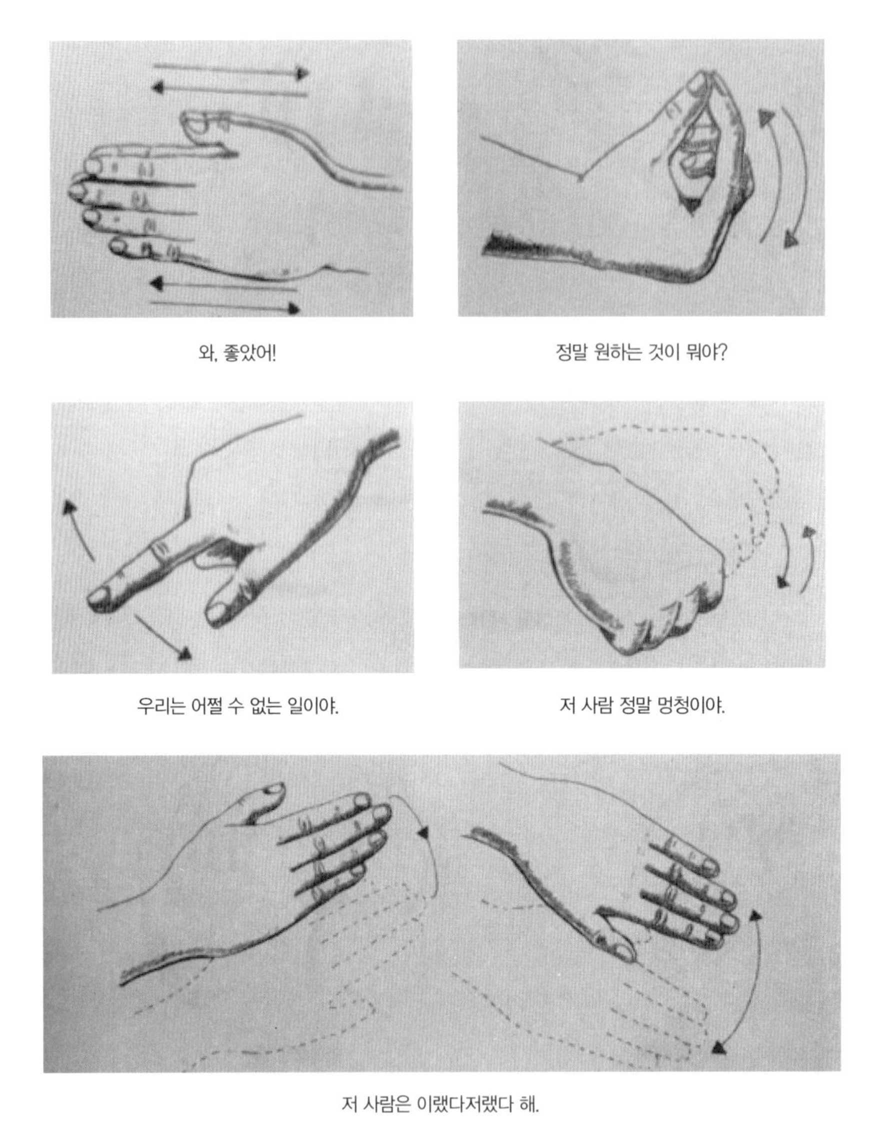

〈그림 2〉 이탈리아인의 손짓 소통(Falssi & Flower(2009). 〔이탈리아〕. p.53)

대화를 하는 동안 문득 단어가 쉽게 떠오르지 않거나 말의 흐름이 자연스럽지 않을 때, 몸짓이나 고개짓을 하고 있는 자신을 발견했던 경험들이 있을 것이다. 이 경우 몸짓이 대화를 자연스럽게 이어주는 역할을 한다고 단순하게 생각할 수 있지만, 만약 의도적으로 몸짓을 사용하지 못하게 하는 경우라면 어떨가? Finlayson 등(2003)

은 사람들에게 말을 하는 동안 몸짓을 전혀 사용하지 못하게 하면, 쉼(pause)이나 삽입어(filler), 반복 등의 비유창성이 증가한다는 사실을 발견했다. 즉, 몸짓을 사용하지 못하게 하는 것이 말하기에서 단어 인출을 어렵게 만든다는 것이다. 실제로 몸짓은 단어 인출 과정에서 초기의 개념화를 돕고, 이후 형성 단계에까지 직접적인 영향을 미친다고 알려져 있다(하지완, 심현섭, 2009; Krauss, 1966; Kita, 2000). 더욱이 몸짓은 말하기에 어려움이 있는 실어증 환자의 이름대기를 촉진시켜 주는 역할을 하기도 한다. 단어를 인출하는 데 결함이 있는 실어증 환자는 말을 할 때 몸짓을 더 많이 쓰는 경향이 있다. 또한, 단어를 말할 때 몸짓을 사용하도록 도움을 주었을 때는 단어 인출의 어려움이 훨씬 줄어들었다고 한다(이인주, 2015; 하지완, 2011). 즉, 말하기에 동반해 자연발생적으로 사용되었던 몸짓 사용은 말하기를 돕고, 말하기에 어려움이 있는 언어장애인들의 말 산출을 촉진하는 중요한 장치로 기능한다는 것을 기억할 필요가 있다.

10.4 몸짓 발달

아이는 단어를 산출하기 이전 시기에도 부모와의 다양한 상호작용을 통해 의사소통을 한다. 언어이전단계에 부모와 함께 하는 몸짓과 옹알이를 통한 상호작용은 아이의 언어적 사회화에 도움이 된다. 아이의 의도적 의사소통 능력이 출현하는 시기의 몸짓 발달은 발성과 함께 의사소통 의도와 기능을 평가하는 중요한 측정치가 되기도 한다. 하지만, 자폐범주성장애 아동은 사회적 의사소통과 상호작용 능력의 결함으로 인해 초기 의도적 의사소통의 발달에서도 어려움을 겪게 되므로, 지시적 몸짓(deictic gesture)으로써의 가리키기(pointing)와 눈응시, 얼굴 표정을 포함한 비언어적 행동들을 이해하는 능력의 결함 여부는 자폐범주성장애 아동을 조기에 진단하는 예측치가 되기도 한다(Baron-Cohen, 1989; Klin et al., 1999; Leekam et al., 1997). 특히 사람과 물체의 움직임이나 모양, 특성에 대한 정보를 전달하며 말소리와 동시에 발생하기도 하는 시각적 몸짓(iconic gestures, 또는 도상적 몸짓)의 발달은 다른 사람의 메시지와 의도를 이해하는 데 중요한 역할을 하지만, 최근 연구에서는 자폐범주성장애 아동뿐만 아니라 고기능의 자폐범주성장애 청소년에게서 조차 그 능력이 매우 제한적이라고 보고되고 있다(APA, 2013, Silverman 외, 2010).

다른 사람의 몸짓을 이해하고 반응하는 데 실패하는 것은 사회적 소통에 결함을 야기하거나 상호작용을 어렵게 만드는 주요 요인이 될 것이다. 정상적인 발달에서라면 출생 후 초기 소통 과정에서 3주된 아기는 성인의 전반적인 손짓, 혀 내밀기, 입 벌리기를 모방하기 시작한다(Owens, 2015). 2개월 된 아기는 움직이는 모빌을 보며 손과 발을 계속해서 움직일 수 있으며, 5개월에는 자신의 의도가 전달되지 않으면 울면서 몸과 발을 뻗고 힘을 쓰며 소리를 지르거나 버둥댄다. 아기가 하는 이러한 몸짓 행동은 언향적 행위(perlocutionary act)단계에서도 어머니 또는 돌보는 이가 아기의 의도를 쉽게 또는 과잉으로 해석하며 사회적 소통을 시작할 수 있도록 돕는다. 또한 이 과정에서 몸짓의 발달은 이후 아기가 습득해야 하는 의미론과 통사론적 발달에도 긍정적인 영향을 미치는데 예를 들어, 보행기를 타기 시작하는 6개월이 되면 아기는 팔을 벌린 채 내리치듯 내저으며 안아달라는 듯 보챈다. 즉, 안아달라는 표현도 그냥 울거나 팔을 벌리는 방식으로 전달하다가 차츰 상대방을 보면서 주의를 끌고 나서 울거나 팔을 벌리는 식으로 발달한다. 이승복, 이희란(2012)은 이렇게 한 가지 이상의 요소를 표현할 줄 안다는 것은 아기가 자신의 몸짓을 계획할 줄 안다는 뜻이기도 하고, 나중에 나타날 문장의 통사 개념의 전조인 것처럼 보인다고 해석하였다. 즉, 막연하게 '안아달라는' 표현을 하는 것이 아니라, 엄마를 쳐다보면서 '엄마가'라는 행위자 또는 주어에 해당되는 의미를 표현하고 나서 팔을 벌리거나 우는 소리로 안아달라는 표현을 한다는 것이다. 일부 연구자들은 엄마가 이러한 아기의 몸짓을 대상이나 사건, 의도를 의미하는 아기 손말(baby sign)로 해석해 주어 의사소통에 성공하는 것이 이후 아기의 언어발달을 촉진할 수 있음을 강조하고 있기도 하다(Pizer, Walters, & Meier, 2007; Vallotton, 2008). 그 밖에도 몸짓 발달은 아기의 공간 추론 능력과 암묵적 지식의 발달을 돕는다(Broaders, Cook, Mitchell, 2007; Ehrlich, Levine, Goldin-Meadow, 2006).

아기의 초기 발달에서 몸짓과 함께 말소리가 갖는 운율은 성인과의 기본적인 소통을 가능하게 해준다. 언어습득 이전의 아기들에게서도 몸짓과 단음조(monotone) 운율은 의사소통의 기본이며, 이는 개체발생에서 되풀이 되고 있는 계통발생의 역사라고도 보인다. 뇌에서의 신경처리 과정으로 본다면, 운율은 우반구에서 처리되는 정보인데, 언어적 내용의 처리가 좌반구에서 이루어지면서, 운율처리는 우반구가 담당한다. Mithen(2005)에 따르면 음악과 언어는 그 전구체가 같은데, 의사소통 수단으로 사용되던 전체적(holistic)이고 다원적이며(multi-modal), 손짓과 음악과 표정이 함께 합쳐진 소리(Hmmmmm)가 언어로 진화되었다는 것이다. 특히, 언어이전의 의사소통에서 모성어 또는 아기 지향어(IDS, infant directed speech)가 보여주는 것처럼 엄마와 아기의 초기 의사소통 과정에서 이러한 언어의 진화 과정을 특징적으로 살펴볼 수 있다고 한다. 언어이전 시기의 아기들이 하는 의사소통 방식을 분석해보면, 초기 의사소통 과정에서 두드러지는 의사소통 행위는 몸짓과 발성으로 이뤄져 있음을 알 수 있다.

인간 언어의 기원을 연구하는 학자들에 따르면, 인간이 소통을 위해 소리 언어를 사용하게 된 것은 약 5~10만 년 전에 불과하다. 인간이 사용한 최초의 소통 수단은 아마도 울음에서 시작한 소리내기나 적당한 웅얼거림, 웃음이나 화냄과 같은 정서에 동반된 소리였을 것으로 추측할 수 있다. 영장류 역시 소통을 위해 몸짓을 표현하기도 하지만 인간의 소통 체계만큼 분화되어 있지는 않다. 즉, 인간의 몸짓은 협응이라는 목적을 향해 서로의 의도를 공유하기 위한 사회인지적 기술의 진화에 근거한다(Tomasello, 2008). 최근에는 인간을 제외한 영장류들의 자연적인 의사소통 체계에 대한 연구도 활발히 이뤄지고 있는데, 몸짓과 발성으로 이뤄지는 이러한 자연적인 의사소통 체계가 인류의 초기 조상들이 사용했던 그것과 흡사할 가능성이 높기 때문이다(Mithen, 2005). 이러한 원시언어(proto-language)에 관한 연구들은 인간 언어의 진화를 이해하고자 하는 연구자들이 풀어야 할 중요한 과제임과 동시에, 언어발달 과정에서 보이는 언어의 선천성과 발달기제를 밝힘으로써 장애 아동의 언어 중재에 기여하고자 하는 언어병리학자들의 과제이기도 하다.

10.5 수화

인간 언어는 말소리나 문자라는 형식에 한정되지 않고, 수화(sign language)처럼 시각적으로 표현되기도 한다. 수화 자체에 대한 연구만이 아니라 수화가 어떻게 처리되는지에 관한 연구도 지난 10년을 지나면서 빠르게 성장해왔으며, 여러 분야 연구자들의 관심이 점차 높아지고 있다. 일반적으로 각 언어에는 말소리로 이뤄지는 언어가 아닌 손으로 표현되는 양식(manual version)이 있는데, 소리로 들리는 언어를 정확하게 그 순서로 표현하거나 손가락 철자(finger spelled)로 나타내기도 한다. 손가락 철자는 수화와는 다르지만, 이 역시 고안된 기호체계(sign system)이며 코드(부호)가 사용된다.

수화는 소리 언어의 단순한 변형판이 아니며, 사실상 완전히 독립적인 언어이다(Cowles, 2012). 따라서 수화 간에도 서로 독립적이다. 예를 들어, 개인적으로 한 번도 경험한 적이 없는 스웨덴어를 말하는 사람과 대화를 하며 자동적으로 이해할 수 있다고 기대하지 않는 것처럼, 한국어 수화를 표현하는 사람이 다른 나라 수화를 자동적으로 이해할 것이라 기대할 수는 없을 것이다. 소리 언어에 지역적으로 그리고 사회적으로 방언이 있는 것과 마찬가지로, 수화에도 방언이 있다. 수화 사용자들은 다양한 손 모양과 또 다른 여러 차이들에 따라 수화에서 나타나는 방언들을 변별할 수 있다. 요약하면, 수화는 그 자체로 고유한 하나의 언어이며, 소리 언어의 변형판이 아니다.

소리 언어와 마찬가지로 수화 역시 자의적(arbitrary)이다. 수화를 배운 적이 없다면 수화로 대화를 하는 사람들의 신호하기 행동이 언제 끝이 나는지 또는 마주한 다른 사람이 언제 시작을 하는지조차 이해하기 어려울 것이다. 수화에는 일정 정도의 상징성(iconicity)이 있는데, 하나의 단어가 그 시각적 특징(icon)이 지시하고 있는 것에 대해 일부 물리적 특징을 공유하기도 한다.

수화에는 시각적 상(iconic aspect)을 갖는 많은 수화 기호(signs)가 있으며, 이 기호들은 그것이 가리키는 대상과 여러 특징들을 공유한다. 하지만, 기호만으로 그 의미가 분명하게 드러나지 않는 경우가 대부분인데, 이는 수화의 시각 상징성이 투명성

(transparency)과 동등한 의미가 아니기 때문일 것이다.

한 언어를 이해하기 위해서는 형식이 나타내는 의미를 배워야 한다는 점에서 수화는 말소리 언어와 동일하다. 손과 손가락의 움직임이나 방향에 대한 추측만으로는 그 의미를 알 수 없으므로, 수화가 소리 언어보다 시각적 상징성의 정도가 더 높은 것은 당연하다.

소리 언어에서는 단어를 그 구성요소인 개별 말소리로 분석할 수 있으며, 가장 작은 소리 단위 각각은 개별적인 음소배열규칙(phonotactics)에 따라 조합된다. 수화에도 기호들의 특정 배열 규칙이 따로 있으며, 기호가 조합되는 규칙은 언어마다 서로 다르다. 조음기관의 위치와 조음 방법에 따라 말소리를 분류할 수 있듯이, 수화는 손의 윤곽(configuration)이나 모양, 방향, 움직임, 그리고 수화를 말하는 이의 몸과 관련된 표현의 위치에 따라 구별된다.

소리 언어처럼, 수화도 단어들을 무선적으로 연결하는 것이 아니므로 형태론과 통사론적 규칙을 따른다. 단어들이 조합되는 방식이 있고, 한 단어가 문장에서 다른 단어와 공유하는 문법적 관계를 반영하는 규칙이 있다. 수화는 통사론을 위해 공간을 이용한다. 예를 들어, 소리 언어에는 대표적인 문법 규칙으로 어순이 있다. 수화에서는 공간의 사용이 문법적이어서, 수화자의 앞에 놓인 수화 공간에서 문법 정보를 부호화한다. 따라서, 수화가 단순히 손짓의 조합이 아닌 독립된 언어로써의 구성요소를 갖추고 있다는 점은 분명하다.

학습목표

1. 언어적 의사소통과 비언어적 의사소통의 차이를 이해한다.
2. 공동주의의 정의와 중요성을 이해한다.
3. 동작학에 대해 설명할 수 있다.
4. 몸짓의 종류와 발달 과정을 이해한다.
5. 수화에 대한 오해를 바르게 이해한다.

학습문제

1. 비언어적 의사소통과 부차언어적 부호의 차이를 설명하라.
2. 사람들 간의 의사소통에서 '눈응시'가 갖는 기능에 관해 함께 토의하라.
3. 동작학에서 다루는 표상행위, 강조행위, 규정행위, 적응행위를 각각 예를 들어 설명하라.
4. 시각적 몸짓(iconic gestures)의 예를 찾아 보자.
5. 수화 기호를 찾아서 시각상징성이 두드러진 표현과 그렇지 않은 표현을 서로 비교해 보자.

CHAPTER

11

언어분석과 언어연구

지금까지 다양한 언어학의 하위분야에 대해서 설명하였으며, 언어병리학에서는 이와 같은 다양한 언어학의 하위분야의 지식을 토대로 대상자의 언어를 평가하고 치료한다. 예를 들어 아동이 산출한 발화의 발음이 정확한지 아닌지 판단하기 위하여 음성학과 음운론의 지식이 필요하며, 문법과 어휘 등의 사용과 활용이 적절한지 판단하기 위해서는 형태론, 통사론, 의미론 등의 지식이 필요하다. 또한 대상에 따라서 언어사용이 적절한지와 관련해서는 화용론과 관련된 지식이 필요하다. 이번 장에서는 이와 같은 기본적인 언어학적인 지식을 바탕으로 언어병리학에서 주로 사용되는 언어분석방법에 대해서 살펴보고자 한다.

이와 관련하여 언어학에서는 하위분야로 음성학, 음운론, 형태론, 통사론, 화용론 등을 제시하고 있으나 언어병리학에서는 말(speech)과 언어(language)를 구분한다. 언어란 의사소통을 할 수 있는 추상적인 기호체계인데 반하여 말이란 이와 같은 언어가 구체적인 말소리로 나타난 것을 의미한다. 이에 언어병리학에서는 말 관련 장애로 음성장애, 말소리장애, 유창성장애를, 언어관련 장애로 언어발달장애와 신경언어 장애 등으로 구분하기도 한다. 이에 본 장에서는 언어분석 방법을 언어병리학의 영역을 위주로 임상에서 사용하는 방법을 위주로 설명할 것이다.

11.1 말 분석

11.1.1 음성장애 분석

음성장애와 관련된 분석 혹은 평가방법 중 가장 기본적인 방법은 평가자가 대상자의 음성을 듣고 주관적으로 평가하는 방법이다. 예를 들어 대상자의 음성을 듣고 이와 같은 음성이 적절한지 판단하는 GRBAS 평정법이 대표적이다. GRBAS 평정법은 대상자 음성과 관련하여 음성의 전체적인 질(G), 조조성 혹은 거친 정도(R), 기식성 혹은 공기가 새는 정도(B), 무력성(A), 그리고 긴장성(S) 등의 다섯 가지 영역을 4점 척도(0점 정상, 3점 심각함)로 평가하는 방법이다. 이에 비정상성이 높아질수록 높은 점수를 받게 된다,

청지각적 분석 이외에도 음성의 음향학적 특성을 기기를 이용하여 객관적으로 분석할 수도 있다. 일반적으로 이러한 음향학적 분석에는 Computerized Speech Lab(CSL)과 같은 기기가 사용되나 Praat(Boersma & Weenink, 2017; http://www.fon.hum.uva.nl/praat/ 참조)이나 TF32(Milenkovic, 2001; http://userpages.chorus.net/cspeech/ 참조)와 같은 무료 상용프로그램이 이용되기도 한다. Praat을 활용한 음향학적 분석방법을 간단히 설명하면 다음과 같다.

우선 분석할 자료의 준비이다. 일반적으로 녹음 과정을 통하여 분석자료를 준비하는데, 이 경우 주위 환경 소음, 마이크와 화자 사이의 거리 등을 조절하여 최상의 발화 자료를 녹음하여야 할 것이다. 또한 아날로그적인 특성을 지닌 소리를 디지털로 변환시키는 과정을 거치기에 이와 관련된 변수 또한 조절해야 한다(이와 관련해서는 박한상(2011)과 최철희 등(2015) 참조).

위와 같은 방식으로 분석할 자료가 준비되면 기본적으로 분석자료가 보이는 음향

학적인 특성을 분석할 수 있다. Praat에서는 voice report라는 메뉴를 통하여 분석자료의 높낮이 정보인 피치(pitch), 주파수 변동률과 관련된 지표인 지터(jitter), 강도 변동률과 관련된 지표인 쉬머(shimmer), 소음과 관련된 지표인 소음대잡음비(harmonics to noise ratio) 등을 제공한다. 이러한 객관적인 수치 등을 통하여 음성의 특성을 살펴볼 수 있다(〈그림 1〉 참조).

```
Pitch:
  Median pitch: 108.939 Hz
  Mean pitch: 108.882 Hz
  Standard deviation: 1.082 Hz
  Minimum pitch: 106.768 Hz
  Maximum pitch: 110.549 Hz
Pulses:
  Number of pulses: 36
  Number of periods: 35
  Mean period: 9.183661E-3 seconds
  Standard deviation of period: 0.094319E-3 seconds
Voicing:
  Fraction of locally unvoiced frames: 0   (0 / 33)
  Number of voice breaks: 0
  Degree of voice breaks: 0   (0 seconds / 0 seconds)
Jitter:
  Jitter (local): 0.423%
  Jitter (local, absolute): 38.842E-6 seconds
  Jitter (rap): 0.202%
  Jitter (ppq5): 0.283%
  Jitter (ddp): 0.605%
Shimmer:
  Shimmer (local): 2.612%
  Shimmer (local, dB): 0.232 dB
  Shimmer (apq3): 1.351%
  Shimmer (apq5): 1.296%
  Shimmer (apq11): 2.026%
  Shimmer (dda): 4.052%
Harmonicity of the voiced parts only:
  Mean autocorrelation: 0.982129
  Mean noise-to-harmonics ratio: 0.018465
  Mean harmonics-to-noise ratio: 19.352 dB
```

〈그림 1〉 Praat의 voice report 예(성인 남성)

위와 같은 무료 프로그램 이외에도 CSL을 기반으로 다양한 음향학적 분석치를 제공하는 MDVP(Multi-Dimensional Voice Program), 강도와 음도의 영역대를 살펴보는 VRP(Voice Range Profile), 피치를 실시간으로 나타내는 RTP(Real-time Pitch) 등을 활용하여 음성을 평가할 수 있다. 더불어 성문의 폐쇄를 시각적으로 나타내는 EGG(Electroglottography), 호흡 및 발성과 관련된 공기역학적 자료를 제공하는 Phonatory Aerydynamic System(PAS), 비성 정도를 나타내는 nasometer 등과 같은 기기를 활용할 수도 있다.

11.1.2 말소리장애 분석

말소리장애에서도 역시 가장 기본적인 분석 방법은 대상자가 산출하는 말소리를 청지각적으로 분석하는 것이다. 우선 대상자가 다양한 위치에서 산출하는 자음을 목록표로 제시하거나 산출하는 음절의 구조를 분석한다. 또한 대상자가 산출한 말소리를 듣고 이러한 말소리가 정조음인지 혹은 오조음인지 판단하는 것이다. 이러한 판단을 통하여 전체 말소리 혹은 자음 중에서 대상자가 정조음한 정도를 조음정확도 혹은 자음정확도로 산출한다(〈표 1〉 참조). 자음정확도는 산출해야 하는 자음 중에서 정조음한 자음의 비율을 백분율로 계산한다.

〈표 1〉 조음 분석의 예

목표발화(맞춤법 전사)	목표발화(간략 전사)	대상자발화(간략 전사)
밥을 먹어	바블 머거	바브 머거
공부 많이 했어	공부 마니 해써	공부 마니 해떠
사과 샀어	사과 사써	다가 다떠

목표발화의 자음 수: 5+7+4=16
대상자 정조음 자음 수: 4+6+1=11
자음정확도: 11/16*100=68.8%
음운과정: 치조마찰음의 파열음화(예: /했어/→[해떠], /사과/→[다가], /샀어/→[사떠])
종성 유음의 생략(예: /밥을/→[바브])

또한 대상자가 산출한 오조음을 개별적으로 분석하는 것이 아니라 음운과정으로 분석하여 대상자가 보이는 오조음 유형을 체계적으로 분석한다. 이러한 분석을 통하여 대상자가 보이는 말소리장애의 중증도와 특성 등을 살펴본다. 이와 같은 음운과정 분석의 예는 〈표 1〉에 제시되어 있다.

위와 같은 청지각적 분석이 가장 기본적이며 대표성 있는 분석일 수 있으나 이를 효율적으로 하기 위해서는 훈련이 필요하다. 우선 대상자가 산출한 발화를 발음한 그대로 받아 적는 전사를 할 수 있어야 한다. 전사는 크게 음운 층위에서의 전사인 간략전사와 음성학적 특성까지 자세하게 전사하는 정밀전사로 나뉜다. 전사를 잘 하기 위해서는 우선 대상자의 발음을 정확하게 들을 수 있도록 귀를 훈련시키고, 이를 한글 혹은 IPA를 사용하여 대상자의 말소리 특성을 기록할 수 있도록 훈련한다. 또한 말소리장애 분석을 위하여 정상적인 발음 뿐 아니라 오조음까지 전사할 수 있도록 훈련하여야 할 것이다. 이와 관련하여 나의 분석과 다른 사람의 분석이 어느 정도 일치하는지 살펴보는 평가자간 신뢰도, 나의 분석이 시간에 따라 혹은 횟수에 따라 어느 정도 일치하는지 살펴보는 평가자내 신뢰도 분석 등을 통하여 분석의 신뢰도를 높일 수 있다.

또한 기기를 활용한 말소리의 시각적 분석을 통하여 말소리의 특성을 살펴볼 수 있다. 일반적으로 말소리와 관련된 시각적 분석은 파형(waveform), 스펙트럼(spectrum), 스펙트로그램(spectrogram) 등을 활용하는데 전술한 CSL, Praat, TF 32 등을 사용할 수 있다(〈그림 2〉 참조).

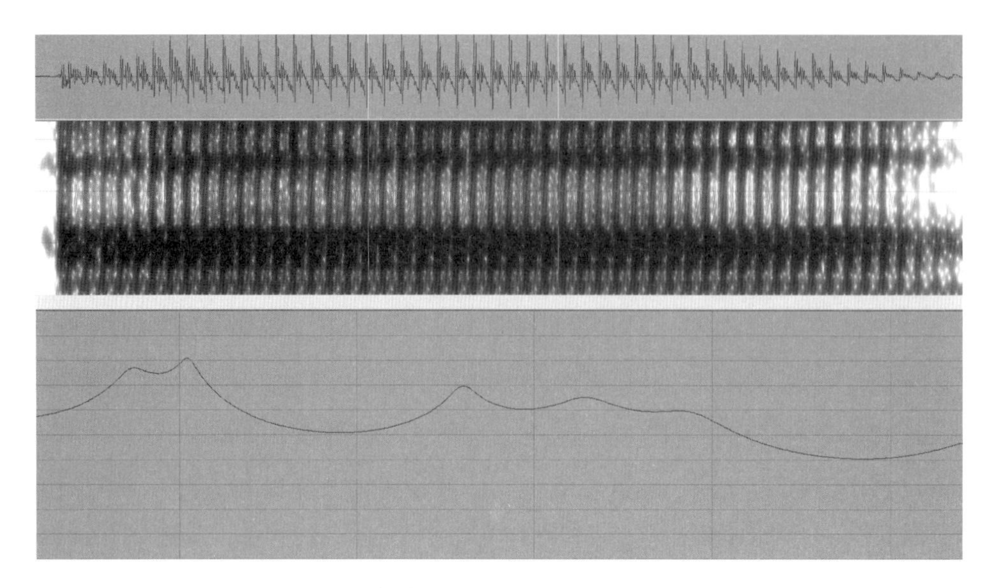

〈그림 2〉 /아/의 파형, 스펙트로그램, 스펙트럼

〈그림 2〉의 제일 위에는 /아/의 파형이 제시되고 있는데, 파형은 시간의 흐름에 따른 소리 압력(혹은 강도)의 변화를 나타낸다. 가운데 그림은 스펙트로그램이다. 스펙트로그램의 x축은 주파수이고 y축은 시간이다. 강도는 명암으로 표시되는데, 강도가 강할수록 짙은 색으로 나타난다. 이에 스펙트로그램은 시간의 흐름에 따라서 주파수의 강도가 어떻게 변화하는지를 나타낸다. 마지막 그림은 스펙트럼인데 그림의 x축은 주파수를, y축은 강도를 나타낸다. 스펙트로그램을 통하여 시간에 따른 변화를 살펴볼 수 있으나 스펙트럼에서는 특정 시간에 소리를 구성하고 있는 여러 주파수의 강도를 살펴볼 수 있다. 위 스펙트럼에서는 강도가 강한 여러 주파수 대역을 살펴볼 수 있는데, 이러한 부분을 공명 주파수(formant frequency)라고 한다. 이러한 공명 주파수는 스펙트로그램에서도 짙은 명암의 부분으로 표시된다.

11.1.3 유창성장애 분석

유창성장애의 가장 기본적인 분석 방법은 발화자료에서 나타난 비유창성 유형의 횟수 혹은 빈도(frequency)를 분석하는 것이다. 비유창성의 유형은 연구자에 따라 다양하게 구분될 수 있으나 국내에서 가장 많이 사용되고 있는 파라다이스-유창성 평가-II(심현섭 외, 2010)에 따르면 정상적 비유창성과 비정상적 비유창성으로 구분된다. 특히 비유창성의 발생 횟수는 발화 자료의 길이에 따라 달라질 수 있기에 단위 길이 당 발생빈도를 측정하기도 한다. 예를 들어 300음절의 발화자료 보다는 900음절의 발화자료에서 비유창성의 발생 빈도가 더 높을 수 있기 때문이다. 이에 발화자료의 길이를 음절 혹은 단어로 측정하여 100음절당 발생빈도 혹은 100단어당 발생빈도를 측정하기도 하는데 일반적으로는 100음절 당 발생빈도를 많이 사용한다.

빈도와 더불어 말더듬 음절 비율(percentage of syllables stuttered, %SS)을 계산하기도 한다. 말더듬 음절 비율은 하나의 음절은 한 번만 더듬을 수 있다는 원칙에 근거하여 분석한다.

다음 〈표 2〉는 말 장애에서 사용되는 일부 분석 방법의 예이다.

〈표 2〉 말 장애 관련 분석 방법의 예

음성장애	말소리장애	유창성장애
청지각적 분석(예: GRBAS 등) 음향학적 기기 분석(예: MDVP 등)	자음목록표 자음정확도 음운과정 분석 등	비유창성 빈도 말더듬 음절 비율

11.2 언어분석

11.2.1 발화자료 수집 및 발화 구분

대상자의 언어적 특성을 분석하는 절차 역시 앞서 설명한 말 분석과 유사하다. 우선 분석할 자료를 수집하고 이를 분석하고자 하는 목표에 따라서 다양한 지표를 선택하여 분석한다. 분석 목표에 따라서 자료를 수집하는 방법 역시 다를 수 있으나 본 장에서는 언어치료사가 임상에서 주로 사용하게 되는 아동의 자발화 수집과 분석과 관련된 내용을 간단히 소개하고자 한다.

자발화란 대상자가 자발적으로 산출한 말을 의미하며, 이러한 자발화 분석을 통하여 대상자가 실생활에서 보이는 대표적이고도 자연스러운 언어행동을 분석한다. 하지만 자발화 분석을 위한 자발화 수집을 할 때에는 검사자와 대상자 사이의 의사소통 방식, 자료, 표본의 크기 등을 고려하여야 한다. 특히 아동은 낯선 사람에게는 익숙한 사람보다 말을 적게 하는 경향이 있기에 검사자는 아동과 친밀감을 형성하는 것이 중요하다.

상호작용 방식 역시 자발화 자료 수집에서 중요하다. 아동의 반응을 이끌어내기 위하여 주로 질문을 사용하게 되는데 이 때 예/아니오의 대답을 요구하는 질문(예: 밥 먹었어?)보다는 높은 수준의 발화를 유도하기 위하여 개방형 질문(예: 어떻게 밥을 먹어?)를 하는 것이 적절하다. 더불어 아동이 좋아하는 장난감을 사용하여 아동의 주도로 상호작용을 하는 것이 적절하다. 또한 아동의 언어는 장소나 상황에 따라 달라질 수 있기에 다양한 장소에서 수집된 자발화가 아동의 언어를 보다 대표성 있게 나타낼 수 있다.

분석을 위한 자료의 길이는 연구자마다 서로 다른 의견을 제시하고 있으나 일반적으로 50~200발화 정도를 제시한다. 특히 전술하였듯이 아동과의 친밀감 형성 등과 관련하여 상호작용 초기의 발화는 분석에서 제외되기도 한다. 마지막으로 이러한 자발화 수집을 위한 상호작용은 이후 분석을 위하여 오디오 녹음 혹은 비디오 녹화를 한다.

일반적으로 구어분석의 단위는 발화(utterance)이다. 발화는 문장과 유사한 개념이지만 다른 점은 발화는 하나의 생각이 말소리로 실현된다는 것이다. 글 자료에서 문장의 분석은 상대적으로 쉬운 편인데, 이는 문장이 끝나게 되면 마침표 혹은 물음표와 같은 구두점이 사용되기 때문이다. 하지만 구어에서는 이와 같은 기호가 사용되지 않기에 검사자는 아동의 말을 전사하고 이를 발화로 구분하는 작업을 하여야 할 것이다. 발화의 정의는 연구자에 따라 다르지만 일반적으로 문장이나 그 보다 작은 언어단위로, 시간의 경과, 운율의 변화, 혹은 주제의 변화 등이 나타난 것이다. 김영태(2014)가 제시한 발화구분 원칙을 이용하여 발화를 구분하면 다음과 같다.

아동: (노래를 부르며)에이 비 시 디...(5초 후).
　　나 알파벳 노래 잘해. 난 다른 노래도 잘 하는데. (5초 후)
　　지금부터 할 께. 할 께

위 발화에서 노래로 부른 "에이 비 시 디"는 발화 분석에서 제외한다. "나 알파벳 노래 잘해"와 "난 다른 노래도 잘 하는데"는 한 숨에 산출하였지만 주제의 변화가 있기에 다른 발화로 구분한다. 또한 "난 다른 노래도 잘 하는데"와 "지금부터 할 께"는 두 발화 사이에 휴지기가 있기에 서로 다른 발화로 분석한다. 마지막으로 산출한 "할 께"의 경우 새로운 정보의 추가 없이 반복하였기에 발화분석에서 제외한다. 다만 같은 말이라도 다른 상황이나 문맥, 새로운 의미로 표현되었을 때에는 다른 발화로 구분한다. 또한 감탄사 등은 분석에서 제외하며 "있잖아, 그래 가지고"와 같은 간투사를 아동이 습관적으로 많이 사용하였을 경우, 이를 일정 부분만 분석에 포함하기도 한다. 이에 위 예의 경우, 분석대상이 되는 발화의 수는 세 발화이다.

11.2.2 통사 및 형태론적 분석

위와 같이 분석된 발화를 대상으로 발화의 통사적 복잡성과 구성요소의 형태론적 분석을 할 수 있다. 이러한 분석에서는 주로 형태소, 단어, 어절, 구, 문장 등과 같은 문법 단위가 사용된다. 문법 단위에 대한 설명은 이전 장에서 자세히 기술되었으나 주요 내용을 요약하면 다음과 같다.

형태소는 가장 작은 문법 단위로 의미를 가진 최소의 단위로 정의된다. 형태소는 자립성에 따라 자립형태소와 의존형태소로 구분된다. 예를 들어 "밥을 먹었다"의 경우 "밥"은 홀로 쓰일 수 있기에 자립형태소이나 "을, 먹, 었, 다"는 각기 혼자서 쓰일 수 없기에 의존형태소이다. 또한 "을" 같은 경우에는 환경에 따라 "를"이라는 이형태를 보인다.

단어는 형태소와 마찬가지로 의미가 있으며 또한 자립할 수 있는 최소의 형식이다. 앞의 예 "밥을 먹었다"의 경우 자립형태소인 "밥"은 단어가 되며 의존형태소인 "먹"의 경우 다른 의존형태소와 결합한 형태인 "먹었다"가 단어가 된다. 조사 "을"

의 경우 의존형태소이기는 하지만 학교문법에 따르면 단어로 분석된다.

단어는 문법적 특성에 따라 아홉 가지의 품사로 구분된다. 학교 문법에 따르면 이러한 아홉 가지의 품사는 크게 체언(명사, 대명사, 수사), 용언(동사, 형용사), 수식언(관형사, 부사), 독립언(감탄사), 관계언(조사) 등으로 분류된다.

우선 명사는 대상의 이름을 나타내는 단어로, 앞에 꾸며주는 말이 있어야만 하는 의존명사(예: "하는 것"의 "것")와 자립적으로 사용이 되는 자립명사(예: 사과) 등으로 구분된다.

대명사는 명사를 대신하여 사용되는 것으로 사람을 가르키는 인칭대명사(예: 나)와 사물을 가르키는 지시대명사(예: 이것) 등으로 구분된다.

수사는 사물의 수량이나 차례를 나타내며 수량을 나타내는 양수사(예: 하나)와 순서를 나타내는 서수사(예: 첫째)가 있다.

동사는 사람이나 사물의 동작이나 작용을 나타내며, 형용사는 사람이나 사물의 성질, 상태를 나타낸다. 동사와 형용사는 현재형 "-는", 명령형, 청유형 여부 등에 따라 구분된다. "있다/없다"는 일반적으로 형용사로 분석한다.

동사와 형용사와 같은 용언의 어간은 문법형태소인 어미와 결합하여 활용을 한다. 어미는 그 위치에 따라 선어말어미와 어말어미로 나뉜다. 예를 들어 "학교에 가셨다"의 경우, "가셨다"는 어간인 "가"와 높임과 시제를 나타내는 선어말어미인 "시, 었"과 어말어미인 "다"로 구분된다. 어말어미는 문법적 특성에 따라 종결어미, 연결어미, 전성어미 등으로 구분된다.

관형사는 체언을 꾸며주며, 성질이나 상태의 뜻을 더해주는 성상관형사(예: "새 책"의 "새"), 특정 대상을 한정하여 가리키는 지시관형사(예: "이 물건"의 "이"), 사물의 수와 양을 나타내는 수관형사(예: "한 권의 책"의 "한") 등으로 구분된다.

부사는 용언을 수식하며, 문장의 특정 부분을 수식하는 성분부사와 문장 전체를 수식하는 문장부사로 구분된다.

감탄사는 상대방을 의식하지 않고 감정을 나타내는 감정감탄사(예: "아차 차를 놓쳤네"의 "아차"), 대답과 마찬가지로 상대방을 의식하며 자기의 생각을 나타내는 의

지감탄사, "음, 어"처럼 발화 중간에 다른 성분과 관련성이 없는 감탄사 등으로 구분된다.

조사는 체언과 결합하여 문법적 특성을 나타내는 의존형태소이다. 조사의 종류로는 문장 안에서 체언이 일정항 자격을 갖게 하는 격조사와 체언, 부사, 어미 등과 결합하여 특별한 뜻을 더해주는 보조사, 접속조사가 있다. 예를 들어 "나와 너는 밥을 빨리도 먹네"에서 "와"는 접속조사, "는, 을"은 격조사, 부사인 "빨리"와 결합한 "도"는 보조사이다.

어절은 일반적으로 띄어쓰기의 단위이다. "밥을 먹었다"는 두 개의 어절로 이루어져 있다.

위와 같은 형태소, 단어, 어절 등의 구분은 언어분석에서 매우 중요하므로 이와 관련된 원칙 등을 자세히 알고 있는 것이 필요할 것이다. 이와 관련해서 김영태(2014)는 자세한 분석 기준을 제시하고 있다.

구와 절은 모두 하나 이상의 단어가 모여서 구성된 단위이지만 절은 주어와 서술어의 관계를 갖는다는 점에서 구와 다르다. 예를 들어 "저 학교는 매우 크다" 경우 "저 학교"는 명사구로 주어의 기능을 하고 있으며 "매우 크다"는 용언구로 서술어의 기능을 담당하고 있다. 반면 "내가 학교에 늦었다고 누가 말했니?"의 경우 "내가 학교에 늦었다"는 주어와 서술어가 있는 절이며, 이는 전체 문장에서 목적어의 기능을 하고 있다.

문장은 생각이나 감정이 완결된 내용으로 표현된 최소의 언어형식이며, 통사론의 연구대상이 된다. 문장을 구성하면서 문법적인 기능을 하는 것을 문장성분이라고 하며, 크게 주성분(서술어, 주어, 목적어, 보어), 부속성분(관형어, 부사어, 독립어)로 구분이 된다.

문장은 크게 단문과 복문으로 이루어진다. 단문은 주어와 서술어의 관계가 한 번만 나타나는 문장이며 복문은 한 문장 안에 주어와 서술어의 관계가 여러 번 나타나는 문장이다. 복문은 내포와 접속으로 이루어지는데 내포는 하나의 단문 안에 다른 문장이 문장성분으로 포함이 된 경우며 접속은 문장이 이어져서 나타난 경우이다.

접속문은 크게 대등 접속문과 종속 접속문으로 구분되는데, 대등 접속문은 이어지는 절들의 의미관계가 나열, 대조 등과 같이 대등한 의미 관계를 갖는 문장이며, 종속 접속문은 앞의 절과 뒤의 절의 의미 관계가 계기, 조건, 양보, 의도, 배경 등과 같이 독립적이지 않고 종속적인 관계이다.

일반적인 문법단위는 아니지만 이야기 분석등과 같은 언어분석에서 사용되는 단위 중에 최소종결단위(T−unit, Terminal unit)가 있다. T−unit은 주절 또는 종속절을 포함하는 주절 단위로 "나는 학교에 늦었고 너는 학교에 늦지 않았다"는 두 개의 대등한 주절이 있기에 두 개의 T−unit으로 분석한다. 반면 "나는 학교에 늦었고 시험에도 늦었다"는 한 개의 문장에 두 개의 서술어가 있지만 주어가 유지되기에 한 개의 T−unit으로 분석을 한다. 반면 "내가 학교에 늦었다고 누가 말했니?"의 경우 두 개의 절이 있는 복문이지만 "내가 학교에 늦었다"는 명사절로 전체 문장은 내포문이기에 하나의 T−unit으로 분석을 한다.

일반적으로 통사론적 분석은 대상자 발화의 복잡성을 측정하는 것을 포함한다. 이에 발화의 길이를 측정하여 통사적 복잡성을 나타내는데, 이러한 길이를 나타내는 지표로 많이 사용되는 것이 평균발화길이(Mean Length of Utterance, MLU)이다. 일반적으로 평균발화길이는 분석자료에서 나타난 전체 형태소 수를 총 발화의 수로 나누어서 측정한다. 때로는 형태소가 아니라 단어 혹은 어절로 측정한 평균발화길이를 측정하기도 한다. 다음의 발화 예에서 평균발화길이 측정방법은 다음과 같다.

1) 두 친구와 함께 학교에 갔어.
   형태소분석 : 두/ 친구/와/ 함께/ 학교/에/ 가/ㅆ/어/
   단어분석 : 두/ 친구/와/ 함께/ 학교/에/ 갔어/
   어절분석 : 두/ 친구와/ 함께/ 학교에/ 갔어/

2) 그리고 나는 친구 하나와 큰 시장에 갔어.

형태소분석 : 그리고/ 나/는/ 친구/ 하나/와/ 크/ㄴ 시장/에/ 가/ㅆ/어/

단어분석 : 그리고/ 나/는/ 친구/ 하나/와/ 큰/ 시장/에/ 갔어/

어절분석 : 그리고/ 나는/ 친구/ 하나와/ 큰/ 시장에/ 갔어/

3) 이 친구와 갈 곳이 너무도 많아.

형태소분석 : 이/ 친구/와/ 가/ㄹ/ 곳/이/ 너무/도/ 많/아/

단어분석 : 이/ 친구/와/ 갈/ 곳/이/ 너무/도/ 많아/

어절분석 : 이/ 친구와/ 갈/ 곳이/ 너무도/ 많아/

평균발화길이(형태소) : 33(총 형태소 수)/3(발화 수)=11

평균발화길이(단어) : 26(총 단어 수)/3(발화 수)=8.7

평균발화길이(어절) : 18(총 어절 수)/3(발화 수)=6.0

11.2.3 의미론적 분석

전술하였듯이 의미론은 단어나 문장의 의미를 분석하는 영역이기에 의미론적 분석은 우선 대상자가 사용하는 단어의 다양성 등을 분석한다. 대표적인 지표로는 어휘다양도(Type-Token Ratio, TTR)가 있는데, 이는 아동이 사용한 낱말을 품사별로 분석하여 유형에 대한 수의 비율을 측정한다. 이를 측정하는 방법은 아동이 사용한 낱말을 기록하고 각 낱말이 나타난 횟수를 기록한다. 이 때 활용을 한 용언(예: 먹었어. 먹어 등)은 하나의 낱말로 기록한다. 이를 바탕으로 아동이 사용한 서로 다른 전체 낱말의 수(Number of Different Words, NDW)와 이러한 낱말이 사용이 된 전체 빈도 수(Number of Total Words, NTW)를 계산한다. 이후 NDW를 NTW로 나누어 TTR을 계산한다. 〈표 2〉는 이전 평균발화길이 분석자료를 대상으로 실시한 TTR 분석의 예이다.

〈표 3〉 NDW, NTW, TTR 분석의 예

발화자료
두 친구와 함께 학교에 갔어.
그리고 나는 친구 하나와 큰 시장에 가.
이 친구와 갈 곳이 너무도 많아.

명사	대명사	수사	동사	형용사	관형사	부사	조사
친구(3회)	나	하나	가다(3회)	크다	두	함께	와(3회)
학교				많다	이	그리고	에(2회)
시장						너무	는
곳							이
							도

서로 다른 낱말 수(NDW): 19
전체 낱말 수(NTW): 26
어휘 다양도(TTR): 19/26

또한 발화의 의미유형을 분석할 수도 있다. 문장 속의 주체나 객체의 역할을 하는 체언부는 행위자, 경험자, 소유자, 공존자, 수혜자, 대상, 실체, 인용/창조물 등과 같은 의미유형으로 분류된다. 문장 속에서 행위나 서술의 역할을 하는 용언은 행위와 서술의 의미유형으로 구분된다. 문장 속에서 체언이나 용언 또는 수식언을 수식하는 수식부는 체언수식, 용언수식, 배경 등의 의미유형으로 구분된다. 문장 속에서 체언이나 용언, 또는 수식언을 수식하는 대화요소는 주의끌기, 되묻기/확인하기, 감탄, 예/아니오 대답, 강조, 동반소리, 인사, 접속, 자동구, 기타 등의 의미유형으로 분류된다.

더불어 하나의 문장이 어떠한 의미 관계를 보이고 있는지, 그리고 구나 절 사이에 어떠한 의미관계가 있는지 분석을 한다. 예를 들어 "과자가 여기 있어서 난 먹었어요"는 두 개의 절로 이루어진 문장인데 우선 첫 번째 절 "과자가 멀리 있어서"는 [실체-배경-서술]의 의미관계를 보이고 있으며, 두 번째 절 "난 먹었어요"는 [행위자-행위]의 의미관계를 보인다. 이를 하나의 문장으로 분석하자면 [이유연결(실체-배경-서술)-행위자-행위]이 된다.

11.2.4 화용 분석

화용은 언어의 사용과 관련이 있으며 화용 관련 분석으로는 언어기능의 분석, 설화(narrative) 분석 등으로 나눌 수 있다.

언어기능의 분석은 크게 의사소통 의도가 제한적인 아동에게 사용하는 초기구어기능 분석과 다양한 의사소통 의도를 보이는 아동에게 사용되는 대화기능 분석으로 나눌 수 있다. 초기구어기능으로는 명명, 반복, 대답, 행동요구, 대답요구, 부르기, 인사, 저항, 연습 등이 있다. 반면 대화기능으로는 요구, 반응, 객관적 언급, 주관적 진술, 대화내용 수신 표현, 대화구성요소, 발전된 표현 등으로 나눌 수 있다. 더불어 대화의 분석에서 대화 주고받기(turn-taking), 주제 도입-유지-변환-종결 등이 적절한지 살펴볼 수 있다.

설화분석의 경우 아동이 이야기 문법의 구성요소를 적절히 표현하는지 분석할 수 있다. 이야기는 배경 설명과 개별사건 설명의 구조로 되어 있으며, 하나의 이야기에는 두 개 이상의 에피소드가 포함될 수 있다. 이야기 문법의 요소로는 배경 진술, 발단, 내적 반응, 내적 계획, 시도, 직접 결과, 결말 등이며, 아동의 설화에 이러한 이야기 문법요소가 적절히 나타나는지 계량화하여 분석할 수 있다. 또한 이야기의 중심이 되는 사건이 응집성있게 나타나는지 살펴보기 위해 주제 응집도를, 이야기의 연결이 얼마나 자연스러운지 살펴보기 위해 결속표지를 살펴볼 수 있다. 주제 응집도의 경우 이야기에 나타난 전체 T-unit 중 주제와 관련된 T-unit의 비율로 산출을 하며, 결속표지의 경우 지시, 대치, 접속, 어휘적 결속 등이 나타나는지 살펴본다.

아래 〈표 4〉는 언어분석의 영역별 예이다.

〈표 4〉 언어분석의 예

통사/형태 분석	의미 분석	화용 분석
평균발화길이 분석 - 형태소, 단어, 어절	어휘 다양성 분석 - TTR, NDW, NTW 의미유형 분석 의미관계 분석	언어기능 분석 - 초기 구어기능 분석 - 대화 기능 분석 설화 분석 - 이야기 문법 분석 - 응집성 분석

11.3 읽기/쓰기 분석

학령기아동을 대상으로 하는 경우에는 구어분석 이외에도 읽기와 쓰기를 분석한다. 읽기는 크게 독해와 이해로 구분된다. 독해는 읽기 유창성으로 평가하는데, 읽기 유창성은 정해진 시간 안에 정확히 읽은 음절 수로 측정한다. 이해는 아동이 읽은 자료를 얼마나 이해하는지, 그 정도를 평가한다. 이와 더불어 읽기의 기초가 되는 음운인식을 평가하기도 한다. 음운인식이란 단어의 음운과 음절 등에 관한 지식으로 새로운 단어를 만들기 위해 음운을 혼합하거나 단어를 음운으로 분절하는 것과 같은 조작능력을 포함한다.

쓰기의 경우에도 우선 정해진 시간 안에 얼마나 정확히 작성하였는지 쓰기 유창성을 평가하며, 맞춤법과 구두점 등의 사용의 적절성 등을 분석하기도 한다. 더불어 다양한 종류의 글 쓰기가 가능한지 평가하며 글의 내용을 분석하기도 한다.

학습목표

1. 다양한 말 분석, 언어 분석 절차를 이해한다.
2. 기초적인 말 분석, 언어 분석을 실시할 수 있다.

학습문제

1. 발화와 문장을 구분하라.
2. 자음정확도 산출 절차에 대해서 설명하라.
3. 형태소, 단어, 어절에 기반한 평균발화길이 산출 절차에 대해서 설명하라.

CHAPTER

12

뇌와 언어

언어를 처리할 수 있는 인간 두뇌 영역의 진화는 대략 200만년 전 고대 인류로부터 시작되었다고 알려져 있다. 직립보행은 인간의 말소리가 다양하고 복잡해지는 데 크게 기여했으며, 말소리를 산출할 수 있도록 독특한 구조의 성대(vocal folds)를 갖게 된 것은 둥글게 만들어진 혀와 낮아진 후두의 위치 때문이다. 점차 말을 선호하는 진화의 경향에 의해서 성도(vocal track)가 완전히 재설계되었다고 해도 과언이 아닐 것이다. 이러한 성도 덕분에 인간은 매우 다양한 말소리를 낼 수 있게 되었지만, 턱은 짧아졌고 따라서 치아는 더 밀집하게 되었다. 말을 할 수 있게 되었지만, 인간은 다른 동물보다 질식할 위험이 더 커지게 되었는데, 인간의 후두가 음식이 그 안으로 들어가서 폐로 가는 공기의 통로를 막아 버릴 가능성이 큰 곳에 위치하게 되었기 때문이다. 낮아진 후두로 인해 질식의 위험은 커졌지만, 그렇게 확보된 후두와 인두강은 말소리 산출을 훨씬 용이하게 해주었다. 말소리의 길이라고 할 수 있는 성도와 더불어 구강의 구조 역시 호흡과 섭식뿐 아니라 '말하기'라는 인간 고유의 특성을 발달시켜 진화할 수 있도록 변형된 것이다.

자연 선택을 통해 인간 언어 능력의 진화가 이뤄졌다고 본다면, 20만 년 전 인류는 오늘날 우리와 유사한 방식으로 언어를 사용한 것으로 추정된다고 한다. 우리의 뇌에서 말과 언어가 자리 잡고 있는 지점을 정확하게 확인하기란 무척이나 어렵다. 하지만, 최근의 발전된 뇌영상 기법들은 다양한 방식으로 인간 뇌의 언어처리 과정을 확인할 수 있도록 돕고 있다.

인간이 어떻게 말과 언어로 소통할 수 있는지에 관한 기본적인 물음에 답하기 위해서는 언어를 이해하고 표현하는 것을 가능하게 하는 신경생물학적 기관인 '뇌(brain)'에 관한 고찰이 우선일 것이다. 또한 뇌가 어떻게 이러한 언어 정보를 처리할 수 있는지를 알기 위해서는 '인지과정'에 대한 이해도 필요할 것이다. 인지(cognition)는 감각정보를 지각하고 이해하며 처리하는 모든 심적 활동들을 의미한다. 지식을 사용하고 기억하며 조직화하고 저장하며, 이러한 지식을 획득하는 과정도 모두 인지 처리에 포함된다.

12.1 신경계와 뉴런

말과 언어를 가능하게 하는 일련의 복잡한 체계인 신경계는 중추신경계와 말초신경계로 나눌 수 있다. 중추신경계(central nervous system, CNS)는 뇌와 척수로 구성되어 있으며, 말초신경계(peripheral nervous system)는 CNS로부터 그리고 CNS를 향해 정보를 전달하는 뉴런으로 구성되어 있다. 즉, 뇌는 신경계의 한 구성요소인 것이다.

신경계의 기초 단위는 뉴런(neuron)이다. 신경계는 약 1000억 개가 넘는 뉴런이라는 신경세포로 구성되어 있다. 신경세포의 대부분은 태내 임신 중기에 집중적으로 만들어진다. 신경세포 간의 연결을 시냅스(synapse)라 하는데, 이 시냅스 형성과정이야말로 뇌 발달 그 자체라고 볼 수 있다. 시냅스란 한 뉴런의 축색돌기와 주변 뉴런의 수상돌기 사이의 접합 부위를 일컫는데, 일종의 기능적 공간이라고 할 수 있다(〈그림 1〉 참조). 뉴런이 흥분했을 때, 전기 활동의 한 파장이 말단 줄기에 이르기까지 축색돌기를 따라서 빠르게 전달되는데, 여기서 신경전달물질(neurotransmitters)

이 분비되어 주변에 있는 뉴런의 반응을 흥분시키거나 억제한다. 발달의 초기에는 이러한 뉴런이 어떻게 자리를 잡는가에 따라 아이의 뇌 발달의 정도가 결정된다고 해도 과언이 아닐 것이다. 이 시기 뇌 발달 과정에서 시냅스 연결은 실제 필요한 수준 이상으로 과다 생성된다. 뇌의 유전자 프로그램은 거의 모든 연결 가능한 신경을 연결시키게 되는데, 이렇게 과다 생성된 시냅스는 이후 다시 불필요한 연결에 대한 가지치기 과정을 거친다.

이와 같은 시냅스의 과다생성과 그에 따른 가지치기만큼 중요한 것은 뇌의 수초화 과정이다. 언어습득이 이뤄지는 동안 뇌는 눈에 띄게 발달하는데, 이 과정에 수초화가 크게 기여한다. 수초화(myelinization)는 신경의 전달 속도를 높이기 위해 신경세포의 신경섬유를 둘러싼 지방질 막인 수초가 성장하게 되는 과정을 말한다. 이를 통해 정보 전달이 점차 효율적이 되는 것이다.

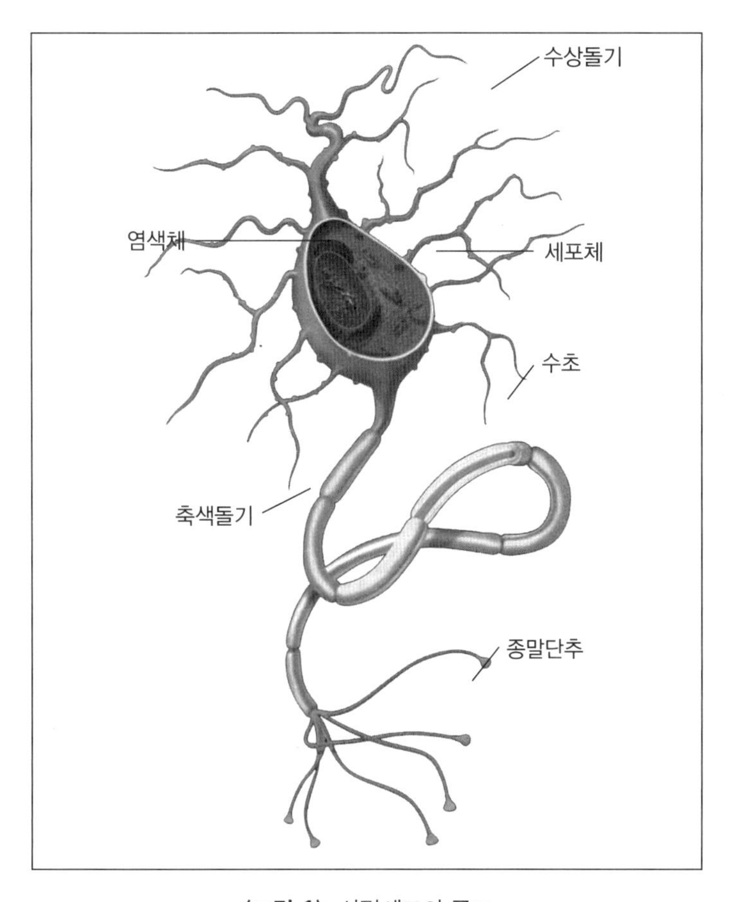

〈그림 1〉 신경세포의 구조

인간의 사고와 행동을 담당하는 뉴런은 위치와 기능에 따라 크기와 모양이 다르다. 그 가운데 거울 뉴런(mirror neuron)은 특정 행동을 하거나 그와 같은 행동을 하는 다른 사람을 지켜볼 때 작용하는 신경세포를 말하는데, 뇌의 전두엽과 두정엽 피질에 자리하고 있는 것으로 알려져 있다. 거울 뉴런을 통해 인간은 자신뿐 아니라 다른 사람의 생각과 행동을 해석할 수 있다. 예를 들어, 우리가 기쁘거나 슬플 때, 또는 공포와 같은 감정을 느낄 때 거울 뉴런이 작용하는데, 이와 같은 감정을 느끼고 있는 다른 사람의 모습을 볼 때 역시 거울 뉴런이 활성화된다.

12.2 언어중추

중추신경계는 신경계의 중심 역할을 하며 뇌(brain)와 척수(spinal cord)로 구성되어 있다. 두개골(skull)에 둘러싸인 뇌는 대략 몸무게의 2.5%에 불과하지만, 신체의 모든 활동을 관장하며 환경에 맞추어 우리가 적응하도록 이끈다. 신체가 생산해 내는 총에너지의 5분의 1을 소비하는 뇌는 우리를 인간으로써 존재하게 해주는 가장 중요한 기관이라고 할 수 있다.

뇌는 대뇌(cerebrum), 뇌간(brain stem), 소뇌(cerebellum)로 나뉜다. 대뇌는 대뇌피질과 기저핵을 포함하는 종뇌, 시상이나 시상하부 등을 포함하는 간뇌로 구분된다. 대뇌피질은 운동, 감각, 연합 기능을 담당하며 두 개의 반구에 걸친 4개의 주요 엽(lobes)을 포함하며 언어와 사고에 중요한 역할을 한다. 뇌간은 중뇌(mid brain), 뇌교(pons), 연수(medulla oblongata)로 구성된다. 뇌간은 신체 기능을 조정하며, 내장 기관의 활동이나 호흡 등 생명유지에 필수적인 기능을 하는데, 〈그림 2〉에서 볼 수 있는 구조로 이뤄져 있다. 한편, 소뇌는 신체 움직임의 협응을 담당한다.

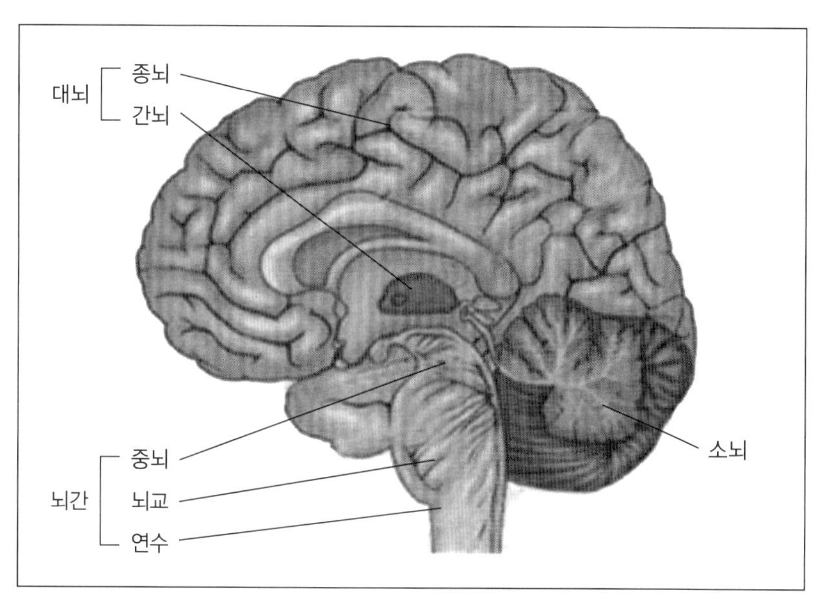

〈그림 2〉 뇌의 주요 구분

무엇보다 대뇌의 특징은 두 개의 대뇌반구(cerebral hemispheres)로 이뤄져 있다는 것이다. 각 반구에는 전두엽(frontal lobe), 두정엽(parietal lobe), 측두엽(temporal lobe), 후두엽(occipital lobe)이 있다. 반구의 각 엽은 서로 배타적이지 않으면서도 기능적인 역할을 한다. 전두엽은 운동 계획과 수행을 맡아 처리하며, 측두엽은 청각 처리를 담당하고, 후두엽은 시각을, 그리고 두정엽은 감각 연상과 공간 처리에 중요한 역할을 한다.

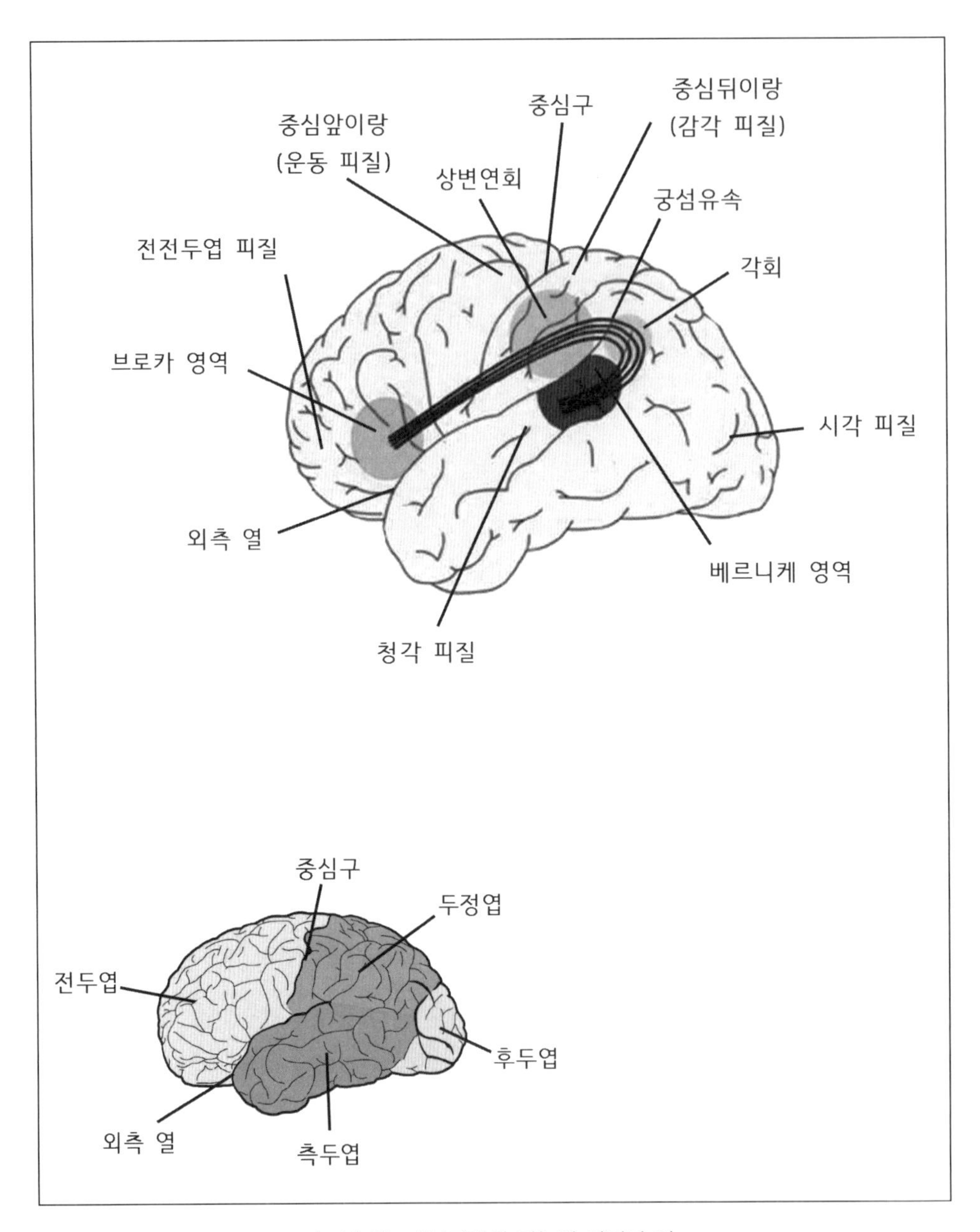

〈그림 3〉 대뇌피질의 기능적 영역과 엽

크게 두 개의 반쪽으로 나누어지는 대뇌 반구에 대해 좀 더 살펴보기로 하자. 각각이 담당하는 기능으로 본다면 두 반구는 정확하게 절반으로 나눠지는 대칭적인 이미지는 아니며, 상위 수준의 인지 기능들이 어느 한 쪽에 편재화(lateralized)되어 있는 경우가 많다. 이는 우반구(right hemisphere)와 좌반구(left hemisphere)의 각 부분이 특수화되어 있어서 다른 반구가 하지 않는 기능을 떠맡고 있다는 의미이다. 몇 가지 예외가 있지만, 대부분의 경우에 좌반구는 의도적인 움직임을 관할하고, 오른쪽 신체에서 입력되는 감각정보를 처리한다. 마찬가지로 우반구는 신체의 왼쪽에서 오는 같은 기능을 관할한다. 언어라는 관점에서 보면, 오른손잡이들은 왼쪽 반구에서 언어기능의 대부분을 지원해준다. 하지만, 왼손잡이들의 경우는 좀 다양하다. 대부분의 왼손잡이들도 좌반구에 언어지배성이 있지만, 일부 왼손잡이들의 경우 언어는 실제로 두 반구에 확산되어 있거나 또는 우반구가 지배적이기도 하다. 오른손잡이라 하더라도, 우반구는 언어 능력을 위해 일정 역할을 한다.

두 개의 뇌 반구는 각각 능숙하게 처리하는 정보의 유형에 따라 전문화되어 있다. 좌반구는 순차적 기능에, 우반구는 종합적 처리에 맞도록 전문화되어 있다. 말과 언어를 처리하는 것과 관련해, 좌반구는 의사소통 기능이라는 측면에서 주도적인 역할을 한다. 반면, 우반구는 종합적 처리를 담당하며 얼굴 인식, 감정 이해와 표현 그리고 음악 관련 정보를 처리하는 데 능숙하다. 두 개의 뇌 반구가 가장 잘 처리할 수 있는 종류의 정보에 전문화되어 있기는 하지만, 의사소통을 하는 과정에서는 서로 함께 작용한다고 알려져 있다. 예를 들어, 우리가 대화 상대방과 이야기를 할 때는 말하는 내용뿐 아니라, 말하는 방식이나 얼굴 표정, 억양과 몸짓까지도 함께 듣고 이해하게 되기 때문이다.

뇌의 좌반구에는 〈그림 3〉에서 볼 수 있듯이, 말과 언어에 중요한 몇 가지 영역이 있다. 일반적으로, 브로카 영역은 말 산출에 중요한 역할을 하며 연합되어 있고 베르니케 영역은 청각적 언어 이해와 관련되어 있다. 이는 특정 영역에 뇌 손상을 입은 환자들이 보이는 언어 문제를 산출, 이해, 그렇지 않으면 두 가지 모두로 분류해 연구한 결과이다. 브로카 영역은 말 산출을 위한 움직임을 프로그래밍하는 데 중요하다. 이 부위에 손상을 입으면 말 산출에 관련된 움직임을 계획하고 수행하는 데 문제가 생긴다. 젊은 해부학자였던 Paul Broca는 좌측 전두엽의 아래전두이랑에 말산출과 관련된 '조음(articulation)의 자리'가 위치하고 있다는 사실을 처음 발견했다. Broca의

피험자 Lebourge는, 단일 음절로만 발화를 할 수 있어 'Tan'으로 불렸다. 이처럼 브로카 실어증 환자들은 언어 산출에서 어려움을 보이는 것이 특징인데, 말을 하는 것이 아주 힘겹고 느리며, 문법형태소 같은 기능어를 생략한 채 말을 한다. 따라서 브로카 실어증 환자의 표현은 주로 명사와 동사로 이루어지며, 유창하지 않다. 언어 표현에서의 이러한 심각한 문제에도 불구하고, 브로카 실어증 환자들은 언어 이해는 비교적 덜 손상된 것으로 보이며 이들이 산출하는 말의 내용은 그 주제와 의도된 의미가 분명한 경우가 많다.

반면, 좌반구의 측두엽에는 청각 정보를 이해하는 데 아주 중요한 베르니케(wernicke) 영역이 위치해 있다. 이 영역은 언어 이해에 중요한 상변연회와 각회(angular gyri)에 연결되어 있다. 베르니케 영역에 손상을 입으면 청각적으로 들은 내용을 이해하는 데 뚜렷한 어려움을 보인다. 베르니케 실어증 환자의 말은 유창하고, 기능어 사용에도 비교적 어려움이 없으며, 말을 할 때 '음'이나 '어' 같은 간투사도 없고, 힘이 들어가거나 모색(groping)이나 연장된 쉼도 없다. 말 속도와 억양도 거의 온전하다. 또한 브로카 실어증 환자와 달리, 조음에 특별한 어려움도 없다. 하지만 베르니케 실어증 환자는 말소리에 대치(착어)가 있으며, 때로 신조어(neologisms)처럼 의미 없는 단어를 만들어내면서 어휘 사용에서 실수를 하기도 한다.

뇌 반구 간에 정보를 전달하는 통로가 없다면 뇌는 제대로 기능을 할 수 없다. 말과 언어에 특별히 중요한 베르니케 영역을 브로카 영역에 연결해 주는 섬유 다발이 바로 궁섬유속(arcuate fasciculus)이다. 이 연결 통로에 손상을 입으면 베르니케 영역과 브로카 영역 간에 정보가 효율적으로 전달될 수 없기 때문에 들은 것을 다시 반복하는 데 문제가 생겨 따라말하기에 심각한 어려움을 보인다.

요약하면, 인간에게서 두뇌의 각 반구는 서로 다른 기능을 발휘하도록 전문화되어 있다. 언어가 특정적으로 좌반구만의 기능으로 전문화되어 있지는 않지만, 언어 능력은 주로 뇌의 왼쪽에 관련되어 있다고 알려져 있다. 언어를 담당하는 브로카 영역과 베르니케 영역은 좌반구에 있다.

12.3 언어와 인지

말소리와 문자를 이해하기 위해서는 이러한 언어 정보를 처리하는 인지과정이 관여한다. 말소리와 단어, 문장, 나아가 덩이글 이해의 전 과정에서 언어와 인지(cognition)는 매우 밀접하게 관련되어 있다. 인지는 감각과 지각을 포함해 기억과 추론, 사고 과정에 모두 걸쳐 있다. 특히, 언어 이해의 전 과정은 언어의 각 구성요소와 더불어 초분절적 장치와 비언어적 요소 외에 다양한 맥락 관련 정보를 포함한다. 그러므로 언어의 처리 과정에 깊이 관여하는 인지 관련 용어들을 간단히 정리해 볼 필요가 있을 것이다.

외부의 소리를 듣게 되는 것처럼 감각정보가 감각 수용기에 의해 탐지되어 뇌에 전달되는 과정을 감각(sensation)이라고 한다면, 유입된 감각 자극을 뇌가 해석하는 과정은 지각(perception)이라고 할 수 있다. 지각은 이미 받아들인 감각자극에 의미를 부여하여 해석하는 과정이며, 의미 있는 소리들을 여러 자극 가운데서 파악해내거나, 특정한 소리들 간의 변별력을 갖는 것 등의 능력이므로 아이들이 언어를 획득하기 위한 기본 능력이라고 할 수 있다.

언어의 처리 과정은 크게 수용과 표현으로 구분 지을 수 있다. 수용(reception)은 듣기의 과정이다. 드러난 것에 근거해서 추론해야 하는 숨겨진(covert) 행동이라고 할 수 있다. 반면, 표현(expression)은 말하는 것 자체이다. 직접 관찰되는 명백한(overt) 행동인 것이다.

언어 이해(comprehension)는 입력되는 언어 자극에 대한 재인(recognition)과 그러한 언어 경험들에 대한 회상 능력을 기초로 한다. 반면, 언어 산출(production)은 발화를 위해 필요한 지시 대상을 맥락 내에서 선택하고 회상하는 것을 반드시 필요로 한다.

실질적으로 언어 이해를 위해 필요한 인지 관련 요인들을 간단히 요약했지만, 언어적 요소에 더해 여러 처리 과정이 필요하다. 〈그림 4〉는 언어 이해를 위해 동원되는 지식과 언어 이해의 과정을 제시하고 있다. 이정모(2008)가 요약한 '글이나 말의 이해 원리'와 비교하며 언어 이해에 대한 생각들을 정리해보기로 하자.

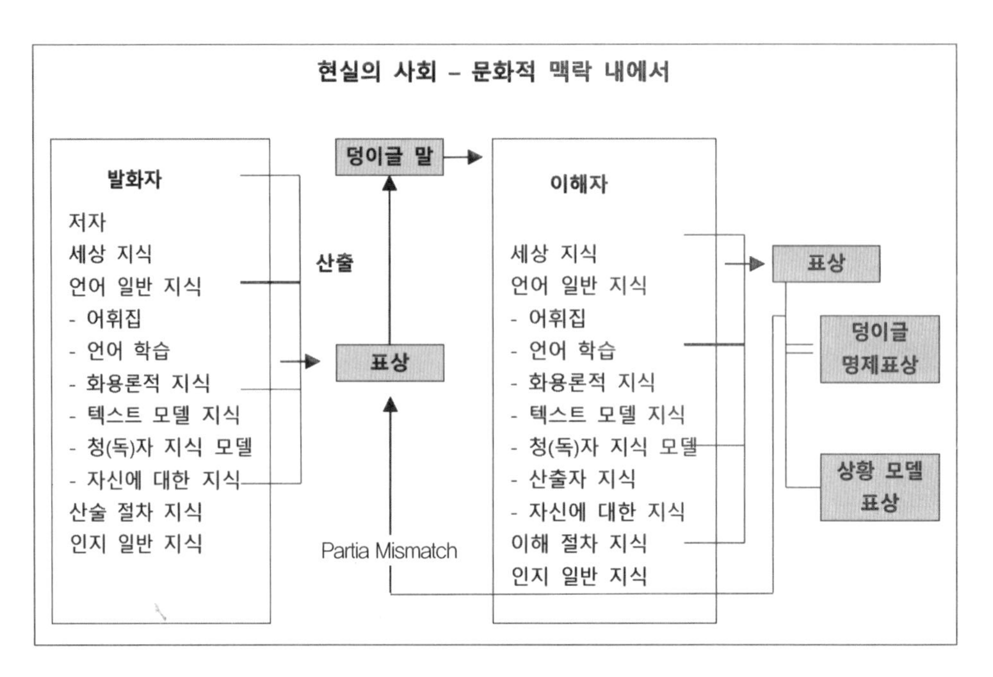

〈그림 4〉 언어 이해를 위해 동원되는 지식과 이해 과정 모형(이정모(2008). 〔인지과학〕. p.505)

'말이나 글을 이해한다는 것은 말, 글 자체에 의미가 있\는 것이 아니라 말, 글에 대한 이해자의 해석이고 구성이다. 이해자의 지식 없이는 불가능하고 이해자의 추론이 꼭 필요하다. 언어 자극은 그 자체가 의미를 가지는 것이 아니라 이해자가 어떤 지식을 인출할 것인가 하는 단서나 프로그램에 지나지 않는다. 말, 글을 이해한다는 것은 촘스키 등의 언어 단원론에서 주장하는 것처럼 언어 이해 능력이 별도로 있다기보다는, 일반 인지 능력의 특수한 능력 중 하나라고 볼 수 있다. 그리고 말, 글을 이해한다는 것은 처음 완전한 이해를 한다고 하기 보다는 처음 이해한 내용에서 계속 수정해가며 이해하는 것이라고 말할 수 있다. 따라서 어떤 상황에서 그러한 언어 표현이 이루어졌는지를 파악하는 것이 중요하다. 저자의 심적인 모델과 이해자가 이해한 심적 모델을 대응시켜서 접근해가는 과정이다. 항상 정확한 이해는 어렵고 대체적인 이해에 가까운 이해를 한다고 볼 수 있다. 언어 이해는 복잡한 정보처리와 관련되어 있다. 지식과 이해도 빈익빈 부익부 원리를 따른다.' (이정모(2008). [인지과학]. p.505)

12.4 마음이론

언어 처리에 관여하는 뇌에 대해 다루었지만, 말의 산출과 언어 이해 그리고 의사소통 전반에서 이뤄지는 언어 정보처리의 영역은 훨씬 더 광범위하다. 예를 들어, 다른 사람과 의사소통을 잘 하기 위해서는 대화에서 그 사람의 마음 즉, 의도를 읽어내어 무엇을 원하고 목표로 하고 있는지를 이해할 수 있어야 한다. 마음(mind)은 우리의 지능과 의식을 모두 포함하는 개념이므로 뇌(brain)와는 일견 다른 관점에서 다뤄지기도 한다. 자신과 다른 사람이 가진 목적이나 바람, 마음상태를 이해할 수 있을 때, 이를 마음이론(Theory of Mind) 또는 마음추측(mentalizing) 능력을 가졌다고 말할 수 있다(Baron−Cohen, Tager−Flusberg, & Cohen, 2000). 최근에는 심리학 분야 뿐 아니라 언어병리학과 관련 분야에 걸쳐 이러한 마음이론 관련 연구가 활발히 진행되고 있으며, 언어와 마음이론 간의 관계도 새롭게 주목을 받게 되었다.

'마음이론'이라는 용어는 사람이 의도나 바람과 같은 마음상태를 가지고 있다는 것을 침팬지가 이해한다는 실험 증거를 제시한 Premack과 Woodruff(1978)의 연구에서 처음 등장하였다. 마음이론은 마음상태가 특정 행동을 하도록 만든다는 마음에 대한 지식이라고 할 수 있다. 마음상태에 대한 지식이지만 '이론'이라고 표현한 것은 마음이 인간의 행동을 예측하고 설명하기 위해 사용되는 눈에 보이지 않는 이론적 구성개념이며, 마음에 대한 지식이 마치 이론과 같은 기능을 한다고 보기 때문이다. 즉, 마음이론은 다른 사람의 마음을 이해하고 그 행동을 예견하는 능력이라고 할 수 있다(김혜리, 2001; Miller, 2006). 최근 언어와 마음이론의 관계에 관한 연구들은 마음상태를 표현하는 언어지식이 습득되어야 마음에 대한 개념들을 이해할 수 있다고 주장한다(Hale & Tager−Flusberg, 2003; Slade & Ruffman, 2005).

다른 사람들이 어떤 생각을 하며 어떤 의도를 갖고 있는지를 이해하기 위한 가장 중요한 수단은 언어이다. 누군가 특정 행동을 하고 있는 장면을 보게 되면, 우리는 그러한 행동을 하고 있는 그 사람의 마음에 대해 자연스럽게 생각하게 되며, 이후 그러한 행동을 하게 된 이유를 해석하게 되는데, 해석을 위한 도구가 바로 언어적 표상이다. 언어를 매개로 사용하지 않고서는 자신이나 다른 사람의 감정과 의도, 바람, 생각 등의 마음상태를 전달하는 데 많은 어려움을 겪게 될 것이다. 결국 White와 Perner(1991)의 표현을 빌리자면, 마음이란 '안다, 생각한다, 느낀다, 바란다' 등의 언어로 표현하는 마음상태들이다. 따라서 인간이 다른 사람의 마음상태를 어떻게 이해하고 해석할 수 있는지를 알아내기 위해서는 상당한 정도로 언어에 의존할 수 밖에 없다.

뇌 발달과 마찬가지로 마음이론 역시 발달의 과정을 거쳐야 한다. 이때 중요한 초점은 다른 사람의 감정에 영향을 미치는 상황적 요인들을 자신의 입장에서 이해하는 것이다(Wellman & Woolley, 1990; Arsenio & Kramer, 1992). 어떤 사람이 특정 상황에서 어떠한 감정 상태를 가지는지를 정확하게 이해할 때에야 비로소 우리는 그 사람의 행동을 이해하고, 적절한 관계를 형성하여 소통할 수 있게 된다. 아이들이 이러한 마음이론을 발달시켜가기 위해서는 특정 마음상태 동사를 잘 습득할 수 있어야 한다. 하지만 이러한 동사는 외부로 드러나지 않는 한 개인의 내적 상태를 기술하는 것이므로 구체적인 명사 개념보다는 훨씬 이후에 출현하는데, 대부분의 아이들은 일반적인 마음 상태를 표현하는 단어를 2세를 전후하여 습득하기 시작하며(Bretherton et, al, 1986), 3세를 넘어서면 인과관계의 맥락에서 마음 상태의 목적이나 상황의 결과를 나타내는 정서 관계를 이해할 수 있게 된다(Russell, 1990; Stein & Levine, 1989). 하지만, 인간의 마음이론이 선천적인 잠재 능력이라고 할지라도, 마음이론의 성숙 과정에서는 여전히 사회적 상호작용에서 받아들이게 되는 입력과 경험이 필요하다.

학습목표

1. 뇌와 언어에 대해 설명할 수 있다.
2. 뉴런의 기능을 이해한다.
3. 대뇌 반구의 기능을 이해한다.
4. 언어 중추 내 주요 영역의 기능을 이해한다.
5. 언어 처리 과정의 주요 개념을 이해한다.

학습문제

1. 대뇌의 좌반구와 우반구의 편재화와 관련된 설명을 읽고, 각 반구의 기능과 역할에 대해 논해 보자.
2. 대뇌 피질을 구성하는 4개 엽의 기능과 역할을 설명하라.
3. 다른 사람의 심적 상태의 특성을 파악하고 이해하며 예측할 수 있는 인지 능력을 (   )이라 한다.
4. 뇌의 (좌반구, 우반구)는 언어처리 영역을 포함하고 있다.
5. 뇌의 언어중추는 언어의 산출을 담당하는 (   )영역과 언어의 이해를 담당하는 (   )으로 크게 구분할 수 있다.

CHAPTER

13

언어학과 의사소통장애

지금까지 언어학의 다양한 영역과 분야들을 차례로 살펴보았는데 이러한 전통적인 언어학 내용에 토대를 두고 보다 폭넓게 언어를 사용하면서 생기는 모든 문제를 포함하는 것을 응용언어학이라고 한다. 응용언어학에는 언어교육, 법언어학, 언어정책 등 다양한 분야가 있을 수 있는데 의사소통에서의 장애를 다루는 언어병리학도 응용언어학의 한 분야라고 할 수 있다.

13.1 의사소통장애

의사소통장애(communication disorders)란 구어나 문어, 비구어적 상징체계로 메시지를 형성, 전달, 수용, 이해하는 과정에서의 심각한 어려움이라고 정의할 수 있다. 즉, 의사소통장애는 메시지를 형성하고 이해하는 언어과정, 메시지를 소리내어 전달하는 말 과정, 메시지를 수용하는 듣기 과정에서 나타날 수 있는데, 이를 각각 언어장애(language disorders)와 말장애(speech disorders), 청각장애(hearing disorders)라고 할 수 있다. 언어와 말, 의사소통이 어떻게 구별되는지는 이 책의 제1장에서 설명하였다. 또, 의사소통장애는 심한 정도에 따라 경도에서 심도까지 다양한 장애 양상을 보일 수 있으며, 이러한 장애가 선천적인 것이어서 발달과정에서 나타날 수도 있고, 후천적으로 발생할 수도 있다.

의사소통장애를 보다 구체적이고 전통적으로 분류하는 방법은 다음 〈그림 1〉에서 언어 연쇄(speech chain)의 각 과정을 살펴봄으로써 파악할 수 있다.

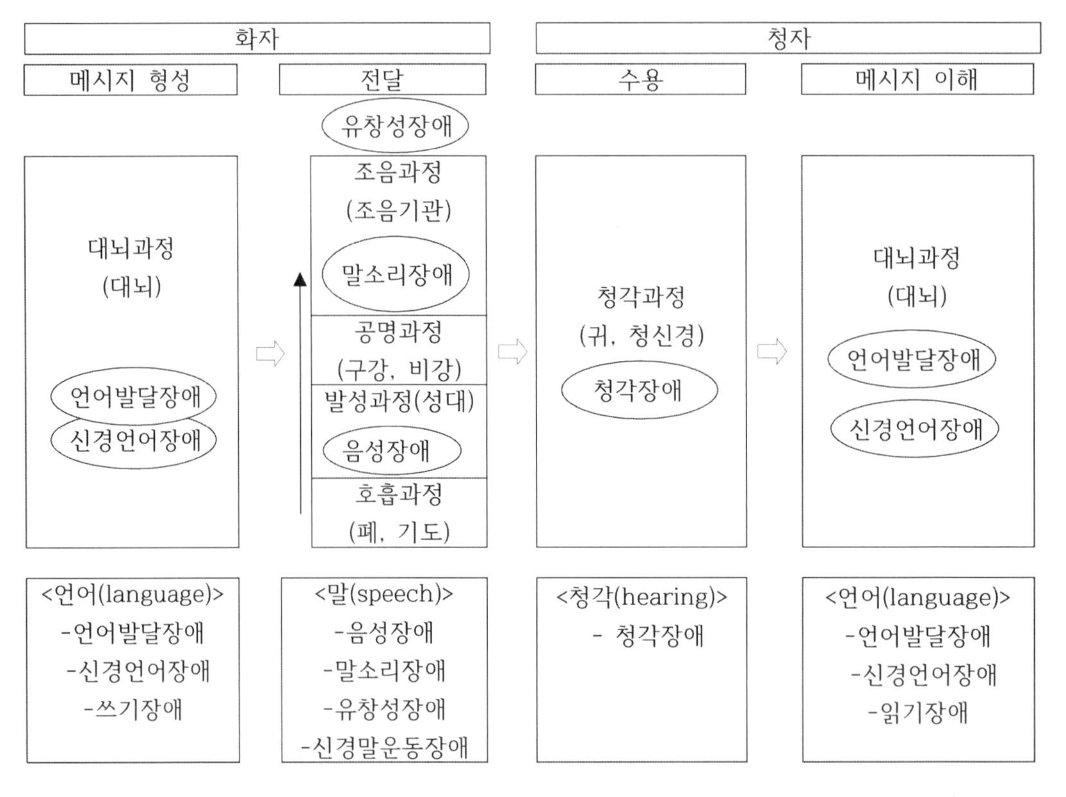

〈그림 1〉 언어연쇄(speech chain)와 의사소통장애

화자와 청자가 의사소통하는 과정은 다음과 같다. 먼저 화자가 대뇌에서 말할 내용을 생각하고(예: 생일 초대) 이를 표현할 적절한 낱말을 떠올려 선택하고(예: 생일, 파티, 오다, 집, 주말) 낱말을 배열하여 문장을 구성한 다음(예: 주말에 생일파티를 하는데 집으로 와주세요) 이를 소리로 산출하는데 필요한 근육과 기관에 명령을 내

리게 된다. 그러면, 제일 먼저 폐와 기도에서 발성에 필요한 기류를 형성하고, 이 기류가 기도를 타고 올라오다가 성대를 진동시켜 소리를 만들어낸다. 이렇게 만들어진 소리는 구강이나 비강 빈 공간을 울린 다음 혀나 입술, 턱, 이 등을 움직여 필요한 자음과 모음을 발음하여 문장을 산출해낸다. 이렇게 산출된 발화는 음향학적인 과정을 거쳐 청자의 귀에 지각, 수용되고, 청신경을 거쳐 다시 청자의 대뇌에서 해석되어 비로소 화자의 메시지를 이해하게 된다.

이러한 과정에서 나타날 수 있는 장애들을 살펴보면, 먼저 메시지를 이해하고 산출하는 대뇌과정에서는 언어발달장애와 신경언어장애가 나타날 수 있다. 언어발달장애와 신경언어장애 모두 크게는 언어장애(language disorders)라고 할 수 있는데, 소리를 산출하는 과정이 아니라 말할 내용을 생각하고 문장으로 구성하는데 있어 언어의 하위 요소인 의미론, 형태론, 구문론, 음운론, 화용론 영역 중 하나 또는 그 이상에서 어려움을 보이는 경우이다.

언어발달장애(language developmental disorders)는 아동의 어휘나 구문 등의 발달이 또래보다 유의미하게 지연된 경우로, 인지나 감각 등 다른 동반 장애 없이 언어에만 어려움을 보이는 단순언어장애(SLI, Specific Language Disorders)와 지적장애나 자폐범주성장애 같은 동반장애가 있는 경우로 크게 나누어 볼 수 있다. 또한 구어뿐만 아니라 읽고 쓰는 문해능력(literacy skills)에 어려움을 보이는 경우 읽기장애가 나타날 수도 있는데, 이 중에서도 특정하게 음운론적 처리에 주로 어려움을 보이는 장애를 난독증(dyslexia)이라고 한다.

신경언어장애(neuro-linguistic disorders)는 뇌졸중이나 외상으로 인한 뇌손상으로 신경학적인 언어문제를 보이는 성인기 언어장애로, 사물의 이름을 기억하거나 인출하지 못하는 경미한 수준부터 말을 거의 하지 못하는 심각한 언어장애까지 다양한 양상을 보인다. 특히 뇌의 손상 부위에 따라서 증상이 다양하게 나타나는데, 언어 산출을 담당하는 브로카 영역(Broca's area)이 손상된 경우는 이해하는 것보다 표현이 더 어려운 브로카 실어증(Broca's aphasia), 청각 처리를 담당하는 베르니케 영역(Wernicke's area)이 손상 되어 상대방 발화를 이해하는 것이 어려운 경우를 베르니케 실어증(Wernicke's aphasia)이라고 한다.

말장애(speech disorders)는 말을 소리로 산출하는 과정에서 문제를 보이는 경우로 음성장애와 말소리장애, 유창성장애가 이에 속한다. 음성장애(voice disorders)는 호흡기관이나 성대, 성도의 구조적, 기능적 이상으로 발성(phonation) 과정에서 문제가 생겨서 음성의 크기나 높낮이, 음질에 이상이 생긴 경우이다(Boone et al., 2005). 발성이 아예 어려운 경우도 있고 목소리가 너무 낮거나 높아진 경우, 거칠거나(harsh) 바람이 새는(breathy) 소리가 나거나 쥐어짜는 듯한(strained) 소리가 나는 경우도 있다. 음성장애의 원인으로는 직업적인 이유나 스포츠 경기 관람과 같은 사건으로 인한 성대의 오남용과 신경학적인 마비 등으로 기능이 저하된 경우 등이 있을 수 있다. 가수나 선생님 같이 목소리를 과도하게 사용하는 경우 성대결절 등이 흔하게 나타날 수 있는데 이 경우 음성에도 변화가 생기게 된다. 이 밖에도 성대에서 만들어진 소리가 성도의 빈 공간인 인두강, 구강, 비강을 거치면서 주파수가 증폭되고 변화하는 공명(resonance)과정에서 어려움이 있는 경우를 공명장애라고 한다. 구개파열이나 연인두부전 등으로 비음이 과도하게 많이 나는 과대비성이나 코감기 등으로 비음 산출 시에 비강 공명이 어려운 과소비성 등이 공명장애에 속하는데 이는 결국 크게 보면 음성장애에 속한다고 할 수 있다.

말소리장애는 조음장애(articulation disorders)라고도 하는데 말소리를 산출하는데 어려움이 있는 장애로 쉽게 말하면 발음에 문제가 있는 경우라고 할 수 있다. 특정한 음소를 다른 음소로 대치하거나 생략, 또는 왜곡하여 발음하는 경우가 이에 속한다. 말소리장애는 뇌성마비나 구순구개열, 짧은 설소대로 인한 혀끝의 운동범위 제약 등의 구조적, 기질적인 원인으로 인한 말소리장애와 아동기 잘못된 발음 습관에 의한 기능적 말소리장애로 나눌 수 있다. 특히 음운발달에서 나중에 발달하는 마찰음 'ㅅ' 'ㅆ'이나 유음 'ㄹ'은 초등학교에 진학할 무렵까지도 어려워하는 아동들이 많다. 말소리장애도 몇몇 특정한 음소에서만 어려움을 보이는 경우부터 듣는 사람이 알아듣기 어려울 정도로 불명료한(unintelligible) 발음을 보이는 경우까지 심도가 다양하다.

유창성장애(fluency disorders)는 흔히 '말더듬'이라고 알려져 있는데, 말의 흐름에 방해를 받아 연속적인 말 산출과정에서 말의 단절 또는 비정상적인 리듬이나 지속시간이 나타나는 장애로 반복과 연장, 막힘을 주요 증상으로 한다. 이러한 비유창성은 불수의적이며 때로는 눈 깜박이기 같은 부수행동을 동반할 수도 있다. 언어발달 초기 3세경에 나타나는 발달적인 비유창성은 대부분 자연회복되는 경우가 많다. 아동기 이후에도 지속되는 유창성장애는 발달적 비유창성 증상에 비해 낱말의 일부, 혹은 더 작은 단위를, 더 많이 반복하고, 말의 막힘을 보일 수도 있다.

청각장애(hearing disorders)는 다른 사람의 말을 수용하여 해석을 위해 뇌로 전달하는 과정에 이상이 생긴 장애를 말한다. 중이염 등으로 외이나 중이 등의 청각기관에 이상이 생겨 청력에 문제가 생긴 경우를 전도성 청각장애라고 하고, 내이나 청신경 등에 문제가 생긴 경우를 감각신경성 청각장애라고 한다. 청각장애는 심도에 따라서 농(deafness)부터 경도의 청각장애까지 다양한 양상을 보인다. 최근에는 와우이식 수술이 국내에서 건강보험 적용이 되면서 심도의 청각장애를 가진 경우에도 청각을 재건하는 경우가 많아졌는데, 이식 수술 후 바로 잘 들을 수 있는 것이 아니라 언어재활사 혹은 청각재활사와 함께 다양한 크기나 음도의 소리를 듣는 연습을 하는 청각재활 과정을 거쳐야 한다.

13.2 언어학과 의사소통장애

앞서 우리는 언어학의 하위분야인 의미론, 음운론, 형태론, 구문론, 화용론을 차례로 살펴보았다. 언어장애가 있는 사람은 영역별로 다양한 언어특성을 보이는데, 여기서는 이러한 특성을 영역별로 살펴보고 특정 영역에 어려움을 보이는 언어장애 유형이 있는지도 알아보고자 한다.

의미론은 낱말이나 문장의 의미나 낱말과 문장 간의 의미 관계를 탐구하는 영역이라고 할 수 있다. 언어장애를 보이는 많은 이들, 특히 아동기 언어장애나 언어지연을 보이는 아이들의 상당수가 낱말의 의미 습득에 어려움을 보여 또래에 비해 이해하거나 표현하는 어휘 수가 적다. 심리언어학에서 단어 인출이나 사용에 영향을 준다고 보고된 단어 사용빈도(frequency)나 친숙도(familiarity) 등은 언어장애 아동의 의미론적 수행에도 영향을 주어서, 친숙하고 사용빈도가 높은 일상적인 단어들보다는 추상적이고 사용빈도가 낮은 저빈도 어휘 습득을 더 어려워한다. 또한 아는 단어들이라도 어휘를 고루 다양하게 사용하지 못하여 제한된 단어를 반복해서 사용하는 경우가 많은데, 특히 정확한 이름을 이야기하지 못하고 '이거', '이렇게' 등의 대명사나 지시형용사로 여러 단어들을 대치하여 사용하기도 한다. 언어발달 초기는 언어발달이 거의 낱말 습득 자체인 시기라고 할 수 있는데, 또래 아동보다 사용하는 낱말수가 적은 경우 '말늦은아동(late talker)'으로 진단될 수 있다. 학령기 언어장애 아동은 의미론과 관련된 부분으로 비유언어나 한자어 사용 등에서 어려움을 보일 수 있다. 단순언어장애(SLI) 아동의 경우 아는 낱말인데도 적절한 상황에서 이를 떠올려 사용하지 못하여 에둘러 표현하는 '낱말찾기장애'(word-finding difficulty)를 나타내는데, 이 경우 촉발효과(prime effect)가 있는 음절 단서나 의미 단서를 사용하면 낱말 인출에 도움이 되는 경우가 많다.

언어장애의 유형에 따라 다양한 의미론적인 어려움을 보이기도 하는데, 인지적 어려움이 있는 지적장애 아동의 경우에는 '크다-작다'와 같은 상대적 비교가 필요한 어휘들이나 수, 색깔, 계절 등의 인지 관련 어휘 학습이 어렵다. 반면 마음이론(theory of mind) 발달에 문제가 있는 자폐범주성장애 아동들은 '기쁘다', '설레다' 등의 주관적인 심리상태가 정서를 나타내는 감정어휘 습득이 특히 어렵고, 내적 상태 표현이 포함된 어휘나 추상어 이해와 표현을 특히 어려워한다.

언어평가에 의뢰되는 아동들의 주 호소 중 하나가 '문장(발화)의 길이가 짧다', '조사 사용을 어려워한다' 등의 구문 · 형태론적인 어려움이다. 언어병리학에서는 학령전기 아동의 구문능력을 측정하는 지표로 문장에 몇 개의 낱말이나 형태소가 포함되어 있는가 하는 평균발화길이(MLU)를 사용하고 있는데, 언어발달장애 아동은 또래 아동에 비해서 발화길이가 짧을 가능성이 높다. 지적 장애가 있는 아동은 인지문제로 긴 말을 기억하고 처리하는데 어려움이 있어서, 다른 영역보다 특히 문법 규칙을 적용하여 복잡한 문장을 산출하는 구문론에 어려움을 보일 수 있다. 이들의 문법발달 순서는 대체로 일반 아동과 비슷하지만 속도에는 큰 차이가 있어서 심한 경우 일반 아동이 2~3년 안에 습득하는 수준의 구문 · 형태론적 성취를 하기까지 십년 이상의 매우 긴 시간이 걸리기도 한다. 또 일반 아이들이 더 어린 나이에 보이는 발달적 문법 실수를 훨씬 더 오랫동안 보이기도 한다. 예를 들어 '선생님이가'와 같은 조사 실수를 보이거나 문장에서 처음 나오는 것이 행위 주체라는 단순한 어순전략에 의지하여 문장을 이해하는 것도 지적장애 아동이나 언어장애 아동이 흔히 보이는 문법 문제들이다. 성인기 언어장애 유형 중에도 브로카 실어증의 경우 뇌에서 말의 산출을 관장하는 영역이 손상되어 결과적으로 긴 문장을 산출하지 못하고 어렵게 한 단어씩 이야기하는 말 특성을 보인다.

자폐범주성장애(autism spectrum disorders)는 상대방에게 자신의 의사소통 의도를 전달하고 상황과 상대에 맞게 대화하는 화용론적 영역에서 특별히 어려움을 보이는 언어장애군이다. 영화 '말아톤'의 주인공이 특정 상황에서 엄마가 해야 할 말을 본인이 하는 것이나 친구에게 존대말로 인사하는 것과 같이, 상황에 맞지 않는 말을 하고 상대방의 의도를 이해하지 못하는 것은 화용론적 능력의 결함에 기인한다. 대화 시 상대방의 질문에 대답 대신 질문을 그대로 따라 말한다든지 상대방의 반응과는 상관없이 본인이 하고 싶은 말을 반복적으로 되풀이하는 것은 자폐범주성장애의 주요 특성으로 언급된다.

이 밖에도 대화나 이야기 기술이 발달하게 되는 학령기 언어장애 아동들도 상대방의 경험이나 지식에 대해 잘못된 전제를 하거나 함축된 의미를 이해하지 못하기도 하고, 대화에서 주제를 적절히 유지하거나 개시하지 못하는 등의 화용론적인 어려움을 보이는 경우가 많다. 또 외상 등으로 뇌의 우반구에 손상을 입게 되면 간접적인 화행을 이해하지 못하거나 비유언어를 이해하고 사용하는데 어려움을 보이는 화용 능력 이상을 보이기도 한다.

음운론과 관련된 대표적 장애는 발음에 문제가 있는 말소리장애이다. 말소리장애 아동의 말소리 오류는 혀의 운동범위가 제한적이거나 이가 빠지는 등의 구조상의 어려움 때문인 경우도 있지만 두 음소 간의 구별이 어렵다거나 말소리에 대한 잘못된 표상 같은 음운론적 요인으로 인한 것일 수도 있다. 이런 장애를 말소리장애 중에서도 음운장애라고 하는데, 그만큼 추상적인 음운론적 지식이 아동의 발음에 많은 영향을 준다고 할 수 있다. 11장에서 살펴본 바와 같이 말소리장애 아동 및 성인의 말을 평가할 때에는 우리말 음소의 조음위치나 조음방법에 따른 분류 등의 음운론적 지식을 활용해서 말소리장애를 보이는 사람의 음운 특성이나 음운변동과 같은 말소리 오류 패턴을 분석하게 된다.

이 밖에도 유창성장애는 말의 내용상으로는 어려움이 없는 장애이므로 언어학과는 큰 관련이 없어 보이지만 이들의 말을 살펴보면 빈도수가 낮고 어려운 단어에서, 더 길고 복잡한 문장을 산출할 때, 혹은 특정한 말소리가 포함된 단어에서 비유창성이 증가하는 양상을 보이기도 하므로 유창성 장애도 의미론, 구문론, 음운론과 밀접한 관련성이 있다고 할 수 있다.

언어병리학은 아동기부터 성인기까지 다양한 의사소통장애를 가진 사람들을 평가하고 치료하기 위하여, 언어학, 심리학, 특수교육학, 해부생리 및 의학 등 많은 학문 분야를 융합하여 적용하는 응용언어학의 한 분야이다. 특히 의미론, 형태론, 음운론, 구문론, 화용론의 언어학적 지식은 11장에서 살펴본 바와 같이 의사소통장애를 가진 이들의 언어특성을 분석하고 기술하는데 직접적으로 적용된다. 의미론, 형태론, 구문론, 화용론의 개념이나 이론적인 지식들은 의사소통장애를 가진 사람의 말언어 평가에 사용되기도 하고 또 이후 중재 과정에서 목표언어를 기술하거나 치료 방법과 절차를 구성하는데 이론적 틀을 제공한다. 예를 들어 언어평가시 품사별로 어떤 어휘를 자주 사용하고 어떤 품사의 어휘는 덜 사용한다거나 문법형태소 중 어떤 것들에서 사용 오류를 보인다거나 아직 사용하지 못한다던가 발음에 문제가 있는 아이들이 특정 음소나 변별자질, 최소대립쌍에서 어려움을 보인다는 것이 언어병리학의 언어평가 내용, 결과가 되는 것이다. 또한 이러한 평가 내용과 결과를 바탕으로 하여 언어중재에도 특정한 품사, 문법형태소나 복문 등의 문장형태, 특정한 음소나 음운변동 등의 치료목표를 설정하여 언어치료 분야의 평가나 중재를 하기 위해서는 언어학적인 이론지식이 필수적이다. 언어학의 학문적 성과가 이론적인 데에 그치지 않고 실용적인 목적으로 사용되는 대표적인 본보기가 언어병리학이라고 할 수 있겠다.

학습목표

1. 의사소통 과정(대뇌과정, 발성과정, 공명과정, 조음과정 등)을 알아보고 각각의 과정에서 생기는 의사소통장애 유형을 이해한다.
2. 의사소통장애를 크게 언어장애와 말장애로 분류해 볼 수 있다.
3. 말언어장애를 보이는 사람들이 언어학의 영역(의미론, 구문형태론, 화용론, 음운론)별로 보일 수 있는 특징을 알 수 있다.

연습문제

1. 화자와 청자가 메시지를 주고 받는 의사소통 과정을 간단히 그려보고 각 과정에서 생길 수 있는 의사소통장애 유형을 적어 보자.
2. 다음 각 장애에서 보일 수 있는 언어 특성을 이야기해 보자.
   (1) 언어발달장애
   (2) 음성장애
   (3) 말소리장애
   (4) 유창성장애
   (5) 신경언어장애
3. 이번 장에서 언급된 것 외에 언어치료분야에서 언어평가와 중재에 사용되고 있는 언어학적 지식의 예를 찾아 보자.
4. 주변에서 의사소통의 어려움을 겪고 있는 사람들이 있는지 알아보고 그 사람들의 언어 특성을 설명해 보자.

용어 정리

ㄱ

각회(angular gyrus) 각이랑. 측두엽의 뒷부분에 위치하는 뇌의 연합령이며, 언어 처리, 특히 단어 회상을 맡고 있는 부분

간접 화행 '책 좀 줄 수 있어?'처럼 가능 여부를 묻는 질문의 형태로 행위요구를 표현하는 것. 즉 의문문, 명령문, 평서문을 사용해야하는 경우 다른 문형을 사용한다던가 잉여적인 '좀'을 붙인다던가 '죄송하지만'과 같은 사과의 표현을 쓰는 등의 표현법

감각(sensation) 감각 기관의 작용 또는 이로 인해 경험하는 의식 내용, 빛, 소리, 맛, 냄새 같은 환경으로부터의 물리적 자극에 의한 경험을 의미

감각운동기(sensorimotor stage) 출생 후 2세까지인데, 이 시기 동안 아기가 보고, 듣고, 빨고, 탐색하는 모든 행위가 인지 활동의 자료가 됨

개념적 의미(conceptual meaning) 단어 스스로 가지고 있는 문자적, 사전적 의미

객체 높임 화자가 말하는 문장의 목적어나 부사어를 높이는 경우

격조사 체언이나 체언 구실을 하는 말 뒤에 붙어 앞말이 다른 말에 대하여 갖는 일정한 자격을 나타내는 조사. 주격 조사, 서술격 조사, 목적격 조사, 보격 조사, 관형격 조사, 부사격 조사, 호격 조사 따위가 있음

결속 장치(cohesive devices) 문장과 문장, 담화와 담화를 이어주어 전체적인 응집력을 갖게 하고 의미를 구성하는 역할을 하는 장치

겹문장(복문) 두 개 이상의 절(節)로 된 문장. 한 개의 절이 다른 문장 속에 한 성분으로 들어가 있거나, 둘 이상의 절이 서로 이어지거나 하여 여러 겹으로 된 문장

관계언 문장에 쓰인 단어들의 관계를 나타내는 기능을 하는 조사를 이르는 말

관형사 체언 앞에 놓여서, 그 체언의 내용을 자세히 꾸며 주는 품사

관형어 체언 앞에서 체언의 뜻을 꾸며 주는 구실을 하는 문장 성분

관형절 관형사형 어미와 결합하여 관형어의 구실을 하는 절(節)

구(phrase) 둘 이상의 단어가 모여 절이나 문장의 일부분을 이루는 토막

구강음(oral sound) 연인두가 폐쇄된 상태로 구강에서 산출되는 말소리

구어(spoken language) 글에서만 쓰는 특별한 말이 아닌, 일상적인 대화에서 쓰는 말

국제음성기호(International Phonetic Alphabets) 말소리를 글로 전사하는데 사용되는 표준화된 글자 체계

궁섬유속(arcuate fasciculus) 활모양다발. 뇌의 각회(angular gyrus)에 깔려있는 백색섬유 다발. 언어는 베르니케 영역에서 조직화되고 궁섬유속을 거쳐 브로카 영역으로 전달됨

규범문법 언어생활을 올바르게 하기 위하여, 규칙을 설정하고 그것을 지키도록 한 문법

규정 행위(regulators) 대화에서 말하는 이와 듣는 이가 서로 말하기와 듣기를 자연스럽게 이어가는 도중에 말차례를 바꾸는 데 영향을 주거나 규제하는 행위

경험주의(empiricism) 아동이 노출되어 있는 환경적 언어 입력으로부터 경험을 통해 언어지식을 습득한다고 주장하는 언어습득 이론

기술문법 특정한 시기의 한 언어 상태를 있는 그대로 기술하는 문법

기식(aspiration) 성도 일부분의 막힘이 개방되면서 동반되는 기류의 강한 흐름

기의(signifié) 기호 안에 담긴 의미

기표(signifiant) 기호의 겉표면으로 일반적으로 말소리로 표현됨

기저형(underlying form) 음운규칙이 적용되기 전의 추상적 형태

ㄴ

낱말찾기장애(word-finding difficulty) 아는 낱말인데도 적절한 상황에서 이를 떠올려 사용하지 못하여 에둘러 표현하는 장애.

뇌량(corpus callosum) 뇌의 두 반구 사이를 이어주는 주요 신경 다발의 통로

뇌피질(cortex) 뇌의 가장 바깥쪽 회색 층으로, 신경원 세포체로 이루어짐

뉴런(neuron) 신경 세포. 신경계의 기본 단위

ㄷ

단순언어장애(Specific Language Disorders, SLI) 인지나 감각 등 다른 동반 장애 없이 언어에만 어려움을 보이는 장애

단어(낱말)(word) 분리하여 자립적으로 쓸 수 있는 말이나 이에 준하는 말. 또는 그 말의 뒤에 붙어서 문법적 기능을 나타내는 말

다의어(polyseme) 여러 가지 뜻을 가지고 있는 단어

단모음(monophthong) 조음동작이 변하지 않고 한 가지 소리로 나타나는 모음

단어 지식(word knowledge) 단어가 나타내는 상징과 의미하는 개념, 위계 및 정의에 관한 지식

담화(discourse) 하나의 주제에 대하여 둘 이상의 문장이 연속되어 이루어지는 말의 단위

대뇌(cerebrum) 뇌의 상위 부분으로, 피질과 피질하 구조로 이루어진 구조

대명사 사람이나 사물의 이름을 대신 나타내는 말. 또는 그런 말들을 지칭하는 품사

대립어(antonym) 서로 반대되는 뜻을 가지는 단어

대화 격률 주고받는 대화가 잘 이루어지기 위한 규칙(질의 격률, 양의 격률, 관련성의 격률, 양태)

독립어 문장의 다른 성분과 밀접한 관계없이 독립적으로 쓰는 말. 감탄사, 호격 조사가 붙은 명사, 제시어, 대답하는 말, 문장 접속 부사 따위가 이에 속함

동사 사물의 동작이나 작용을 나타내는 품사. 형용사, 서술격 조사와 함께 활용을 하며, 그 뜻과 쓰임에 따라 본동사와 보조 동사, 성질에 따라 자동사와 타동사, 어미의 변화 여부에 따라 규칙 동사와 불규칙 동사로 나뉨

동의어(synonym) 같은 뜻을 가진 단어

동음어 같은 소리형태를 가지는 단어

동작학(kinesics) 신체의 움직임을 통해 의사소통을 연구하는 분야

동작상(aspect) 전통 문법에서, 동사가 가지는 동작의 양태(樣態) · 특질 따위를 나타내는 문법 범주의 하나. 동작의 완료를 나타내는 완료상, 동작의 진행을 나타내는 진행상 따위가 있음

동화(assimilation) 외부 자극이 이미 존재하는 인지구조나 도식에 병합되는 과정을 의미하는 Piaget의 개념

두문자어(두자어)(acronym) 구나 구절을 구성하는 단어의 첫 음절로 이루어진 말

두정엽(parietal lobe) 대뇌 중심구의 후측, 후두엽의 앞쪽이면서 측두엽 상측 피질 부위. 피부 감각을 받아들이고 시각 정보 처리에 관여함

ㅁ

말(speech) 소통에 초점을 두고 발달된 조음기관을 통하여 언어 부호(linguistic codes)를 음향학적으로 산출하는 것

말더듬 음절 비율(percentage of syllables stuttered(%SS) 전체 산출한 음절 중 더듬은 음절의 비율

말소리(speech sounds) 인간의 조음기관을 통하여 산출되는 의미가 있는 소리

말소리장애(speech sound disorders) 말소리를 산출하는데 어려움이 있는 장애

말장애(speech disorders) 말을 소리로 산출하는 과정에서 문제를 보이는 경우로 음성장애와 말소리장애, 유창성장애가 있음

무성음(voiceless sounds) 성대의 진동을 동반하지 않는 말소리

말초신경계(peripheral nervous system) 두개골과 척수 바깥에 있는 신경계의 모든 요소

명사 사물의 이름을 나타내는 품사. 특정한 사람이나 물건에 쓰이는 이름이냐 일반적인 사물에 두루 쓰이는 이름이냐에 따라 고유 명사와 보통 명사로, 자립적으로 쓰이느냐 그 앞에 반드시 꾸미는 말이 있어야 하느냐에 따라 자립 명사와 의존 명사로 나뉨

명사절 명사 구실을 하는 절

모색(groping) 말을 시작하려 할 때, 조음 기관 주변에서 관찰되는 미세한 움직임. 혀와 입술을 어디에 위치시켜야 할지 또는 어떻게 움직여야 할지를 탐색하는 듯한 행동을 의미함

모성어(motherese) 발달 초기의 갓난이와 아장이들에게 엄마가 건네는 말로, 아이들의 언어발달에 매우 중요하며, 사용역(register)의 한 종류임

모음(vowel) 성도의 방해가 적은 상태로 산출되는 말소리

목적어 주요 문장 성분의 하나로, 타동사가 쓰인 문장에서 동작의 대상이 되는 말

문법(grammar) 단어의 순서, 문장의 분류, 문장 요소들의 기능과 위치에 따른 분류

문해(literacy) 글을 읽고 의미를 파악하는 데 필요한 사고와 인지과정을 모두 아우르는 개념

ㅂ

발동과정(initiation) 말소리 산출을 위해 필요한 기류를 조달하는 과정

발성과정(phonation) 말소리 산출과정 중 기류를 성대에서 조절하는 과정

발화(utterance) 소리를 내어 말을 하는 현실적인 언어 행위. 또는 그에 의하여 산출된 일정한 음의 연쇄체

배음(harmonics) 복합음을 이루고 있는 여러 주기파

베르니케 영역(Wernicke's area) 뇌의 언어 처리 영역으로, 좌반구 측두엽에 위치한다. 산출되는 메시지의 내재적인 구조를 구조화하고 입력되는 언어 정보를 분석하는 일을 맡음

변별자질(distinctive features) 음운구조를 분석하는 기본적인 단위

변이음(allophone) 상황에 따라 달리 나타날 수 있는 하나의 음운의 여러 구체적인 말소리

보어 주어와 서술어만으로는 뜻이 완전하지 못한 문장에서, 그 불완전한 곳을 보충하여 뜻을 완전하게 하는 수식어.

보조사 체언, 부사, 활용 어미 따위에 붙어서 어떤 특별한 의미를 더해 주는 조사

보편문법(universal grammar) 촘스키에 의하면 인간은 선천적으로 언어능력을 타고 나며 모든 언어에 공통된 언어 구조와 원리가 적용되는데 이를 일컫는 말

복모음(diphthong) 산출 시 조음동작이 변화하는 모음

복합어 하나의 실질 형태소에 접사가 붙거나 두 개 이상의 실질 형태소가 결합된 말

부사 용언 또는 다른 말 앞에 놓여 그 뜻을 분명하게 하는 품사. 활용하지 못하며 성분 부사와 문장 부사로 나뉜다.

부사어 용언의 내용을 한정하는 문장 성분

부사절 부사어의 구실을 하는 절

부속성분 주성분의 내용을 꾸며 뜻을 더하여 주는 문장 성분. 부사어, 관형어 따위가 있음

부차언어적 부호(paralinguistic codes) 초분절적 장치라고도 함. 말하는 이의 태도나 정서를 신호하거나 부가적 의미를 명확히 하며, 이를 듣는 이에게 제공하기 위해 언어적 부호에 덧붙여지는 음성적 또는 비음성적 부호를 말함

부호변환(code-switching) 두 가지 또는 그 이상의 언어 사이의 표현을 바꾸는 과정

부호화(encoding) 입력 자극을 기억하기 쉽도록 정보의 의미를 부호로 변환하는 과정

부호풀기(decoding) 부호화된 정보를 의미 개념으로 해석하는 것

브로카 영역(Broca's area) 뇌의 좌측 전두엽 피질 영역으로, 말소리를 산출하는 운동 계획을 협응하고 세분화하는 일을 맡고 있는 영역

비언어적 단서(nonlinguistic cues) 의사소통에 기여하지만 말의 한 부분은 아닌 부호화 장치. 예로는 몸짓, 자세, 시선 접촉, 머리와 몸의 움직임, 얼굴 표정, 물리적 거리 두기, 가까이 하기 등이 있음

비유어(figurative language) 개념적 의미와는 다른 의미를 갖는 언어 표현

비음(nasal sound) 연인두의 개방으로 인해 비강에서 공명이 나타나는 말소리

ㅅ

사동 주체가 제3의 대상에게 동작이나 행동을 하게 하는 동사의 성질.

사용역(register) 말하기의 과정에서 상황에 따라 영향을 받는 언어 변이이며, 예를 들어 모성어(motherese) 같은 것이 있음

사회언어학 언어가 사회적 요인에 의하여 어떻게 변이되어 나타나는가를 다루는 학문. 언어학의 한 분야.

상대 높임 청자인 대화 상대방을 높이는 것

상변연회(supramarginal gyrus) 뇌의 연합령으로, 측두엽의 뒷부분에 위치하여 언어 처리를 맡고 있는 영역이며, 특히 문장 같은 긴 통사 단위를 맡게 됨

상보적 분포(complementary distribution) 서로 같은 위치에서 발생하지 않는 현상. 하나의 음운의 서로 다른 변이음은 같은 위치에서 나타나지 않는 상보적 분포를 보임

상위어(hypermym) 상위 단계에 해당하는 단어. 예를 들어 "빨강, 하양, 노랑"의 상

위어는 "색깔"이다.

상위언어(metalinguistics) 언어의 정확성이나 적절성에 대하여 판단하고, 맥락에 따르거나 벗어나는 것, 모호한 언어에 대하여 사용자가 생각하도록 하게 하는 언어적 처리에 기여함. 상위언어의 발달은 문자의 발달과 거의 일치함

상향적(bottom-up) 읽기과정 읽기 과정을 글자와 단어들로 시작해 이보다 조금 더 큰 단위인 구, 절, 문장 결합을 살펴보는 순서로 텍스트 의미를 해석하고 축적해 나가는 해독과정

상형문자 물건의 모양을 본떠 글자를 만들어 글자의 모양에서 원형과의 관련이 조금이라도 보이는 문자.

상호적 시선(mutual gaze) 소통 상대방과의 시선 접촉, 주의가 집중되어 있는 경우에 사용됨

서법(mood) 어말어미(문장 종결법)나 선어말 어미로 나타나는 명제 또는 사태에 대한 화자의 태도나 심리적 상태. 양태와 유사하나 양태의 문법적 실현을 서법이라고 함

서술어 한 문장에서 주어의 움직임, 상태, 성질 따위를 서술하는 말

서술절 문장에서 서술어 구실을 하는 절

선어말어미 어말 어미 앞에 나타나는 어미

선천주의(innateness hypothesis) 인간의 뇌는 성숙되어 가면서 언어를 습득하도록 이미 프로그램되어 있으며, 아이들에게는 문법을 처리하는 타고난 능력이 있다고 주장하는 언어습득 이론

성도(vocal tract) 발성기관에서 산출된 소리가 지나가는 통로

세상사 지식(world knowledge) 사건에 대한 자서전적이고 경험적인 이해로 개인적이고 문화적인 해석을 반영함

소통(communication) 참여자들 사이에서 정보와 관념을 교환하기 위하여 신호를 부호화, 전달, 해독하는 과정

수사 사물의 수량이나 순서를 나타내는 품사.

수식언 뒤에 오는 말을 수식하거나 한정하기 위하여 첨가하는 관형사와 부사를 통틀어 이르는 말

수초화(myelination) 신경이 자기보호적인 수초 껍질, 또는 소매를 발달시키는 신경계의 성숙 과정

수행동사(performative verbs) '선언하다', '언도하다' 등 발화와 동시에 어떤 언어 행위를 수반하는 동사

스펙트럼(spectrum) 특정 시간의 소리의 주파수를 보여주는 도구

스펙트로그램(spectrogram) 주파수와 강도의 시간에 따른 특성을 보여주는 도구

시냅스(synapse) 한 뉴런의 축색돌기와 다른 뉴런의 수상돌기 사이의 미세 공간

신경언어장애(neuro-linguistic disorders) 뇌졸중이나 외상으로 인한 뇌손상으로 신경학적인 언어문제를 보이는 언어장애

신경언어학(neurolinguistics) 언어 처리와 형성을 책임지고 있는 뇌의 해부학, 생리학, 생화학에 관한 연구

신호대잡음비(signal to noise ratio) 주변 소음에 대한 의도된 신호의 비율을 의미하며, 음성의 경우 음성신호에서 나타나는 소음의 정도를 나타내는 지표이다.

실행 기능(executive function) 필요에 따라 쓰는 이가 계획하고 훑어보고, 다시 쓸 수 있게 하는 쓰기의 자기 조정 양상

실질형태소 구체적인 대상이나 동작, 상태를 표시하는 형태소

심성어휘집(mental lexicon) 음운적, 형태적, 통사적, 의미적 속성 등 장기기억 속에 존재하는 단어 지식의 조직

쉬머(shimmer) 음성 진폭 혹은 강도의 변동률

ㅇ

아기 지향어(infant directed speech) 아이가 자연스럽게 언어를 배울 수 있도록 도와주며 흔히, 모성어(motherese)라고 함

아기 손말(baby signs) 말 표현에 익숙하지 않은 영유아 시기 아기가 대상이나 사건, 의도를 전달하기 위해 보이는 몸짓 신호

안은 문장(내포문) 하나의 문장 안에 주어와 서술어의 관계가 두 번 이상 이루어지며 성분 절을 가진 문장

양태(modality) 발화 내용과 현실의 관계에 대하여 화자의 주관적 태도를 나타내는 범주. 예를 들면, '눈이 온다.'는 단정적인 양태성이며, '눈이 오겠다.'는 가능성을 확인하는 양태성이다.

어간 활용어가 활용할 때에 변하지 않는 부분

어미 용언 및 서술격 조사가 활용하여 변하는 부분

어절 문장을 구성하고 있는 각각의 마디. 문장 성분의 최소 단위로서 띄어쓰기의 단위가 된다.

어휘다양도(type token ratio, TTR) 어휘의 다양성 정도를 측정하는 지표로 총 사용한 낱말 중에서 서로 다른 낱말이 차지하는 비율

어휘집(lexicon) 단어와 각 단어에 내재된 개념이 들어있는 각 개인이 가지고 있는 개인 사전 어휘집은 역동적이며, 경험에 따라 변화한다

언어(language) 우리가 생각하고 의도하는 바를 표현하기 위해 사용하는 말을 포함한 문자나 몸짓과 같은 상징체계에 대한 약속

언어 능력(linguistic competence) 관습적인 언어 형식을 생성해내고 이해하는 데 필요한 내재적 지식으로 원어민이 가지고 있는 지식

언어 산출(language production) 개인의 심적 내용을 대화 상대방에게 전달하기 위해 언어를 생성하고 표현함

언어 수행(linguistic performance) 언어 능력과 소통 제약을 반영하는 실제적인 언어

사용

언어 이해(language comprehension) 대화 상대방의 심적 내용이 담긴 언어 정보를 자신의 인지 과정을 통해 해석하는 표상함

언어학(linguistics) 인간이 사용하고 이해하는 언어 영역을 과학적으로 분석하고 연구하는 학문

언표내적 행위(illocutionary acts) 발화수반 행위. 문장을 발화할 때 동반되는 행위로 의사소통에서 화자가 언어를 통해 수행하려는 의도적 행위.

언표행위(locutionary acts) 발화행위. 일정한 의의를 가진 구어를 발화하는 것

언향적 행위(perlocutionary acts) 발화효과 행위. 발화행위에 대한 결과로 생기는 행위로, 화자의 말이 청자에게 영향을 끼쳐 일어나는 행위

연상적 의미(associative meaning) 개념적 의미와는 달리 한 단어와 관련된 다른 의미

옹알이(babbling) 어린이가 5개월 정도 되었을 때 산출하기 시작하는 길게 이어지는 소리

용언 문장에서 서술어의 기능을 하는 동사, 형용사를 통틀어 이르는 말

원시 대화(protoconversation) 더 성숙한 대화에서의 언어 교환과 비슷한 엄마와 아기 사이의 음성적 상호작용

위상(phase) 음파의 상대적인 시작 위치

유성음(voiced sound) 성대의 발성이 동반되는 소리

유창성장애(fluency disorders) 말의 흐름에 방해를 받아 연속적인 말 산출과정에서 말의 단절 또는 비정상적인 리듬이나 지속 시간이 나타나는 장애로 반복과 연장, 막힘의 주요 증상을 보이는 장애

음성(phone) 말소리의 최소단위

음성장애(voice disorders) 호흡 기관이나 성대, 성도의 구조적, 기능적 이상으로 발성 과정에 문제가 생겨서 음성의 크기나 높낮이, 음질에 이상이 생긴 경우

음성학(phonetics) 말소리의 산출, 인지, 특성 등을 연구하는 학문

음소문자 표음 문자 가운데 음소 단위의 음을 표기하는 문자. 한글, 로마자 등이 있음

음운(phoneme) 의미를 분별할 수 있는 한 언어의 최소 말소리

음운과정(phonological process) 모든 언어에서 보편적으로 나타나는 현상이거나 아동이 자신의 능력의 제한으로 인하여 산출할 수 없는 음운이나 음운 연속체를 자신이 할 수 있는 형태로 대치하는 것

음운배열규칙(phonotactic rule) 말소리가 어떻게 연쇄되어 나타날 수 있는지 나타내는 규칙

음운인식(phonological awareness) 낱말을 구성하는 말소리에 대해 인식하고 합성, 탈락, 대치하는 등 말소리를 조자할 수 있는 능력

음절문자 표음 문자 가운데 한 글자가 한 음절을 나타내는 문자

의미성분(semantic feature) 어휘의 의미를 나타내는 기본 의미 요소

의미장(semantic field) 하나의 공통된 대상을 나타내는 의미적으로 관련된 단어 집단

의사소통장애(communication disorders) 구어나 문어, 비구어적 상징체계로 메시지를 형성, 전달, 수용, 이해하는 과정에서의 심각한 어려움이 있는 장애

의존형태소 다른 말에 의존하여 쓰이는 형태소

이어진 문장(접속문) 둘 이상의 절(節)이 연결 어미에 의하여 결합된 문장

이야기 문법(story grammar) 이야기가 전개되는 일반적인 방식을 도식화한 형식

이중언어(bilingual) 두 가지 언어를 사용하고 이해함. 각 언어에 능통한 정도는 상황, 의사소통 요구, 습득 경험에 따라 달라질 수 있음

이형태 한 형태소가 주위 환경에 따라 음상(音相)을 달리하는 경우가 있는데, 이때 달라진 한 형태소의 여러 모양을 이르는 말

인용절 남의 말이나 글에서 직접 또는 간접으로 따온 절

ㅈ

자립형태소 다른 말에 의존하지 아니하고 혼자 설 수 있는 형태소

자음(consonant) 성도의 방해가 크게 나타나는 소리

자음정확도(percentage of consonant correct) 전체 산출된 자음 중 정확하게 산출된 자음의 비율

자연집단(natural class) 음운론에서 자연집단이란 특정 변별자질을 공유하는 음운집단을 의미한다. 이에 자연집단은 동일한 음운과정을 거침

지각(perception) 감각 기관에 부여된 자극이나 정보를 이용해 물체, 사건, 환경 등에 대해 알아차리는 것

작용 기억(working memory) 처리과정 동안 정보가 보유되는 기억

재빠른 연결(fast mapping) 어린이가 단어와 그 지시물을 단 한 번만 접하고도 그 연결을 이끌어내는 단어 학습 책략

적응(adaptation) 유기체가 환경에 적응하는 과정, 동화(assimilation)와 조절(accommodation)이라는 두 가지 상보적인 과정의 결과로 일어난다는 Piaget 학파의 개념

적응 행위(adaptors) 개인의 욕구를 충족시키기 위한 신체 동작

전두엽(frontal cortex) 대뇌의 중심구에서 앞쪽 끝에 이르는 영역으로 운동을 계획, 실행, 통제하는 운동 피질을 비롯하여 전전두 피질을 포함.

전사(transcription) 말소리를 글로 적는 것

전제(presupposition) 어떤 문장이나 발화가 성립하기 위해서 단언된 것은 아니지만 반드시 가정되어야 하는 배경적인 내용

절(clause) 주어와 술어를 갖추었으나 독립하여 쓰이지 못하고 다른 문장의 한 성분으로 쓰이는 단위.

정보처리(information processing) 정보를 다루는 데 사용되는 방법을 강조하는 뇌 기능의 이론적 모형

조사 체언이나 부사, 어미 따위에 붙어 그 말과 다른 말과의 문법적 관계를 표시하거나 그 말의 뜻을 도와주는 품사

조음(articulation) 말소리를 조음기관을 이용하여 산출하는 것

조음기관(articulators) 말소리의 산출에 중요한 역할과 기능을 하는 혀, 입술, 치아, 턱, 입천정 등의 기관

조음장애(articulation disorders) 말소리를 산출하는 데 어려움이 있는 장애

조절(accommodation) 가용한 도식에는 들어맞지 않는 외부 자극에 대한 반응으로 인지구조나 도식을 재조직화하거나 새로운 도식을 만드는 과정에 대한 Piaget 학파의 개념

제약(constraints) 발달이 한 방향으로만 발생하도록 이미 결정되어졌다고 가정하는 이론

조직화(organization) 모든 생명체에서 체계화하거나 행동을 조직화하는 경향성에 대한 Piaget 학파의 개념

주기(period) 하나의 파형이 나타나는데 걸리는 시간

주기파(periodic sound) 규칙적이며 일정한 반복을 보이는 파형

주성분(필수성분) 문장의 골격을 이루는 필수적인 성분.

주어 주요 문장 성분의 하나로, 술어가 나타내는 동작이나 상태의 주체가 되는 말

주제적 의미(thematic meaning) 어순, 강조 등에 따라 다르게 나타나는 의미

주체 높임 화자가 말하는 문장의 주어를 높이는 경우

주파수(frequqency) 단위 시간 당 진동 회수이며 일반적으로 헤르쯔(Hz)로 측정. 1초에 한 번의 진동횟수를 보이는 경우 1Hz임

중추신경계(central nervous system, CNS) 뇌와 척수로 이루어진 신경계

지터(jitter) 음성 기본주파수의 변동률

직시(deixis) 의미 해석을 위해 언어 사용의 맥락의 고려가 필수적인 현상. 대표적으

로 지시사 및 지시관형사가 있음

진폭(amplitude)　음파 진동의 폭으로 진폭이 크면 강도가 강함

ㅊ

참조적 의사소통(referential communication)　상대방에게 제3의 사물, 사건, 사람에 대하여 설명하여 이해시키는 정보를 전달하는 의사소통

청각장애(hearing disorders)　외이로부터 대뇌에서 소리를 이해하기까지의 청각 경로에 장애를 입어 주로 듣기가 어려운 장애

체언　문장에서 주어 따위의 기능을 하는 명사, 대명사, 수사를 통틀어 이르는 말

초분절 장치(suprasegmental devices)　언어적 신호에 덧붙여져 그 문장의 형식과 의미를 바꾸는 부차언어적 기제로, 그 문장의 요소들과 분절들을 통괄하여 작용한다. 예로는 억양, 강세, 어미변화 등이 있음

초분절적 요소(suprasegmental features)　강세, 높낮이, 길이 등과 같이 자음과 모음으로 나뉠 수 없는 특징

최소대립쌍(minimal pair)　하나의 음운에서만 차이가 나타나는 단어쌍으로 한 언어의 음운체계를 살펴보기 위하여 이용

최소종결단위(terminable unit, T-unit)　문법적으로 가장 작은 단위로 일반적으로 하나의 주절과 이와 관련된 종속절로 이루어짐

측두엽(temporal lobe)　청각 정보가 일차적으로 전달되는 피질 영역

ㅋ

크레올어(creole)　언어습득기의 아이들이 부모가 사용하는 피진어에 노출된 후, 언어를 재창조하여 이를 자신의 모국어로 만들 때 생겨나는 언어

ㅌ

통사론　문장을 기본 대상으로 하여 문장의 구조나 기능, 문장의 구성 요소 따위를

연구하는 학문

ㅍ

파생어 실질 형태소에 접사가 결합하여 하나의 단어가 된 말

파형(waveform) 소리가 만드는 파동의 모양

평균발화길이(mean length of utterance) 어절, 단어, 혹은 형태소 등의 평균 개수로 측정한 발화의 길이

평형(equilibrium) 입력되는 자극과 인지 구조 사이의 인지적 균형 상태 또는 조화를 의미하는 Piaget 학파의 개념

포르만트 주파수(formant frequency) 공명에 의해 강조되는 특정 주파수

표면형(surface form) 단어 혹은 소리의 음성적 표현양상으로 기저형에 음운규칙이 적용된 형태

표상 행위(emblems) 손가락으로 이뤄지는 'OK'나 V자 모양 신호처럼 매우 구체적인 의미를 지니는 비언어적 몸짓

표음문자 말소리를 그대로 기호로 나타낸 문자

표의문자 하나하나의 글자가 언어의 음과 상관없이 일정한 뜻을 나타내는 문자

피동 주체가 다른 힘에 의하여 움직이는 동사의 성질

피진어(pidgin) 서로 다른 언어사용자들끼리 모였을 때 임시방편으로 만들어지는 혼합어 또는 혼종어를 가리키는 용어

ㅎ

하위어(hyponym) 하위 단계에 해당하는 단어. 예를 들어 "색깔"의 하위어는 "빨강, 하양, 노랑"임

하향식(top-down) 읽기 과정 독자가 읽기를 수행할 때 독자의 과거경험, 사회 문화적인 지식을 바탕으로 의미를 추측하거나 부인하면서 텍스트 의미를 재구성하는

활동 과정

함축(implicature) 말이나 글에서 축자적 의미 이상의 의미를 전달하는 것

합성어 둘 이상의 실질 형태소가 결합하여 하나의 단어가 된 말

행동주의(behaviorism) 인간을 연구할 때 의식이 아닌 객관적으로 관찰 가능한 행동이 분석 대상이 되어야 한다는 이론

형식형태소 실질 형태소에 붙어 주로 말과 말 사이의 관계를 표시하는 형태소

형태론 형태소에서 단어까지를 다루는 문법학 분야

형태소 뜻을 가진 가장 작은 말의 단위

홑문장(단문) 주어와 서술어가 각각 하나씩 있어서 둘 사이의 관계가 한 번만 이루어지는 문장

화용론 말하는 이, 듣는 이, 시간, 장소 따위로 구성되는 맥락과 관련하여 문장의 의미를 체계적으로 분석하려는 의미론의 한 분야

화행(speech acts) 발화가 동반하는 기능, 말로 하는 행동

G

GRBAS **평정법** 음성의 질을 평가하는 척도

참고문헌

강범모(2010). 언어: 풀어쓴 언어학개론(개정3판). 서울: 한국문화사

강옥미(2011). 한국어음운론. 파주: 태학사

국립국어원 홈페이지. http://www.korean.go.kr '알고 싶은 한글' 코너

김수진, 신지영(2015). 말소리장애. 서울: 시그마프레스

김영태(2014). 아동언어장애의 진단 및 치료(2판). 서울: 학지사

김진우(2004). 언어: 그 이론과 응용(개정판). 서울: 탑출판사

김혜리(2001). 마음에 대한 이해 발달. 성현란 외 공저. 인지발달. 서울: 학지사

박영순(2007). 한국어화용론. 서울: 박이정

박한상(2011). Praat을 이용한 음성분석. 서울: 한빛문화

신지영(2014). 한국어의 말소리. 서울: 박이정

윤평현(2008). 국어의미론. 서울: 역락

이인주(2015). 구어동반 제스처가 노년층의 단어인출에 미치는 영향. 연세대학교 대학원 미간행 석사학위 논문

이정모(2008). 인지과학: 학문 간 융합의 원리와 응용. 서울: 성균관대학교 출판부

임지룡(2014). 국어 의미론. 서울: 탑출판사

최경봉(2015). 의미론. 쉽게 읽는 한국어학의 이해(홍종선 외, pp. 216-249) 서울: 한국문화사

최철희, 최성희, 이경재(2015). 말과학. 서울: 시그마프레스

하지완(2011). 실어증 환자의 어휘인출 결함 특성에 따른 구어동반 제스처의 사용 양상. 이화여자대학교 대학원 미간행 박사 학위 논문

하지완, 심현섭(2009). 구어산출과정에서 나타나는 제스츄어의 기능에 관한 기초연구. 한국음성학회 가을 학술대회 발표 논문집. 205-207

허웅(2011). 언어학개론. 서울: 지식을 만드는 지식

Abbot-Smith, K. & Tomasello, M. (2006). Exemplar-learning and schematization in a usage-based account of syntactic acquisition. *The Linguistic Review, 23*, 275-290.

American Psychiatric Association(2013) *Diagnostic and Statistical Manual of Mental Disorders(DSM-5)*(5th ed). Washington, DC: American Psychiatric Publishing.

Arsenio, W. F., & Kramer, R. (1992). Victimizers and Their Victims: Children's Conceptions of the Mixed Emotional Consequences of Moral Transgressions. *Child Development, 63*, 915-927.

Austin, J. L. (1962). *How to do Things with Words*. Oxford: Oxford University Press.

Baron-Cohen, S. (1989). Perceptual role-taking and protodeclarative pointing in autism. *British Journal of Developmental Psychology, 7*, 113-127.

Baron-Cohen, S. (2007). *The Essential Difference*. 그 남자의 뇌, 그 여자의 뇌. 김혜리, 이승복 역. 서울: 바다출판사. (원전은 2003년에 출판).

Baron-Cohen, S., Tager-Flusberg, H., & Cohen, D. J. (Eds.). (2000). *Understanding other minds: Perspectives from developmental cognitive neuroscience* (2nd ed.). Oxford: Oxford University Press.

Baron-Cohen, S., Wheelwright, S., Hill, J., Raste, Y., & Plumb, I. (2001). The

"Reading the Mind in the Eyes" Test Revised Version: Study with Normal Adults, and Adults with Asperger Syndrome or High-functioning Autism. *J Child Psychol Psychiatry*, 42(2), 241-251.

Bates, E., & Goodman, J. (1999). On the emergence of grammar from the lexicon. In B. MacWhinney(Ed.). *The emergence of language*(pp. 29-79). Mahwah, NJ: Lawrence Erlbaum Associates.

Bates, E., Camioni., & Volterra. V. (1975). The acquisition of perfomatives prior to speech. *Merrill-Palmer Quaterly*, 21, 205-226.

Bernthal, J. E., Bankson, N. W., & Flipsen Jr, P. F. (2013). Articulation and phonological disorders: Speech sound disorders in children(7th ed.). Upper Saddle River, NJ: Pearson Education Inc.

Bialystok, E. (1991). Language Processing in Bilingualism. New York: Cambridge University Press.

Bialystok, E. (2001). *Bilingualism in development: Language, literacy, and cognition*. New York: Cambridge University Press.

Bickerton, D. (1981). *Roots of language*. Ann Arber, MJ: Karoma.

Bickerton, D. (1984). The language bioprogram hypothesis. *The Behavioral and Brain Sciences, 7*, 173-221.

Boersma, P. & Weenink, D. (2017). Praat: doing phonetics by computer [Computer program]. Version 6.0.36, retrieved 11 November 2017 from http://www.praat.org/

Boone, D. R., McFarlane, S. C., & Von Berg, S. L. (2005). *The voice and voice therapy*(7th ed.). Boston, MA: Allyn & Beacon.

Bretherton, I., Fritz, J., Zahn-Waxler, C., & Ridgeway, D. (1986). Learning to talk about emotions: A functionalist perspective. *Child Development, 57*, 526-548.

Broaders, S., Cook, S. W., & Mitchell, Z. (2007). Making children gesture brings out implicit knowledge and leads to comprehension. *Journal of Experimental Psychology, 136*(4), 539–550.

Carey, S. & Barlett, E. (1978). Acquiring a single new word. In Papers and Reports on *Child Language Development*(Vol. 15, pp. 17–29). Stanford, CA: Stanford University, Department of Linguistics.

Chomsky, N. (1957). *Syntactic structures.* The Hague: Mouton.

Chomsky, N. (1965). *Aspects of the theory of syntax*. Cambridge, MA: MIT Press.

Cowles, H. W. (2012). *Psycholinguistics 101*. 언어심리학 101. 이승복, 이희란 역. 서울: 시그마프레스(원전은 2011년에 출판).

Dore, J. (1975). Holophrases, speech acts, and language universals. *Journal of Child Language, 2*, 20–40.

Ehrlich, S. B., Levine, S. & Goldin–Meadow, S. (2006). The importance of gesture in children's spatial reasoning. *Developmental Psychology, 43*(6), 1259–1268.

Elman, J. L., Bates, E. A., Johnson, M. H., Karmiloff–Smith, A., Parisi, D., & Plunkett, K. (1996). *Rethinking innateness: A connectionist perspective on development*. Cambridge, MA: MIT Press.

Falassi, A., & Flower, R. (2005). Italia 이탈리아, 이현철 역. 서울: 휘슬러

Finlayson, S., Forrest, V., Lickley, R., & Beck, J. M. (2003). Effects of the restriction of hand gestures on disfluency. Proceedings of Disfluency in Spontaneous Speech Workshop, 2003. Goeteborg University. Sewden.

Gathercole, V. C. (1989). Contrast: A semantic constraints? *Journal of Child Language, 16*, 685–702.

Grice, H. P. (1975). Logic and Conversation. In P.Cole & J. Morgan(Eds.). *Speech acts: Syntax and semantics.* (Vol. 3). New York: Academic Press.

Hale, C. M., & Tager–Flusberg, H. (2003). The influence of language on theory of mind: a training study. *Developmental Science 6*(3), 346–359.

Hoff, E. (2017). *Language Development.*(5th) 언어발달, 이현진, 권은영 역. 서울: 박학사.

Kana, P. F. & Kohnert, K. (2008). Fast mapping by bilingual preschool children. *Journal of child language, 35*, 495–514.

Kita, S. (2000). How representational gestures help speaking. In D. McNeil(Ed.), *Gesture and language*. Cambridge, UK: Cambridge University Press.

Klin, A., Sparrow, S. S., de Bildt, A., Cicchetti, D. V., Cohen, D. J., & Volkmar, F. R. (1999). A normed study of face recognition in autism and related disorders. *Journal of Autism and Developmental Disorders, 29*, 499–508.

Krauss. r. M., Chen, Y., & Chawla, P. (1996). Nonverbal behavior and nonverbal communication: What do conversational hand gestures tell us? *Advances in Experimental Social Psychology, 28*, 389–450.

Leekam, S., Baron–Cohen, S., Perrett, D., Milders, M., & Brown, S. (1997). Eye–direction detection: A dissociation between geometric and joint attention skills in autism. *British Journal of Developmental Psychology, 15*, 77–95.

Lenneberg, E. (1967). *Biological Foundations of Language*. New York: Wiley.

Ludden, D. (2016). *The psychology of language: An integrated approach*. CA: SAGE Publications.

MacWhinney, B. (2004). A multiple process solution to the logical problem of language acquisition. *Journal of Child Language, 31*, 883–914.

Markman, E. M. (1992). Constraints on word learning: Speculations about their nature, origins, and domain specificity. *The Minnesota Symposia on Child Psychology, 25*, 59–101.

Markman, E. M., & Wachtel, G. F. (1988). Children's Use of Mutual Exclusivity to Constrain the Meanings of Words. *Cognitive Psychology, 20*(2), 121–157.

Milenkovic, P. H. (2001). TF32 [Computer program]. retrieved from http://userpages.chorus.net/csppech

Miller, C. A. (2006). Developmental Relationships Between Language and Theory of Mind. *American Journal of Speech-Language Pathology, 15*(2), 142.

Mithen, S. (2005). *The Singing Neanderthals: The Origins of Music, Language, Mind and Body*. 노래하는 네안데르탈인: 음악과 언어, 몸과 마음의 기원, 김명주 역. 서울: 뿌리와 이파리.

Newport, E. L. (1988). Constraints on learning and their role in language acquisition: Studies of the acquisition of American sign language. *Language Sciences, 10*(1), 147-172.

Newport, E. L. (1999). Reduced input in the acquisition of signed languages: Contributions to the study of creolization. In M. DeGraff, ed., *Language Creation and Language Change: Creolization, Diachrony, and Development*. Cambridge, MA: MIT Press.

Oller, D. K., Eilers, R. E., Urbano, R., & Cobo-Lewis, A. B. (1997). Development of precursors to speech in infants exposed to two languages. *Journal of Child Language. 24*. 407-425.

Owens, R. (2012). *Language Disorders: A Functional Approach to Assessment and Intervention*(5th Eds.). 아동언어장애, 김영태, 이윤경, 정부자, 홍경훈 역. 서울: 시그마프레스.

Owens, R. (2015). *Language Development: An introduction*(9th Eds). Boston: Pearson.

Peal, E., & Lambert, W. E. (1962). *The relation of bilingualism to intelligence. Psychological Mnographs, 76*, 1-23.

Piaget, J. (1954). *The construction of reality in the child*. NY: Basic Books

Pizer, G., Walters, K. & Meier, R. P. (2007). Bringing up Baby with Baby Signs: Language Ideologies. *Sign Language Studies, 7*(4), 387-430.

Premack, D., & Woodruff, G. (1978). Does the chimpanzee have a 'theory of mind'? *Behavioral and Brain Sciences, 1*(4), 515-526.

Reali, F. & Christiansen, M. H. (2005). Uncovering the richness of the stimulus:

Structure dependence and indirect statistical evidence. *Cognitive Science, 29*, 1007–1028.

Rosenblum, T., & Pinker, S. A. (1983). Word magic revisited: Monolingual and bilingual children's understanding of the word–object relationships. *Child Development, 54*, 773–780.

Rowe, B. M., & Revine, D. P. (2012). *A concise introduction to linguistics*. 인류학자가 쓴 언어학 강의. 장영준 역. 서울: 시그마프레스.

Russell, S. (1990). Fine–grained decision–theoretic search control. In *Proceedings of the Sixth Conference on Uncertainty in Artificial Intelligence*, 436–442.

Searle, J. (1969). *Speech Acts*. Cambridge, MA: University Press.

Senghas, A., & Coppola, M. (2001). Children creating language: How Nicaraguan sign language acquired a spatial grammar. *Psychological Science, 12*, 323–328.

Silverman, L. B., Bennetto, L., Campana, E. & Tanenhaus, M. K. (2010). Speech–and–gesture integration in high functional autism. *Cognition, 115*, 380–393.

Slade, L., & Ruffman, T. (2005). How language does (and does not) relate to theory of mind: a longitudinal study of syntax, semantics, working memory and false belief. *British Journal of Developmental Psychology, 23*, 117–141.

Stein, N., & Levine, L. (1989). Causal organization of emotional knowledge: A developmental study. *Cognition and Emotion, 3*, 343–378.

Taugh, J. (1977). *The development of meaning*. New York Halsted Press.

Tomasello, M. (2005). Beyond formalities: The case of language acquisition. *The Linguistic Review, 22*, 183–197.

Tomasello, M. (2008). *Origins of Human Communication*. Cambridge, MA: MIT Press.

Umbel, V. M., Pearson, B. Z., Fernandez, S. C., & Oller, D. K. (1992). Measuring bilingual children's receptive vocabularies. *Journal of Child Language, 63*, 1012–1020.

Vallotton, C. (2008). Infants Take Self–Regulation into Their Own Hands. *Zero to Three, 29*(1), 29–34.

Wellman, H. M., & Woolley, J. (1990). From simple desires to ordinary beliefs: The early development of everyday psychology. *Cognition, 35*, 245–275.

Whiten, A., & Perner, J. (1991). Fundamental issues in the multidisciplinary study of mindreading. In A. Whiten. Blackwell. *Natural theories of mind.* (ed.)

찾아보기

저자 약력

이희란

이화여자대학교 박사(언어병리학과)
Universität Salzburg 박사(응용언어학과)
충북대학교 학사, 석사(심리학과)
현재 부산가톨릭대학교 언어청각치료학과 교수
저/역서: 언어심리학 101, 의사소통과학과 장애, 아이와 함께하는 즐거운 언어놀이, UW-SET, 언어발달 등

이경재

The University of Memphis 박사(Department of Audiology and Speech-Language Pathology)
연세대학교 석사(언어병리학 협동과정)
서울대학교 학사(언어학과)
현재 대구가톨릭대학교 언어청각치료학과 교수
저/역서: 말과학, Dr. Manning의 유창성장애

오소정

이화여자대학교 석사, 박사(언어병리학과)
이화여자대학교 학사(국어국문학과)
현재 동명대학교 언어치료청각학과 교수
저서: 장애영유아 보육과정